P9-CJG-227

后浪出版公司

Olga Tokarczuk

Dom dzienny, dom nocny

白天的房子，夜晚的房子

[波兰] 奥尔加 · 托卡尔丘克 著　易丽君 袁汉镕 译

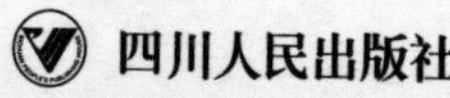

四川人民出版社

文学创作中的七巧板

（译序）

易丽君

奥尔加·托卡尔丘克是波兰家喻户晓的女作家，继《太古和其他的时间》大获成功之后，二〇〇二年她凭借《白天的房子，夜晚的房子》再次获得波兰最高文学奖“尼刻奖”的读者选择奖。在翻译这部作家本人的得意之作的过程中，我们同样经历了奇妙的精神漫游，不时为作家丰富的想象力和吸引人的艺术魅力所倾倒。

奥尔加·托卡尔丘克在自己的写作中，运用精练巧妙的波兰文字，在神话、现实和历史的印迹中悠悠摸索。她善于将迄今看起来似乎是相互矛盾的东西联在一起：将质朴和睿智联系在一起，将童话的天真和寓言的犀利联系在一起，将民间传说、史诗、神话和现实生活联系在一起，其表现手法可以说是同时把现实与魔幻乃至怪诞糅合为一，文字在似真似幻中反映出一个具体而微妙的神秘世界。她的笔下涌动着不同寻常的事物，但她又将神奇性寓于日常生活之中。

她建立了这样一种信念：文学作品可以是既易懂而同时又深刻的，它可以既简朴而又饱含哲理，既意味深长而又不沉郁。

在她的小说中，日常生活获得了少有的稠度，充满了内在的复杂性、激烈的矛盾和冲突，以及耐人寻味的转折和动荡不安的戏剧性。

她善于借助表面上似乎是微不足道的隐喻，以轻松的文笔书写重大事件，寓重大性于平淡之中。或者说，她善于揭示隐藏在平淡之中的不同凡响的事物，在这一点上，她的小说与波兰女诗人、诺贝尔奖得主辛波斯卡的诗歌有异曲同工之妙。在她的小说里，可以感受到辛波斯卡作品中那种特有的采用出人意料的比拟的超凡能力、超级的敏感和观察世界的独特方式。她俩都洞悉写作之乐，她俩的作品都读起来轻松，可是真正理解它们却并非易事。

《白天的房子，夜晚的房子》无疑是二十世纪九十年代波兰文学中的一部奇书。它是由数十个短小的特写、故事、随笔结集而成的一部多层次、多情节的小说，无怪乎有的波兰评论家将其称为用各色布片缝缀起来的百衲衣。与作家其他的小说相比，这部小说似乎最缺少内在的统一性。它是一部文学品种边缘的小说，在这里各种修辞风格相互混杂、渗透，是各种文体的杂交：自传体、随笔、叙事体、史诗风格，甚至议论文体，应有尽有。书中没有一个贯串始终的单线条的故事情节发展，而是形形色色的人和事有如电影分镜似的纷至沓来。因此乍一看，似乎找不到富有内聚力的结构。各种不同的事件在各个时间层面上进行，从远古时代到中世纪、十八世纪直至现代。在这些时间层面上，一个个时而轻松、时而沉重忧伤、时而残酷、时而激起人们的愤怒和憎恨的故事情节几乎是随意出现，随意自由驰骋。作家运用表面上彼此毫不相干的插曲，犹如运用抛散的七巧板随意组成的一幅幅令人惊诧而又费解的画面。活跃在以无定形的因果关系相互连在一起的各种插曲中的人物，构成一条用五色宝石串联起来的项链。就这样，使这七巧板式的拼图最终形成一个富有凝聚力的整体。当然，在实现这一切的过程中，也得靠小说中一个贯串始终的唯一人物——做假发的女人玛尔塔。

玛尔塔无疑是整部书中的一个关键性人物，她从头至尾始终和叙事者在一起，如影随形，可以说，她是第一人称叙事者的另一个“我”。书中的许多故事，许多离奇、怪异的传说及逸闻，许多对事物的中肯评说，许多涉及人的生和死的暗示都是出自她之口。玛尔塔是连接书中各种人和事的桥梁，是鼓励叙事者回忆自己的童年和成长过程的感召者，是一个没有意识到自己的角色的感召者。她以自己的主观见解无意地激发叙事者剖析自我的超意识，使作家的自传成分不仅在书中自然分布，而且成了吸引人的说枝节话的长诗。玛尔塔这个不起眼的农村老妇，从未上过学，大字不识一个，却不乏天生的智慧，叙事者自始至终对她流露出深深的敬意，对她的爱甚至超过了对自己丈夫的感情。这种爱既深刻，又令叙事者感到不安和惊诧。玛尔塔的力量在于她找到了世界的节奏。她不是一个追逐时间者，而是生活在时间里。她跟存在的和谐相处中包含了某种令人不解、魅力无穷和超人的东西。她是个对什么都关心、对什么都知晓并拥有某种神秘力量的女巫！她的知识不是来自学校和阅读，而是来自大自然，她本身就是大自然季节周期的化身。每年春天，作家——第一人称叙事者来到位于谷地中心的房子，玛尔塔也从酣睡中醒来，总是第一个出现在叙事者面前。到了秋末万圣节这一天，叙事者要离开谷地，也就在这时，玛尔塔把自家的小屋打扫得干干净净，进入地下室，开始为期几个月的冬眠。如同希腊神话中得墨忒耳的女儿珀耳塞福涅每年春天从地府回到上界，而秋天进入地府一样，每当她回到上界，大地便春暖花开，万物生长，而一旦她进入地府，大地上便是万物凋零，一片萧瑟。玛尔塔回到地上，意味着生命的延续，她进入地下，便意味着死亡来临。然而有死就有生，有生就有死，生死轮回正是大自然的规律。大自然准许她深入自己的秘密，她意识到在大自然中任何东西都不是死的、无声音和无知觉的。对于她一切都活着，都在跟她交谈，都有感觉，因此与其说她赋予任何东西以生命，莫如说她适应自己到处遇到的生命并与之共济共存。代表托卡尔丘克本人的无名的叙事者想向玛尔塔学习的正是这种能力与智慧。故而她向我们显示出的是一个追求知识的人，不断地提出问题，分析自我，把自己描绘的和创造的世界的每个片段，都变成反思的线索，并带着读者一道去进行这种探索的远征。

《白天的房子，夜晚的房子》亦是（二十世纪）九十年代波兰文学中最耐人寻味的一部小说。小说中将四个层面的人和事精确地编织在一起，既断裂又连贯，始终保持着流畅的风格。

作家在处理现实层面——习俗描写层面时，总带点嘲讽的口吻；第二个层面——分裂成片段、散布在全书中的有关梦的哲学思考的层面，作家在这儿总给读者留下一个广阔的回味空间；第三个层面——隐藏的历史讯息的层面，它总是带着一个寻根的愿望和一个戏弄历史的恶魔；第四个层面——传记层面，包括第一人称的叙事者的自传成分和充满了神话韵味的中世纪圣女库梅尔尼斯的传记。将传记变成神话是托卡尔丘克创作的一大特色，好像没有神话便既不能存在艺术，也不能存在艺术家。围绕这四个层面出现了大量插入的故事，它们构成了一个稠密的情节网。

不难发现，这部小说中真正的主人翁是梦。梦掩藏着（也承载着）人的生存意义。梦成了小说中反思的中心，每隔几页我们就能找到有关梦的描述：白日的梦，夜晚的梦，网络上的梦。对书写在网络页面上的梦的节录，属于书中最重要的片段之列。梦使人深深植根于生活，使人在时间上的漫游中找到自己的家。梦给人提供对各种现象的诠释，释放进行自我剖析的激情，引导读者走向荣格提出的“情结”概念。

书中出现梦的情节并非偶然，而是反映了作家的哲学思想：人生如梦，梦如人生。梦是人们生活经历和思绪的反映。人们在心灵深处珍藏着一段段往事，忘不了挥不去的多彩的往事会留下多彩的回忆，灰色的往事只能留下灰色的印记。那流逝的岁月则如一串用日月星辰联结起来的珍珠，永远珍贵、难忘。常言道“日有所思，夜有所梦”，各种各样的回忆会一一变成形形色色的梦。依照托卡尔丘克的看法，人的生活正是由白天和黑夜组成的，人生活在白天的房子和黑夜的房子里，白天的房子是清明——醒，黑夜的房子是昏惑——梦。人们能记住黑夜的梦是由于那是人在夜里的生存状态。梦是连接有意识的白天生活和无意识的黑夜生活的桥梁。人有怎样的生活，便有怎样的梦。无意识的力量通过梦境的象征作用显现于意识之中。在家和银行之间疲于奔命、生活枯燥乏味、渴望爱情的克雷霞会梦见一个叫阿摩斯的人爱上了她，不幸的是她对梦信以为真，从而付出了沉重的代价。曾经流放西伯利亚、在饥寒交迫之中吃过人肉的埃戈·苏姆，会梦见自己成了狼人，以至于夜晚不敢上床睡觉。梦加强了“自叙体”的叙事形式，使小说的叙事高度主观化。以自传体为基础的小说叙事中融入了大量的虚构的梦的情节，人在“叙述的我”与“被叙述的我”之间、在“梦”与“醒”之间腾挪，大大强化了小说的艺术效果，使女性独特的生命体验呈现为高度亲历性的体验，女性隐秘幽深的内心世界通过梦敞现于读者面前。这也是小说为读者所喜爱并得以畅销的原因所在。

作家利用网络研究全世界人们的梦。随着一个个梦的出现，世界逐渐笼罩在神秘的氛围里。梦成了世界永恒的组成部分，成了存在的一种潜藏意识的隐语。于是事物失去了清晰的轮廓，光明与黑暗交错，醒与梦交错，生与死交错，从而也突显了小说的魔幻性。

作家在书中说：“我们大家以一种出奇相似和混乱的方式梦

见同样的事物。”这说明人的思维具有某种同步性。作家在书中反复描绘同样的画面:“下方有人在行走，赶着乳牛，狗在奔跑，有个男人骤然爆发出一阵大笑……高一点的地方有个挑着水桶的人向他们招手，房屋烟囱的炊烟袅袅升上天空，鸟儿向西方飞去。”处在不同时间和空间的人物（中世纪的修士、皮耶特诺的农民、战后的移民、叙事者和来到下西里西亚寻根的德国旅游者等）眼前出现的是同样的重复的景色，重叠的画面，犹如音乐的副歌。这种特殊的副歌把我们引向了作家组织这部小说的一个首要原则：相信荣格所说的“同步性”现象的存在。所谓的“同步性”，即“非偶然的偶然性”，没有纯粹的偶然，没有神秘的机缘巧合。所谓的“巧合”只是某种难以下定义的更高力量的作用所使然，正是这种更高力量守护着我们风雨兼程的人生。小说向我们敞开了一道门，让我们认识生活，体验我们多维形象的生活状态。每个人都是自己的、不可重复的存在。

构成梦的主体至少有三个层次的内容。第一层是“梦的世界”，即做梦的规律、梦的逻辑、睡着了的躯体的表现、不同人的梦彼此之间的联系等。第二层是“作为梦的世界”，这一层主要产生于做梦者无法证明的、无法排遣的疑虑，它认为人们可以醒着做梦，人们可以自以为已经从梦中醒来，而实际上却仍在梦中。第三层是“梦中看到的世界”，即半是通过梦揭示的现实，半是做梦的人幻想的现实。这种现实对人的认识欲求是敞开的，甚至比最大胆的幻想还要丰富得多，它还允许做梦的人在时间和空间里自由来往。作家在小说的开头，就描绘了这样一个在梦中看到的世界。有了这样一个开头，接下来的篇章就都可视为梦的幻象——世界的幻象，只有梦才能揭示这个幻象，只有做梦的人才能够自己联想，才能够坦露潜意识中的秘密。所有的梦彼此结合在一起，相互补充又相互纠缠。在这梦的迷宫里，幻想与现实、虚与实、真与假、善与恶、美与丑相互交错交融，无法分开。于是我们便会觉得，在这部书中梦就是真实。由于梦展示的是真实，这就使事物的真相的揭示成为可能；梦是所有认识上的困惑的临时解决办法，是走出骗人的恶魔所设置的陷阱的一条出路。由此可见叙事者的信条便可能是我梦故我在。

寻根是奥尔加·托卡尔丘克文学创作中重要的内容，隐藏在书中的历史讯息是寻根愿望的体现。下西里西亚是奥尔加的精神家园。她远离滚滚红尘，定居在新鲁达附近的农村，与大自然为伴，做自己喜爱的工作，过着半人半仙的日子。而寻找这个地区的根，倒成了她心中永远无法消除的结。

据历史记载，公元九八〇年梅什科一世统一了波兰，公元九六六年他按拉丁仪式接受了基督教。他的儿子波莱斯瓦夫一世于公元一〇〇〇年在当时波兰的首都格涅兹诺建立了大主教区，另在波兰南部的克拉科夫、西南部的下西里西亚地区的弗罗茨瓦夫和西北部波罗的海滨的科沃布热格设立了三个教主区。下西里西亚是波兰故有的西部领土，这是不争的事实。自十四世纪末到十八世纪末，波兰共和国曾是欧洲的泱泱大国，拥有包括乌克兰、白俄罗斯和立陶宛在内的广袤国土，是欧洲唯一疆域横跨波罗的海和黑海的国家。一七九五年波兰被俄国、普鲁士和奥地利三国瓜分而灭亡。一九一八年波兰重新获得了独立，建立了波兰第二共和国，西乌克兰、西白俄罗斯和包括维尔诺在内的部分立陶宛土地仍归入波兰版图。由《里加条约》所确定的波兰东部边界一直保持到一九三九年九月十七日。

书中每个故事都与下西里西亚的小城新鲁达及其周围一带的地区有着千丝万缕的联系。书中的人物有的自遥远的过去就定居在这里，小城的缔造者——刀具匠，便是在这里开拓洪荒，在遮天蔽日的原始森林中初建社会文明的始祖；到了中世纪，下西里西亚便出现了完善的骑士制度和奴隶制庄园经济，骑士的女儿库梅尔尼斯及其传记作者帕斯哈利斯便是封建文明和社会习俗的见证者。十八世纪就移居到这个地区的德国人，给这里带来了西欧的文明，在这里繁衍生息，也算得上是这个地区的老居民。然而战争却完全改变了他们的命运。

在《白天的房子，夜晚的房子》中暗藏着一部下西里西亚的史诗，展示这个地区过往历史的那些情节，充满了神话色彩。人是来去匆匆的过客，不变的是大自然的景观，因为“人是风景的转瞬即逝的梦”。

一九四五年成了下西里西亚历史上前所未有的重大转折，不仅换了行政机关、地名、军队、警察、货币、纳税规章和法律，也换了语言和说那语言的人。下西里西亚不再以自己在历史的长河中创造的复杂形象存在，留下的只是一种形式、一个名称。在它翻天覆地的变化中，蕴涵着世界的希望、痛苦和荒诞，而且充满了无奈和苦涩。第二次世界大战结束后，波兰作为战胜国从战败的德国手中收复西部和北部故有的疆土，应该说是天经地义的事，然而它却以丧失东部领土为代价，致使波兰成为战胜国中唯一缩小了疆域的国家，这不能不说是令人匪夷所思。领土的变化引起欧洲历史上又一次民族大迁徙。从波兰西部遣返德国的德国人达二百二十万，有四百万波兰人迁居收复的失地，其中大部分是丧失的东部领土的居民。

在小说中我们看到迁徙是在半哄骗半强迫中进行的，大批波兰人把自己辽阔的田地撂在了东部，长途跋涉，颠沛流离两个月之久，受尽了艰辛和苦难，来到一个对他们来说陌生的地方——“此处无人主管：没有任何国家，政府刚刚是他们自己梦想中的事，但它却在一天夜里突然出现在小城镇的月台上，在那里命令他们下车。政府——是个足登军官长筒皮靴的男子，所有的人都管他叫‘长官’。”这位长官嘴上叼着香烟，给新移民胡乱指派住房。迁徙来的波兰人最初感到的是茫然和悲惧，黑暗中听到一块玻璃落地的响声，“大家都打了个哆嗦，而妇女们则抓紧了自己的胸口。”继而又表现出盲目的欢乐，每天像过节一般。小说中记录了下西里西亚地区重新形成的过程。作家将这个过程视为创建新的社会和文明的过程。在这个过程中，人们忍受过物质生活的困顿，商店的货架上空空如也，除了醋和芥末什么也买不到；偶然遇到出售食用油，便纷纷排队抢购；孩子们聚集在教堂前，等待着德国游客发糖果。尽管如此，人们还是逐渐适应了新的环境，医治了战争留下的创伤，生活逐渐走上了正常的轨道，对未来也不失希望。作家力图向我们展示：世界并非只是一片漆黑。世界有两副面孔，它对于我们既是白天的房子，也是黑夜的房子。

似水流年改变着一切，除了相思。人在变，事物在变，社会制度在变，不变的是挥之不去的乡愁。思乡情结是波兰人和德国人共有的感情。波兰人对留在东部的一切的记忆，压倒了对在西部遇到的一切新鲜事物的好奇，他们思念那片辽阔的土地，常常喝得醉醺醺。下西里西亚对于许多德国旅游者也是生于斯长于斯的故土。在半个世纪之后，他们纷纷回到这个地方，为了看一眼自己亲手建造的房屋，为了寻找儿时的梦。寻梦者中有位老者，彼得·迪泰尔，他不顾年迈体衰，坚持登上山脊，"他把世上所有的山跟这些山做过比较，在他看来任何山都没有这么美。"尽管他已感到呼吸困难，却仍坚持继续往高处走，结果死在了波兰与捷克的分界桩旁，"他的一只脚在捷克，另一只脚在波兰。"人为划分的国界隔不断人类共有的乡恋，这是作家想要告诉读者的一个真理。

托卡尔丘克历来认为应当睿智地对待文学，睿智应是文学创作的一种基本追求。如果说《太古和其他的时间》是文学跨越时空走向睿智的一种预示，那么《白天的房子，夜晚的房子》便是这样预示的一次不寻常的光辉实践。这部小说于一九九九年获波兰权威的文学大奖——"尼刻奖"的读者投票奖。二〇〇四年又被提名竞争 IMPAC 都柏林国际文学奖，成为最后胜出的十部决选小说之一，它迄今已被翻译成英语、法语、西班牙语、德语和克罗地亚语等多种文字。

这里奉献给读者的《白天的房子，夜晚的房子》译本，是从波兰文原著译出的。

二〇〇七年七月十五日于北外欧语系

你的房子是你更大的身体。

它在阳光下长大，在夜的寂静中入睡。

它有时做梦。

难道你的房子不入睡，就是说不离开城市，

以便能出现在绿荫丛中或是在

小丘顶上？

——K. 纪伯伦

梦

第一夜我做了个静止的梦。我梦见，我是纯粹的看，纯粹的视觉，既没有躯体也没有名字。我高高固定在谷地上方，戳在某个不明确的点上，从那里我看到了一切或者几乎是一切。我在看中活动，可我仍留在原地。这多半是我所看的世界在迁就我，听令于我，当我看它的时候，它一会儿离我近点，一会儿离我远点，这样我就能一下子看到一切，或者只看到它们那些最微小的细节。

于是我看到谷地，谷地里有幢房子，就在谷地的正中央。但这既不是我的房子也不是我的谷地，因为二者中任何一件都不属于我，因为我也不属于我自己，甚至没有我这么个人。我看到环形的地平线，它从四面八方将谷地封闭了起来。我看到汹涌、浑浊的湍流，从山丘之间流过。我看到树木用强壮的腿脚插进了泥土里，宛如静止不动的独脚兽。我看到的这种静止状态是表面的。只要我愿意，我就能穿透表象。那时我就能看到树皮下面活动的水和树液的涓涓细流，它们来来往往、上上下下地循环流动着。在房顶下面我看到睡觉的人们的躯体，他们的静止不动同样是一种表象——心脏在他们体内轻微搏动，血液咕嘟奔流，甚至他们的梦也不是现实的，因为我能看出它究竟是什么：是一小片一小片搏动着的图像。在这些沉睡的躯体中没有一个离我近一点，也没有一个离我远一点。我随意望着他们，在他们纷乱繁杂的梦的思维活动中我看到了自己——就在这时我发现了这个古怪的事实。发现我是纯粹的看，没有反应，没有任何看法，没有观感。我很快又发现了另一个事实——我同样善于通过时间看，如同我能在空间上改变视点一样，我也能在时间上改变视点，这就如同我是电脑屏幕上的光标，只不过它是自行移动，或者说，它干脆就不知道移动它的那只手的存在。

我在做梦，我觉得时间走得没有尽头。没有“以前”，也没有“以后”，我也不期待任何新鲜事物，因为我既不能得到它，也不能失去它。夜永远不会结束。什么事情也没有发生。甚至时间也不会改变我看到的东西。我看着，我既不会认识任何新的事物，也不会忘记我见到过的一切。

玛尔塔

第一天一整天我们走遍了自己的土地。胶鞋陷进了泥土里。土地是红色的，弄脏的双手染成了红色，洗手的水流出来的是一摊红色的稀泥浆。R 不知是第几次察看了果园里的树木。那都是些老树，灌木般稠密，繁茂地朝四面八方生长。这样的树木肯定不能结出什么果实。果园一直延伸到森林，延伸到黑黝黝的云杉墙边停住。云杉挺立犹如军人的队列。

午后又开始雨雪纷飞。水汇集在泥土地里，形成一道道细流，一条条小溪，从山上径直流向房子，渗透进墙里，消失在墙下的某个地方。我们被不间断的淙淙声弄得惴惴不安，举着蜡烛朝地下室走去。一条湍急的小溪流顺着石头台阶流淌，冲刷着石头地面，流向低处，朝着池塘的方向流走了。我们遽然憬悟，房子是建在河中的！不知是哪个冒失的家伙轻率地把它建在流动的地下水里，现在已经是束手无策了，一点办法也没有。唯一能做到的只是去习惯这永恒的、沉闷的淙淙流水声，去习惯那不平静的梦境。

第二条河在窗外——这是一条聚满了浑浊的红色水流的小溪，它从下边没精打采地侵蚀着静止不动的树根，然后消失在森林里。

从长方形房间的窗口看得到玛尔塔的房子。三年来我一直在思考，玛尔塔是个什么人？她谈到自己时每次说的都不一样。每次她告诉我们的出生年月都不相同。对于我和R而言，玛尔塔只是夏天存在，冬天消失，像这里有关的事物一样。她身材矮小，满头灰白发，牙齿缺了不少。她的皮肤——皱巴巴的，干燥而温热。我知道这一点，因为我们见面时相互亲吻过，甚至笨拙地相互搂抱过，我闻到过她的气味，一种勉强晾干的潮湿气。这气味总是遗留下来，无法消除。“雨淋湿了的衣服要洗干净。”我母亲常这样说，可她总是毫无必要地什么都洗。她打开橱柜，拉出干净的、上过浆的被套和床单往洗衣机里扔，仿佛没有用过的东西和用过的东西一样脏似的。潮湿的气味本身总是令人不快的。然而玛尔塔的衣服上，她的皮肤上散发出的气味却令人感到熟悉和亲切。如果玛尔塔在这里，所有的东西都会在它们自己的位置上，一切都是整整齐齐、有条不紊的。

第二天一到傍晚玛尔塔立刻就来了。我们首先是喝茶，然后喝去年酿的野玫瑰酒——颜色暗而稠浓，是那么甜，以致喝下第一口头就发晕。我从硬纸盒里拿出一本本书。玛尔塔双手捧着酒杯，兴味索然地望着我的动作。我想玛尔塔看不懂书。我觉得她不识字。这是很可能的，因为她已老得足以错过普及教育的时间了。文字不曾吸引过她的目光，不过关于这件事我从来没有问过她。

两条兴奋的母狗进进出出来回跑。它们的毛上带了冬天和风的气味；它们在烧得很旺的炉灶旁取暖，然后又想往果园里跑。玛尔塔用瘦骨嶙峋的长手指抚摸着它们的背脊，反反复复对它们说，它们是漂亮的狗。就这样整个晚上她只对母狗说话。我皱着眉头望了望她，同时把我的书籍摆放到木头书架上。墙上的一盏小灯照亮了她头顶羽饰般稀疏的头发，她把头发扎成一根小辫子垂在脑后。

我记得许多事情，可我不记得我第一次是怎样见到玛尔塔的。我记得跟许多人所有的初次相逢的情景，这些人对我而言后来都成了重要人物；我记得当时是否出太阳，我记得各人衣着的细节（R的可笑的德意志民主共和国皮鞋），我记得气味、味道和某种像是空气成分一类的东西——记得这些东西是粗糙的、僵硬的抑或是像奶油一样光滑和不温不热的。最初的印象往往就是这样产生的。这类事物记录在大脑的某个单独的、也许是原始的部分，永远不会忘却。但我不记得跟玛尔塔的第一次见面时的情景。

此事定是发生在早春时节——在这儿，这是一切开头的时间。那应当是发生在这谷地崎岖不平的空地上，因为玛尔塔从未独自出门走得太远。那时定是飘散着一种水和融雪的气味，她身上一定穿着那件扣眼儿被抻大了的灰色毛衣。

我对玛尔塔知之不多。我了解的只不过是她本人向我坦露的那一点讯息而已。所有的事我都不得不去猜测，我意识到关于她这个人我只能靠想象和虚构。我创造了一个玛尔塔，连同她的过去和现在。因为每当我提出请求，让她对我谈谈有关她自己的什么事，比如说她年轻时的长相，今天看起来是如此一目了然的尊容当年又是副怎样的模样，她总是改变话题，把头转向窗外；或者干脆沉默不语，聚精会神地切白菜；或者去编那些别人的头发。我并不觉得她是不想说。玛尔塔之所以不说只是关于自己她无话可说。似乎她没有任何历史。她只喜欢谈论别人，那些人由于机缘巧合我也许见过几次，或者根本就没见过，因为我不可能见到他们——他们活着的时间太久远了。她还喜欢谈起那些很可能根本就不曾存在过的人——从而我找到证据，认为玛尔塔喜欢瞎编。她也喜欢谈论那些她曾把人像植物一样栽培起来的地方。她能说上几个钟头，直到我听腻了，找个客气的托词打断她的话头，穿过草地回家。有时她会无缘无故让自己的谈话戛然而止，一连几个礼拜不再返回到这个话题，然后又莫名其妙地重新开始："你可记得，我对你说过……""我记得。""这事后来……"于是她继续唠叨某个干巴巴的情节，而我就在记忆中寻找：她说的是谁，先前是在什么地方中断的。奇怪的是，往往使我记起的与其说是故事本身，不如说是讲故事的玛尔塔，她那矮小的形象，她那穿着抻大了扣眼儿的毛衣的弧形后背，她那瘦骨嶙峋的手指。我们乘小汽车去瓦姆别日采订购木板的途中，她是冲着小汽车的挡风玻璃说的，我们在博博尔的田地里采甘菊的时候她也说个不停。我从来就不善于再现同一个故事本身，但总能再现场面、环境和使某个故事在我心中生根的世界，仿佛这些故事都是不现实的、捏造的、梦幻的、被镶进她和我的头脑里又经话语冲刷过了的。她结束这些故事跟开讲一样突然。有时由于一只餐叉掉到了地板上，铝叉发出的铿锵声击碎了她最后的一个句子，把接续下来的话语留在了她的嘴里，使她不得不将其吞下。有时她正说得兴起，“如此这般”就走了进来，他像往常那样，总是不敲门，走到门槛近前就使劲跺着那双大皮靴，带来一道水、朝露、泥泞的细流——外边有什么就带进来什么——他是如此喧闹，有他在场压根儿就什么也说不成。

玛尔塔讲的许多故事我都不记得了。留给我的是那些故事的某个模糊不清的刺激性情节，或亮点——这就像一道主要菜肴已经吃光，留在盘子边的芥末；留给我的是某些可怕的或者好玩的场景，某些像从连环画册中撕下的画页，譬如孩子们赤手空拳在小溪中抓鳟鱼。我不知道自己为何要积攒这些零星细节，而将整个故事忘于脑后——既然故事有头有尾，就必然具有某种意义。我记住的都是些无太大价值的果核、籽实，而后，我的记忆——理所当然——又不得不将它们吐出来。

我并非仅仅是听。我也常对她说。有那么一次，开头我就对她说：“我害怕死亡，不是一般意义上的怕死，而是害怕会有这样的时候，那时我再也不能把事情推到以后去做。这恐惧从来不在白天出现，它总是在天黑的时候降临，停留几个可怖的瞬间，如同癫痫病发作。”我很快又为这种突如其来的表白感到羞愧，那时我便竭力改变话题。

玛尔塔没有心理医生的心灵。她没有立即扔下手中洗干净的器皿坐到我身边，拍着我的后背追本穷源地对我提出问题。她不像别人那样，试图把所有重要的事情都放在时间的框架里来考虑，她没有突然发问："这是何时开始的？"需知甚至耶稣也不能避免这种无意义的诱惑，当他救治被魔鬼附体的人时，照样是问："这是何时开始的？"似乎在玛尔塔的心目中，最重要的是现在、眼前发生的事，追问开头和结尾不会得到任何有价值的讯息。

有时我想，玛尔塔没有时间听我说话，或者没有感觉，像一棵被砍下的死树。因为在我说话的时候，器皿的叮当声没有像我期望的那样停息，而她的动作也没有失去机械的流畅。我甚至觉得玛尔塔有些残酷，这种感觉我有过不止一次，也不止两次，例如，当她把自己的那些公鸡养肥、然后杀掉的时候，我就会产生这样的感觉。秋季她会在两天之内把所有的公鸡一下子全收拾光。

我过去不理解玛尔塔，现在当我想起她的时候，照样不理解。可我又何必理解玛尔塔呢？又有什么能向我明确揭示她行为的动机，揭示她所有故事的来源呢？假如玛尔塔有什么履历的话，她的履历又能告诉我什么呢？也许有人根本就没有履历，没有过去，也没有将来，他们是作为永恒的现在出现在人们面前的？

如此这般

接下来的几个晚上，我们的邻居——“如此这般”，总是在电视快讯之后立即就来了。R把酒加热，往酒里撒些桂皮再投入一些干石竹花蕾。如此这般每天晚上讲的都是冬天，因为冬天必须讲完，夏天才会到来。整个时间他讲的都是同一个故事——讲的是马雷克·马雷克是如何吊死的。

这个故事我们已从别人那里听说过了，而昨天和前天我们又从如此这般口中听了一遍。可是他记不得自己曾经讲过这个故事，于是又一切从头开始。他以问我们为何没有来参加葬礼为引子开始了自己的故事。我们没能来，因为葬礼是在一月举行的。我们没能结伴一起来，是由于下雪，小汽车点不着火，蓄电池吱吱响，耶德利纳外面的道路堆满了积雪，公共汽车堵在一起绝望地站着一动不动。

马雷克·马雷克住在洋铁皮盖顶的小房子里。去年秋天他的母马闯进了我家的菜园，吃光了掉落的苹果。它从有点腐烂的树叶下边扒出果实。它漠然地望着我们，R甚至说，它是嘲讽地望着。

如此这般是在下午天快落黑时从鲁达回来的。他看到马雷克·马雷克房子的门虚掩着，像早晨一样半开半闭。他把自行车靠在墙边，从窗口朝屋内张望。他立刻就看到了马雷克。他既不是吊着，也不是平躺着，而是扭着身子歪靠在门边，并且毫无疑问已经死了。如此这般手搭凉棚遮着眼睛，以便看得更清楚点。马雷克·马雷克那张黝黑的面孔发青，舌头伸了出来。他的眼睛注视着高处的某个地方。“唉，这个笨蛋！”如此这般自言自语道，“连上吊都不会！”

他推着自行车，走了。

夜里他感到有些不由自在。他思索，马雷克·马雷克的灵魂是去了天堂，还是去了地狱，还是去了别的什么地方——如果他有别的什么地方可去的话。

他突然从睡梦中惊醒，那时天已蒙蒙亮，他看到马雷克·马雷克站立在炉子近旁，望着他。如此这般烦躁起来：“我恳请你，离开这里。这是我的房子。你有你自己的房子。”幻影一动不动，径直望着他，但幻影的目光似乎穿透了他射到另一面，他惊诧不已。

“马雷克，我请求你，离开这儿吧！”如此这般重复了一遍，但马雷克，或者说，现在不管他是谁，没有做出反应。如此这般克服了对一切都不想动一动身子的懒劲，从床上跳了起来，顺手抓起了胶鞋。如此武装起来之后，他朝着炉子的方向走去。幻影在他眼前消失了。他眨了眨眼，回到了温暖的睡熟了的被窝里。

清晨，当他去拉木材的时候，又从窗口朝马雷克的房子里瞥了一眼。一切都没有变，尸体仍然以同样的姿势歪靠着，但那张面孔今天看起来更黑了。如此这般一整天都在用他自己去年砍的荆条把木材从山上拖下来。他把小桦树运到房子前面，小桦树他自己能砍。他还把砍倒的云杉和山毛榉的粗大树干运了回来。他把这些树干堆放在棚子里，准备砍成小一点的木头。然后他拼命往炉子里鼓捣、加柴，直到炉灶的铁盖板发红。他快速为自己和几只狗熬好了马铃薯汤，打开了黑白电视机，一边吃饭一边观看闪烁不定的画面。他一句话也听不进去。上床睡觉时他在胸前画了个十字，这也许是他自打举行坚振礼领圣膏，或是自打他举行婚礼以来几十年破天荒第一次。这个早已被他遗忘了的动作使他产生了一个想法：是否应该就这件事去见神父。翌日，他胆怯地绕着神父的住宅转过来又转过去。他遇到了神父，对方正绕过融雪留下的积水快步朝教堂走去。如此这般不是个傻瓜，他没有直截了当说出一切。“如果神父您碰见了鬼魂，神父您会怎么办？”那一位惊诧地冲他瞥了一眼，他的目光立刻落到了教堂的屋顶——那儿一直未修缮完工。“我会命令他离开。”“可要是那鬼魂很固执，不肯离开，神父您又将怎么办呢？”“干什么事都应坚决果敢。”神父意味深长地回答，灵巧地避开了如此这般的问题。

一切又和头天夜里一模一样。如此这般突然惊醒，仿佛有谁在喊他似的。他从床上坐了起来，看到了站立在炉子近旁的马雷克·马雷克。“从这里滚出去！”他吼叫了一声。幻影一动不动，如此这般甚至觉得在它那张浮肿的黑色脸上能看到一丝嘲讽的笑意。“见你的鬼去吧，干吗不让我睡觉？你给我滚！”

如此这般说。他拿起了那双胶鞋，武装起来朝炉子的方向走去。“请你给我从这里出去！”他叫喊道，鬼魂消失了。

第三天夜里幻影没有来，第四天马雷克·马雷克的姐姐发现了尸体，大喊大叫起来。警察立刻就到了，用黑塑料布裹起马雷克带走了。警察一再询问如此这般，问他到过哪里，做过些什么。他说，他不曾注意到发生任何怪异的事。他还说，谁要像马雷克·马雷克那样酗酒，或迟或早都会有如此的结果。他们赞同他的看法，走了。

如此这般推着自行车，慢慢朝鲁达走去。在“利多”餐馆他要了一大杯啤酒，一小口一小口地慢慢喝着。在他感觉到的所有滋味中，最明显最清晰的是解脱。

新鲁达广播电台

新鲁达地方广播电台每天播送十二个钟头。主要是音乐。整点时播全国消息，半点时则播发地方消息。除此之外每天举办竞赛。赢家几乎总是同一个姓瓦德拉的人。此人必定具有极其丰富的知识，知道竞猜中不可能猜到的东西。我曾不止一次发誓，最终我定要打听出瓦德拉先生是何许人，住在哪里，为何他什么都知道。我要翻山越岭到新鲁达去，向他打听点什么重要的事情，只是究竟问他什么我自己也不知道。我曾想象，他每天是如何不经意地拿起电话听筒，说一声“不错，我知道答案，指的是狼狗，犬类中最名副其实的代表”；或者说，“用来涂盖琉璃瓦的釉在烧前称为底料”；或者说，“一般以为毕达哥拉斯的老师是费雷基德斯、赫莫达马斯和阿喀马内斯”[①]。而且天天如此。奖品是本地一家批发商提供的书籍。瓦德拉先生一定有个庞大的藏书室。

有一次我听到广播电台播音员在提出竞赛问题之前，结结巴巴地说：“瓦德拉先生，请您今天不要给我们打电话。”

---

① 费雷基德斯（Pherecydes of Syros），活跃于公元前六世纪的古希腊哲学家。赫莫达马斯（Hermodamas of Samos）亦是有资料提到的毕达哥拉斯的老师。阿喀马内斯（Archemanes），未查到任何资料，应为作者杜撰人物。

十二点和午后一点钟之间是长篇小说连播时间，有个亲切的女声朗读长篇小说片段。不能不听她的朗读，我们大家都听了电台播送的每一部长篇小说，因为恰好是做午饭的时间，当时我们通常都在削马铃薯或者包饺子。这样一来整个四月我都在听《安娜·卡列尼娜》。

"'他爱上了别的女人，毫无疑问。'她得出结论，同时走进了自己的房间。'我渴望爱情，但这种爱情并不存在。总之，一切都该结束了。这事必须结束。如何结束？'她问自己，瘫软地坐到镜子前的沙发椅上。"

有时玛尔塔上午就到我们家来了，本能地帮我做些事。比方说，她把胡萝卜切成丁儿。

玛尔塔平静地听着广播，神态端庄，但她从未就安娜·卡列尼娜的话题发表过任何评论，对电台播过的其他任何一部长篇小说也不曾发表过看法。我甚至疑心她根本就听不懂这些由对话组成、并用同一个声音播出的故事，她听到的只是个别的句子，只是语言的旋律。

人到了玛塔尔的年纪常得血管硬化和老年痴呆症。有一次我在菜园里薅草，R在房子的另一边喊我。我没来得及回答。

"她在那边吗？"R问玛尔塔，她站立的位置恰好能看到我们两人。她冲我瞥了一眼，对他喊叫说：

"她不在这儿。"

然后她像个没事人似的转身进了屋。

"为什么如此这般能看见鬼魂，而我却不能呢？"有一次我问玛尔塔。玛尔塔说，因为他内里是空虚的。当时我把这理解为无思想和单纯。我觉得内里充实的人比空虚的人更有价值。

后来我清洗厨房的地板，突然领悟到玛尔塔想对我说的是什么。因为如此这般是那些把上帝想象为无所不在的人中的一员，仿佛上帝就站在那里，而他们就站在这里。如此这般在自己之外看到了一切，甚至在自己之外看到了自己，他看自己犹如看一张相片。他只在镜子里跟自己打交道。当他在忙着做事的时候，比方说，当他在装配自己那讲究的雪橇的时候，他对于自己而言压根儿就不存在，因为他心里想的是雪橇，而不是他自己。自己对于自己不是值得去想的有趣的事情。直到当他穿衣打扮，准备动身去实行自己每日到新鲁达的朝拜——比如去买一包香烟和带有十字标志的药片。当他在镜子里看到准备就绪的自己，那时他就把自己想成了“他”，从来不曾把自己想成“我”。他只用别人的眼光看自己，因此外表——不起褶的合成纤维新夹克、奶油色的衬衫才变得如此重要，浅色的衬衫衣领可以成为晒黑的面孔的鲜明对照。因此如此这般甚至对于自己来说也是外在的。如此这般内里没有任何东西可以从内向外看，于是便没有反射。那时他就能看到鬼魂。

马雷克·马雷克

“这孩子身上有点什么很美的东西。”——大家都这么说。马雷克·马雷克有一头几乎全白的头发和一张天使般的脸蛋。他的两个姐姐都爱他。她们把他放在德国式的小车里推着，沿着山间小道漫步，把他当洋娃娃那样玩耍。母亲不肯让他停奶；每逢他吸奶的时候，她总是陷入朦胧的幻想之中，觉得为了他她整个人都可以变成奶水，通过自己的乳头从自己身上流出去，哺育儿子比她作为马雷克太太的全部未来都要强得多。然而马雷克·马雷克长大了，不再寻找她的乳房。但老马雷克仍在寻找它们，并且又弄出了几个孩子。

小马雷克·马雷克虽然长得漂亮，却是个不爱吃奶的孩子，常在深更半夜哭闹。这也许是他的父亲不喜欢他的原因。每逢父亲喝醉了回家，总是从马雷克·马雷克打起。只要母亲出面保护他，父亲就拳脚相加揍母亲，打得她鼻青脸肿，直到全家所有的人统统跑到山上，把整栋房子都留给父亲，而他却能让一座空屋塞满鼾声。两个姐姐可怜弟弟，于是很快就教会他按照约定的信号躲藏起来，这样马雷克·马雷克自打五岁以后大多数夜晚就都待在地下室里。他在那里偷偷哭泣，无声无响也无泪。

他也是在地下室才弄明白，他感觉到的痛不是来自外部，而是来自内心，无论是跟喝醉了酒的父亲还是跟母亲的乳房都没有关系。痛是自行到来的，跟早上出太阳、夜晚有星星出自同样的原因。他感到痛，但他尚不知道痛是什么，可有时他觉得，自己模糊记得某种温暖的发热的光，这发热的光淹没和融化了整个世界。他不知道光从哪里来。从童年开始他记住的是黑暗，没完没了的黄昏。天空总是暗淡无光，世界没入模糊的黑暗之中，忧郁和傍晚的凉意没有开头也没有结尾。他还记得农村通电的那一天。那些由邻近的村庄越过山头绵延而来的高压电缆铁塔，在他看来简直是一座庞大教堂的圆柱。

马雷克·马雷克是社区里第一个，也是唯一的一个在新鲁达地区图书馆登记注册的人。后来他总是带着书躲避父亲，于是他有很多的时间读书。

新鲁达图书馆设在过去的啤酒厂内，这里的一切始终有股啤酒花和啤酒的气味。墙壁、地板和天花板都吸满了这种酸味。甚至书页也有股酸臭味，仿佛在上面泼过啤酒似的。马雷克·马雷克喜欢上这种气味。他十五岁时，平生第一次喝得酩酊大醉。他感觉良好，完全忘记了黑暗，看不到光明和黑暗间的差别。躯体也变得迟钝，而且不听他的使唤——这一点也令他中意。仿佛他能走出自己的躯体，跟躯体一同活着，无须思考，也无须感觉。

两个姐姐先后出嫁，都从家中消失了。一个弟弟被一枚哑炮炸死了。另一个弟弟进了克沃兹科的特殊学校。于是老马雷克照旧抬手便打的就只有马雷克·马雷克了。说他没有把鸡关进鸡埘，说他割草时割得太高，说他弄断了脱粒机的轮轴，总之，挨打总不乏理由。但在马雷克·马雷克二十来岁的时候，第一次对父亲还手，从这时开始，父子打架便成了经常性的事。也是在这个时期，每当马雷克·马雷克有点空闲时间，又没钱买酒喝的时候，便读起了斯塔胡拉[①]的作品。说实在的，是图书馆的女管理员专门为他购买的全集。蓝色的封面，仿细斜纹布的封面。

他依旧是个美男子。浅色的头发垂到双肩，一副光润的儿童面孔。一双浅蓝色的眼睛，显得有些憔悴，仿佛褪了色，在黑暗的顶间望着屋外的光线，好像由于阅读那些蓝色封面的鸿篇巨制而疲乏了。但妇女们都害怕他。在参加迪斯科舞会的时候，他领着一个女子走出举行舞会的消防车库，猛不防把她拉进了黑丁香丛中，动手掀她的衬衫。好啊，她叫嚷了起来，另一些人闻声就冲了出来，扇了他一顿耳光。其实那女子喜欢他，只是他大概不知道该如何跟女人打交道。还有一次他喝得醉醺醺，用刀子捅了自己女友的一个熟人，好像他拥有对她的绝对权力，一如他有权用刀子保卫自己的权力一样。事后他在家里大哭了一场。

他好酒贪杯并且喜欢这种状态，任凭双脚领着他走过山路，而整个内里，就是说，内里的全部的痛都与他无关，就像

① 爱德华·斯塔胡拉（Edward Stachura，1937—1979），波兰诗人、小说家。

是咔嚓一声关了开关，黑暗骤然降临。他喜欢坐在“利多”餐馆，待在人声嘈杂和烟雾缭绕之中，然后，不知怎么的，突然跑进开花的亚麻地里，在那里一直躺到清晨。躺到死。有时他在“寿星”酒店喝酒，而后突然沿着盘旋公路朝着村庄的方向走去，满脸是血，牙齿也被打掉了。一个人行事总是不完美，不清醒，不冷静。早上起床，他觉得头痛，至少清楚是什么痛。他感到渴，必须弄点什么解渴。

马雷克·马雷克最终袭击了自己的父亲。把他在石凳上摔打了好一阵子，打断了他的肋骨。老头晕了过去。警察来了，把儿子送进了醒酒间，然后又把他关押了起来，那里无酒可喝。

马雷克·马雷克在波浪式的头痛阵发之间，在酒后不适反应的半睡半醒的时候，回想起开头自己是如何走向堕落的，想起他曾经是一个高高在上的人，而今却是处处低人一等。向下滑的运动实在令人感到恐怖，甚至超过恐怖。这恐怖简直无法形容。马雷克·马雷克倒霉的肉体无意识地承受了这恐惧，它瑟瑟发抖，心在怦怦地跳，仿佛就要蹦出胸腔。马雷克·马雷克的肉体不知还要承受些什么——这样的恐惧唯有不死的灵魂才能忍受。肉体因恐惧而窒息，痉挛，在小牢房的四堵墙内扑腾，挣扎，口吐白沫。“见你的鬼去吧，马雷克。”卫兵吼叫道。他们把他按倒在地，捆了起来，给他打了一针。

他进了勒戒所。他跟其他身着褪了色的住院服的人一起，在医院的宽阔走廊和螺旋式楼梯上徘徊，游荡。他依次排队取药。他像领圣餐似的吞下抗毒灵。他凝视着窗户，那时他第一次想到，他的目的是尽快死去，从这个精神上受尽折磨的国度，从这红灰色的土地，从这个烧得太热的医院，从这身洗褪了色的住院服，从中毒的肉体中解脱出来。从此他的每个想法都归结到这一点——找到一切可能的死亡方式。

夜里，他在浴室的莲蓬头下割开了血管。前臂的白色皮肤裂开了，露出马雷克·马雷克的内部。那是红色的，多肉的，酷似新鲜的牛肉。他在晕倒之前觉得很奇怪，不知为什么他会想到他在那里见到了光。

自然，他们把他关进了隔离室，事情闹得沸沸扬扬，他住院的时间也延长了。他在那里待了整整一个冬天。回家后，才发现双亲进了城，住到他的一个姐姐家中，现在他是独自一个人了。父母给他留下一匹马，他靠这匹马从森林里拖木材，砍成木料卖给别人。他有了钱，于是又可以喝了。

他总觉得自己身上有只鸟。然而他的这只鸟是怪怪的，非物质的，叫不出名称的，也并不比他本人更像鸟。这只怪鸟吸引他去关注那些他不理解的事物，那些他害怕的事物，那些找不到答案的问题；引诱他去见那些令他感到尴尬的人，招引他跪倒尘埃并突然在绝望中开始祷告，甚至什么也不祈求，而只是一个劲地说，说希望有人会听到他说话。他憎恨自己身上的这只鸟，因为它只能加深他的痛苦。要不是有这只鸟，他或许能坐在房子前边，悠闲地喝着酒，望着他屋前越来越高的山。而后他就会清醒并以毒攻毒地治疗酒后不适症，而后他就会再次不加思索，没有愧疚，肆无忌惮地喝得烂醉如泥。这只鸟必定有两只翅膀，它们有时在他的身体里胡乱地扑扇着，被什么拴着不自在地拍打着。他知道，鸟的两只脚给捆了起来，甚至有可能是给拴在什么沉重的东西上，因为他永远不能飞走。虽说他根本不信奉上帝，心里却思忖道：“我的上帝，为什么我内里有这种东西让我如此受尽折磨！”任何酒都不能控制住这只动物。它总是令人痛苦地、有意识地留在那里，它记得马雷克的所作所为，记得他失去了什么，毁掉了什么，错过了什么，偏离了什么，遗漏了什么。“贱货！”他醉醺醺地对如此这般嘟哝道，“为什么它如此折磨我，为什么它要待在我身上？”但如此这般却是个聋子，什么也听不明白，只是说：“你偷了我的新袜子。它是晾在绳子上的。”

马雷克·马雷克身上的这只鸟有两只翅膀、被拴住的双脚和一对惊惶的眼睛。马雷克·马雷克揣测，鸟是被禁锢在他身上的。有个什么人把鸟禁锢在他身上，虽说他并不完全理解这怎么可能。有时当他陷入沉思的时候，便会在自己身上遇到这可怕的目光，听到动物的绝望哀鸣。那时他便会跳起来，盲目地向前奔跑，跑到山上，跑进桦树林，跑到森林的路上。他边奔跑，边观察树丫，想看看哪枝树丫有可能承受住他身体的重量。鸟在他体内叫喊：“放我出去，把我从你体内放出来，我不属于你，我来自别的地方。”

起先马雷克·马雷克以为这鸟是只鸽子，他的父亲养过鸽子。他憎恨鸽子，憎恨鸽子空落落的圆眼睛，憎恨它们固执地用碎步摇摇摆摆地行走，憎恨它们不断改变方向地胆怯地飞行。

当家里已完全断炊的时候，父亲吩咐他爬到鸽子笼，挑选那些发呆的安静的鸟儿。他一只只用双手捧着，递给父亲，而父亲则以灵巧熟练的动作扭断它们的小脑袋。他憎恨鸽子的这种死法。它们死得像无生命的东西，像物品。他同样憎恨自己的父亲。但他曾在弗罗斯特家的池塘边见过另一种鸟：它从他脚下跳将出来，有力地腾空而起，盘旋着飞向灌木丛、树林和整个谷地上空。那是一只硕大的黑鸟。只有喙是红色的，还有一双长腿。鸟儿发出刺耳的尖叫，由于它的翅膀拍打空气，也在瞬间激起一阵气浪。

因此他体内的那只鸟当是黑鹳，只不过它有一双被拴住的小脚和两只被撕裂的翅膀。它尖叫着，扑腾着。他深夜醒来，听到体内这尖厉的叫声，可怕的叫声，地狱的叫声。他坐在床上，胆战心惊。很显然，到早上他再也睡不着了。枕头因潮气和呕吐物而发臭。他往往会起床，寻找些什么可喝的东西。有时在昨天喝过的瓶底还剩下些什么，有时什么也没有。到商店去买，时间太早。要让自己有活力，时间也同样太早，于是只好从一堵墙到另一堵墙来回踱步，慢慢死去。

当他清醒的时候，他感到那只鸟占据了他的全身，就在皮肤下面。有时他甚至觉得，他就是那只鸟，那时他便和鸟一起痛苦。触及过去或未知的未来的每一种思考，都使他心痛。由于这种痛，马雷克·马雷克不能把任何一种思考进行下去，他必须驱散这些思考，使其变得模糊不清，不再蕴含任何意义。他一想到自己过去是个怎样的人——心就痛；他一想到自己现在是个怎样的人——心就痛得更加厉害；他一想到自己将来会是一个怎样的人——心就痛得无法忍受。他一想到房子，立刻便看到腐朽的梁木，日内就会垮塌。他也想到田地，他记得，田地没有播种。他想到父亲，他知道自己狠狠揍过父亲。当他想起姐姐的时候，便记起自己偷了姐姐的钱。当他想到那匹心爱的母马，便回忆起自己从醒酒室出来找到它时，它已经死了，连同刚出生的马驹也死了。

可是当他喝酒的时候，感觉便好得多。并不是因为那只鸟跟他一起喝。不，鸟从来不会喝酒，从来不睡觉。马雷克·马雷克烂醉的肉体和烂醉的思绪不会注意到鸟的挣扎。因此他必须喝。

他也曾试过自己酿酒；他气恼地揪下黑醋栗，它们长满了果园。他用颤抖的手将黑醋栗扔进酿酒罐。他咬咬牙花钱买了糖，然后把酿酒罐搬到顶楼加温。他喜滋滋地想到将有自己酿的酒，只要感到嗓子眼发干，就可跑到顶楼，插根管子直接从酒罐里喝。可是他自己不知道什么时候喝光了所有的酒，虽然黑醋栗还没来得及充分发酵。后来他甚至把酒母也咀嚼掉了。他早已卖掉了电视机、收音机和录音机。所以他什么也听不到——耳中常有的只是鸟拍打翅膀的噼啪声。他卖掉了带镜子的衣柜、地毯、耙子、自行车、西装、电冰箱和圣像画——那是头戴荆冠的基督和圣母的肖像画，圣母的心画在了外边。稍后他又卖掉了浇花的喷壶、独轮手推车、打捆机、翻干草机、胶轮大车、盘子、锅、干草。他甚至找到了一个收购粪肥的商人。

再往后马雷克·马雷克便只能在德国人留下的房屋废墟中漫游，他在草地上找到了几个石槽。他把这些石槽卖给了一个德国人，此人把它们运到了德国。他多半会卖掉这栋摇摇欲坠的房子，但他不能卖。因为房子依旧属于他父亲。

对他而言，最美好的日子莫过于他靠什么奇迹得以将些许酒精保存到翌日清晨，这样他睡醒之后，甚至不用起床，就能将其一饮而尽。这可使他进入一种怡然自得的状态，不过他得竭力不要睡着，以便不致过快失去这种状态。他起床时仍然醉眼蒙眬便坐到房子前面的长凳上。推着自行车朝鲁达的方向走的如此这般或迟或早总能从他身旁经过。“你这个傻瓜蛋，老流浪汉！”马雷克·马雷克对他说，抬起手哆哆嗦嗦地向他打个招呼。那人对他报以缺牙的微笑。那双袜子已经找到，是风将其吹进了青草丛中。

十一月如此这般给他带来了一只狗崽。“拿去吧，”他说，“别为失去狄安娜太过伤心。当然，那是匹很漂亮的牝马。”马雷克·马雷克起初把小狗养在屋子里，但很快他就咒骂它娘，因为小狗在地板上撒尿。他把旧浴盆挪到屋外，底朝天支在两块石头上，又将钩子钉进地里，用链子将小狗拴在钩子上。这样他就有了个别出心裁的狗窝。起先小狗哀嚎，吠叫，但最终它习惯了。每逢马雷克·马雷克给它送狗食时，它就向主人摇摇尾巴。跟这条狗在一起，他似乎好过得多，体内的那只鸟也略微平静些。然而好景不长，十二月下了场大雪，夜里严寒刺骨，小狗冻死了。早上他发现小狗被雪覆盖，看起来就像一团丢弃的破布。马雷克·马雷克用脚触了触它——已经完全僵硬了。

姐姐邀请他去过圣诞节，在圣诞夜他就跟姐姐吵了起来，因为在晚餐上姐姐不肯给他烧酒。“贱骨头，不给烧酒算得上什么圣诞夜晚餐！”他对姐夫说。他穿上外衣，甩手就走。人们已动身去参加圣诞节弥撒，为了在教堂占个好位置而纷纷提早出门。马雷克·马雷克在教堂周围转来转去，在黑暗中搜寻熟悉的面孔。他遇到了如此这般。连他也在大雪纷飞之中踏着难走的路来到了乡村教堂。“好冷的冬天啊！”如此这般说，拍着马雷克的后背，笑得很灿烂。“别纠缠我，你这个老笨蛋！”马雷克对他说。“是，是。”如此这般点了点头，走进了教堂。人们都回避马雷克·马雷克，冷淡地向他躬身还礼。人们在教堂的过道里把鞋底擦干净，再往前走。马雷克点燃了香烟，听见了有窟窿的翅膀的噼啪声。终于铃声大作，人们静了下来，传来了神父的声音，这声音经过麦克风有点失真。马雷克进入教堂的过道，用手指尖沾了沾圣水冰凉的水面，但他没有在胸前画十字。过了片刻，他闻到皮帽和节日穿的皮大衣散发出的臭气，这使他感到不舒服——只有上帝知道，这套行头是从哪儿拽出来的。他脑海里闪现出一个念头。他回头往外挤，穿过过道，来到了教堂外面。大雪纷飞，仿佛是想清除所有的痕迹。马雷克·马雷克径直朝商店走去。途中他顺便光顾了姐姐的储藏室，从那儿拿走十字镐。他用这十字镐砸开了门。衣服所有的口袋都塞满了酒瓶子，还将酒瓶子夹在腋下，塞进裤子里。他想纵声大笑。“他们能找到个屁！”他自言自语道。他整夜做的就是把酒倒进炉子旁边的贮水罐，把空瓶子扔到水井里去。

这是他平生最美好的节日。只要他稍微清醒一点，他就跪在贮水罐旁边，拧开龙头，张开嘴巴，烧酒就如从天而降直接灌进他的口中。

圣诞节过后不久就开始解冻；雪变成了不可爱的雨，周围世界犹如用水浸泡过的灰色蘑菇。烧酒也喝光了。马雷克·马雷克压根儿就不起床。他觉得冷，浑身疼痛。整个时间他都在想，什么地方能找到一点酒精。他脑子里萌生了一个想法，玛尔塔太太可能会有酒。她的房子冬天总是空着的，因为她冬天总要出门到什么地方去。在想象中他看到玛尔塔的厨房，看到装有家酿酒的酒瓶立在桌子下边，虽说他知道玛尔塔太太从未酿过酒。说不定她酿过，说不定她今年正好用黑醋栗或李子酿过，并把它藏在桌子底下。就让她见鬼去吧！他想着，就从床上爬了起来，摇摇晃晃步履蹒跚地走着，因为他有好几天没吃饭了，头痛得像要炸裂一般。

门是关着的。他用脚踢。潮湿的门扇合页令人不快地嘎吱响。马雷克·马雷克给弄得很不自在。厨房看起来就像玛尔塔太太昨天刚离开它似的。桌子盖着一块拖到地板的方格漆布，上面放着一把切面包的大刀子。马雷克·马雷克朝桌子底下瞧了瞧，惊诧地看到那里什么也没有。于是动手在小柜子里翻找，在炉灶里、在装劈柴的箩筐里一顿胡乱扒拉，在五斗橱里他看到一摞摞平整摆放的床单、被套。一切都散发着一种冬天的潮气——雪、潮木头、金属的潮气。他到处观瞧，翻遍了所有的东西，摸过床垫和羽绒被子，甚至把手伸进了旧胶鞋。他产生了幻象——似乎见过玛尔塔秋天出门前把一些装有家酿酒的酒瓶塞在了什么地方，只是他没有看到塞在了哪里罢了。“愚蠢的老东西！”他说着，同时禁不住哭了起来。他坐在桌旁，双手支着脑袋，他的泪水落到漆布上，浸透了老鼠粪。他望了望桌上的刀子。

他出门的时候，用木桩撑着门，因为他喜欢玛尔塔太太，不想让雪飘进她的厨房。就在这同一天警察来找他。“我们知道是你干的。”他们说。又补充了一句，说他们还会再来。

马雷克·马雷克又躺下了。他感到冷，不过他清楚，自己的手已拿不住斧头。他体内的鸟在扑腾，由于这种扑腾，马雷克的身体瑟瑟发抖。

黄昏突然降临，就像外面有人熄灭了灯火。空中凝结的冻雨波浪般连绵不断地敲打着窗玻璃。马雷克·马雷克仰面朝天躺在床上，心想：“哪怕我有台电视机也好。”他无法入睡，夜里起来好几次，从水桶里舀水喝；水冰凉，很可怕。他的身体把水变成了泪，从傍晚流到清晨。泪水流入了他的耳朵，使他的脖子发痒。早上他打了个盹，醒来时，他的第一个念头就是贮水罐里已经没有烧酒了。

他起了床并往双耳罐里撒了泡尿。他开始在抽屉里寻找绳子，但没有找到，于是便扯下褪了色的府绸窗帘，抽出挂着它的钢丝绳。他看到窗外如此这般怎样推着自己的那辆自行车到鲁达去。马雷克·马雷克突然感到很惬意，外面的雨总算停了，冬日灰色的光线从所有的窗口射进室内。那只鸟也平静了下来，或许已经死了。马雷克·马雷克将钢丝绳打了个活套，固定在门边的钩子上，母亲曾在钩子上挂炒菜的平底锅。他想抽上一口，又一次开始寻找香烟。他听见每张纸片的沙沙声，地板的嘎吱声，撒落的什么药片打在木板上细微的响声。香烟他却没有找到。他径直走到钩子下边，将活套安放在自己的脖子上，整个人往地板上溜。他感觉到脖颈子剧烈的、异乎寻常的疼痛。一会儿钢丝绳便绷紧了，可随后却变得松弛，从钩子上脱了出来。马雷克·马雷克掉到了地上。他不明白究竟出了什么差错，疼痛放射到全身，那只鸟重又开始叫了起来。“我活得像猪，死得也像猪！”马雷克大声说，在空空如也的房子里听起来就像吆喝别人来交谈。他的双手哆嗦，再次把钢丝绳系到钩子上——将它打了个结，又缠了一圈，扭了扭。现在活套比先前高出了许多，但没有高到需要站到椅子上，也没有低到他能坐下去的地步。他将活套从脑袋套到脖子上，脚后跟支着前后摇晃了片刻，而后突然朝地面一沉。这一次疼痛是如此猛烈，足以让他眼前发黑。他张大嘴巴吸气，而双脚却在绝望地寻找支点，虽说他根本不想这样做。他挣扎着，为发生的事感到惊诧，直到猛然间，在短短的一瞬里，一种莫大的恐惧感笼罩了他，竟使他尿了一裤子。他望着自己穿着破袜子的两只脚乱踢乱踹，在一摊尿里滑动。“要不明天再干。”他还怀有希望地思忖，但他已不能给身体找到支点了。他再朝前边扑了一下，尝试用双手支着身子，但就在这个瞬间他听见头脑里嗡的一声——这是一声轰鸣，一声枪响，一声爆炸。他想抓住墙壁，但他的一只手只在墙上留下肮脏、潮湿的印迹。他不再动弹，因为他还希望，所有的坏事都会从他旁边过去，不会注意到他。他两眼紧盯着窗口，脑子里产生了某种模糊不清、正在消逝的想法：要是如此这般转身回来……后来窗口明亮的直角形就消失了。

梦

去年我给下西里西亚交易所发了份通告，说我收集梦。但很快我便大失所望，因为人们都试图将梦卖给我。他们写信来说："让我们先谈好价钱。""我建议二十兹罗提[①]一个梦。这是个公道、诚实的价格。"我拒绝了他们的报价。否则我会因别人的梦而破产。我还担心，他们会为了钱而杜撰、捏造出许多梦来。从本质来说，梦跟钱是没有任何共同之处的。

不过我在网络上找到了一个网页，人们在那里自发写满了自己的梦，不要钱。每天早上那里都会出现新的页面，用的是不同的语言。他们为了别的人，为了操各种语言的外国人而记录下自己的梦。他们这样做的原因，其实我也不明白。也许是由于讲述自己梦的愿望像饥饿一样需求迫切，也许对于某些人来说甚至比饥饿时的需求还要更为迫切——那些人还在早餐之前，一觉醒来就立刻打开电脑，写道："我梦见……"后来我也壮起胆子，在那儿写点小梦，那全是微不足道的小梦。这是我为了有权阅读别人的那些梦而为自己准备的入场券。一大早就打开电脑世界的大门逐渐成了我的习惯——冬天早上，当外面还

① 兹罗提，波兰货币名称和基本单位。

是漆黑一片，厨房里刚煮上咖啡；夏天清晨，当窗口洒满阳光，过道通向阳台的门大敞着，而两条母狗也刚从自己的领地巡视归来，这时我总是在电脑前用功。

如果有规律地这样做下去，如果每天早上认真阅读几十个，甚至几百个别人的梦，就容易发现，它们彼此之间总有某种相似之处。我早就想过，别人是否也看出了这一点。那是些亡命的夜晚，战争的夜晚，婴儿的夜晚，暧昧爱情的夜晚；是一些在旅馆、火车站、大学生宿舍、自家住宅的迷宫里徘徊寻路的夜晚；或者是敞开门、打开许多盒子、箱子、柜子的夜晚；或者是旅行的夜晚，那时做梦者往往要跟火车站、飞机场、火车、高速公路、路旁的蝴蝶打交道，他们或丢失箱子，或等票，担心着急，生怕来不及换乘。每天早上可以把这些梦像珠子一样用细绳子串起来，从中就可弄出一个有意思的结构，做出一条独一无二，但本身是完整、美妙、无瑕的项链。由这些经常重复的情节，可以大胆地给夜晚加上各种标题：“救助弱者和残疾者的夜晚”“天上降落的事物的夜晚”“怪兽的夜晚”“收到信件的夜晚”“丢失贵重物品的夜晚”。或许这还嫌少，或许还应当以夜里的梦来命名白天。或者命名整个月份、整个年份、整个时代，在这些月份、年份、时代中，人们以相同的、始终如一的节奏做着相似的梦，太阳出来时便不再感觉到这种节奏。

倘若有人能够研究那种只有我才能看到的事物，倘若他能数清那些梦中出现的形象、画面、情感，从中节略出主题，将这些统计资料与各种相关检验联系在一起，就像神奇的胶黏剂能把那些看起来似乎不可能联系在一起的事物联系起来一样，或许他就能从中找到某种类似于这个世界上交易所或大型机场的运作模式的意义——这种模式可表现为精细的联络图或固定的时刻表；找到某种不可预知的预感和精确的计算法的意义。

我常请玛尔塔给我讲讲她自己的梦。她总是耸耸肩膀。我认为她不把梦当回事。我心想哪怕她夜里做梦，她也不会让梦留在自己的记忆中。她会抹掉那些梦，如同从自己印有大草莓图案的漆布上抹掉泼在上面的牛奶一样。她拧干了抹布，给自己低矮的厨房通风。她的目光停留在天竺葵上，将它们的叶子放在手指上揉搓，而那又酸又涩的气味总能压住房里在她那儿发生的任何事。若能了解玛尔塔的哪怕是一个梦，付出多少我都在所不惜。

但是玛尔塔却常常讲别人的梦。我从来没有问过她，她是从哪里知道的。或许她杜撰了那些梦，如同她编造自己的那些故事一样。她利用别人的梦，一如她利用别人的头发编假发。当我们一起去什么地方，去克沃兹科或是新鲁达，她坐在停在银行前面的小汽车里等我。她总是通过窗口看人。然后，在小汽车里，她总是一边翻阅与所买物品一起发来的广告，一边有意无意地讲点什么，比方说，讲别人的梦。

我永远不能肯定，在玛尔塔所讲的和我所听到的事物之间是否存在着界线。因为我不能将她和我区分开，将我俩知道的和不知道的事物区分开，将新鲁达广播电台早上说的和刊载有电视节目的报纸周末版上写的东西区分开，不能将一天里的钟点，甚至不能将谷地里太阳照耀到的和照耀不到的村庄区分开。

小汽车日

我们在森林里发现了一辆小汽车。它是那样不引人注目，以致我们撞上了它积满针叶的长长的车罩子。在前边的座位上长了一棵小桦树，方向盘缠满了爬墙虎。R说，这是一辆战前德国造的“小奇迹”车。他对小汽车是内行。车体的金属零件完全锈坏了，而车轮的一半陷在森林的枯枝落叶层中。我试图打开方向盘那一边的车门，门把手留在了我的手中。车内皮革蒙面上长满了黄色的蘑菇，并如急驰下泻的瀑布那样垂落到满是坑坑洼洼的底部。我们没有对任何人说起过这项发现。

傍晚，从森林里由边境的方向驶出了另一辆小汽车——挂着瑞士车牌的讲究的红色丰田车。胭脂红的漆面上瞬间反射出西下的日光。它关闭了引擎驶进谷地。夜里紧张的边防军带着手电筒跟踪它的辙迹。

早上，网络中出现了关于小汽车的梦。

阿摩斯

新鲁达合作银行的克雷霞做了个梦。那是在一九六九年早春时节。

她梦见自己的左耳中听到一个声音。起先是个女子的声音，不停地说着，说着，可是克雷霞不明白说的是什么。她在梦中干着急。“如果有人总是在我耳中讨厌地唠叨着，我将如何工作？”她在梦中思忖，但愿这声音能够停息，如同关掉收音机，或是将电话听筒搁到机座上。然而它却不能消除。声音的源头深深潜藏在耳朵里，藏在布满鼓膜和耳轮的弯弯曲曲的小回廊之中，藏在微显潮湿的薄膜的迷宫深处，藏在耳内黑暗的洞穴里。无论是用手指挖，还是用手掌捂住耳朵都压不住这声音。克雷霞觉得，整个世界必定都会听到这嘈杂声。或许正是由于这个声音，整个世界都在颤动。耳中总在不停地重复某些句子，语法完全正确的句子，听起来很美的句子。然而这些句子却没有意义，只是模仿人的说话方式而已。克雷霞害怕它们。但不久之后克雷霞的耳朵里响起了另一个声音，男人的声音，它亲切、纯净。跟这个声音交谈是件令人愉快的事情。“我叫阿摩斯。”他说。他询问她的工作，询问她父母的健康，但她有个印象，其实这些询问都是毫无必要的；他知道有关她的一切。“你在哪儿？”她迟疑地问他。“在马里安德。”他回答说，而她知道，在波兰中央地带有这么一个区域。“为什么我在我的耳朵里听见你说话？”她还想知道点什么。“你是个不同凡响的人，我爱上了你。我爱你。”同样的情况还发生过三四次。同样的梦。

早上她在忙于银行来往业务中喝着咖啡。外面下着软湿的雪，很快就融化了。潮气甚至渗进了有暖气的银行办公室，侵入了衣架上的大衣、人造革手提包、哥萨克皮靴和前来办事的客户。对于银行信用贷款部头头克雷霞·波普沃赫来说，这是个不同寻常的日子，在这一天她理解到，自己是有生以来第一次领略到被人专断地、不容分说地、无条件地爱着的滋味。这是个惊人的发现，宛如脸上挨了一拳，打得她晕头转向。银行大厅的景象变得苍白了，她的耳朵里短时间沉入静寂。在这突如其来的淹没了她的爱情中，克雷霞感到自己就像一把迄今从未用过的茶壶，第一次灌满了纯净得透明的水。冲好的咖啡凉了。

她的做法是：提早下班，径直去了邮局。她拿起了波兰中央地区各大城市的电话号码簿：罗兹的、谢拉兹的、科宁的、凯尔采的、拉多姆的，自然还有琴斯托霍瓦的，最后她拿到了她关心的马里安德的。她掀开了字母A开头的那一页，用染红了的指甲在姓氏栏从上到下移动。在罗兹、谢拉兹、科宁等城市都没有阿摩斯或阿摩兹。在为数不多的农村电话网用户中也找不到他的姓氏。她现在的感觉，最贴切的说法就是愤怒。她知道，他一定是待在什么地方。她头脑里一片空白地坐了片刻，然后再一次开始寻找。她拿起了拉多姆、塔尔努夫、卢布林、弗沃茨瓦维克的电话本。她找到了莉迪娅·阿摩舍维奇和阿摩辛斯基夫妇。然后她那绝望的思维开始找窍门，玩文字搭配：阿摩斯，索马，马索，萨摩，奥马斯，[①]直到那双指甲染红的手拆开了这个其中的密码——阿·摩斯，显克维奇街五十四号，琴斯托霍瓦。

克雷霞住在农村，一辆肮脏的蓝色公共汽车天天从乡下送她进城。汽车在盘山公路和弯道上爬行，有如一只发灰的甲虫。冬季，天黑得早，它那对燃烧的眼睛扫视着石头覆盖的山坡。它曾受到过祝福。它让人们认识山外的世界。所有的旅行都由它开始。

克雷霞天天坐它上班。打汽车从车站把她带走的那一刻算起，到她站在银行厚重的大门前为止总共用了二十分钟。在这二十分钟里世界变得难以辨认。森林成了房屋，山中草地成了广场，牧场成了街道，清澈的小溪成了每天变幻不同颜色的小河——因为它不幸从布拉霍贝特纺织厂附近流过。克雷霞在公共汽车里就脱掉了胶鞋（她称之为雨鞋），穿上了皮鞋。鞋后跟在银行大楼宽阔的德式台阶上敲得橐橐响。

她在银行是最雅致最讲究的人物。时髦的发型——精心梳理的淡黄色烫发，染了色的发根。日光灯照在她的头发上射出洋

---

① 阿摩斯（Amos）、索马（Soma）、马索（Maso）、萨摩（Samo）、奥马斯（Omas），均由A、M、O、S四个字母按不同顺序排列组合而成。

娃娃般的钻石的反光。涂了加长型睫毛膏的睫毛在她那光滑的脸颊上投下了柔和的阴影。珍珠色的口红微妙地勾勒出她嘴巴的轮廓。年岁越长，越是浓妆艳抹。有时她对自己说："够了，别再涂胭脂抹粉了。"但尔后她又发现，岁月的流逝剥夺了她面部的清晰性，模糊了线条。她甚至觉得，她的眉毛稀疏了，湛蓝的虹膜发白，失去了光彩，嘴唇的线条越来越不清晰，而整个面部变得不确定，仿佛就要枯萎。这是克雷霞最害怕的。她担心自己会来不及开花就凋谢了。

三十岁的克雷霞跟父母一起住在新鲁达附近的农村。他们充满希望的房子坐落在拐向曲折的盘山公路的破烂的地方公路旁边，似乎可以预想到地理位置会给它带来参与历史进程的光荣——军队浩浩荡荡从这儿频繁过往，寻宝者在这儿从事各种冒险活动，边防军在这儿追逐从捷克走私酒的人。然而公路和房子都不走运。没有发生任何事。只是房屋上方的森林变得稀疏了，犹如克雷霞的眉毛；她的父亲有系统地不断砍伐幼小的桦树做辕杆和棍棒，砍伐松树做圣诞树，长高的青草使羊肠小道变得模糊，像她嘴巴的线条那样；他们房子粉刷成蓝色的墙壁发白，就像克雷霞的眼睛。

克雷霞在自己家里的地位相当重要：家里靠她赚钱、购物、把买好的东西用母亲缝制的手提包拎回家。她在顶楼有自己的房间，有沙发床和装衣服的柜子，但是只有在银行她才成了一个人物。在这里她有办公室，用薄得像硬纸板的胶合板与客户熙来攘往的大厅分隔开。坐在自己办公桌后面，听得见银行嘈杂的声音——开门关门的咣当声，农民沉重的皮靴在木地板上走动的咯噔声，总爱飞短流长讲别人闲话的妇女们压低了嗓门儿的嘁嘁喳喳声，两个最后的旧算盘——管理部门还没来得及把它们换成新式的带把手的嗒嗒响的计算机——发出的敲击声。

十点钟左右就开始喝咖啡的日常习惯：铝质小匙子叮当作响，玻璃杯底轻微地磕碰着托盘，这些都成了办公室的铃声。她把磨好的昂贵的咖啡放在装过果酱的玻璃罐中从家里带来，公平地分配到每个玻璃杯中，沸水在它的水面上形成了厚厚的褐色浮膜，直保持到瀑布一般地撒下糖的时候。咖啡的芳香弥漫着新鲁达合作银行，直到天花板，而那些恰好在这时排队等候的农民则咬着嘴唇，抱怨自己不迟不早偏偏碰上了喝咖啡的神圣时刻。

就在这时克雷霞记起了自己的梦。

像她这样无缘无故被人所爱是件多么痛苦的事。这样的爱情给人带来了何等的不安！由于难以置信，思绪是多么杂乱无章，加速跳动的心脏在怎样膨胀！世界又是在怎样游移和失去具体的可知性！克雷霞突然变得孤立无助起来。

复活节过后，银行接到通知，在琴斯托霍瓦为银行工作人员举行业务培训会议。她认定这是最现实的提示，就去了琴斯托霍瓦。她把自己的衣物收拾到人造革旅行包里，心中想着上帝。她寻思，尽管人们对上帝众说纷纭，但上帝总是在最适宜的关头显圣。

她乘的是一列昏昏欲睡的列车，里头塞满了疲惫不堪、无精打采的乘客。车厢单间没有空位子，她只好紧贴着肮脏的窗玻璃站立在过道上，就这么站着打瞌睡。后来夜里有人下车，她终于能坐下来。她挤在那些被干燥的空气烘热的身体之间，睡着了。她睡得很沉，黑乎乎地，油腻腻地，完全没有图像，连思想的残存碎片也没有。直到她一觉醒来，这才明白自己是在旅途之中；此前只是在空间里移动，普通的、漫不经心的地点变化。只是梦关闭了旧的，敞开了新的；一个人死一般地睡去，另一个人醒来。这黑暗的空间不分昼夜，是真正的旅行。幸好从新鲁达开出的驶向远方世界的所有列车都是在夜里行驶。她想，在这次旅行之后，再也没有什么跟先前一模一样的东西了。

凌晨她到达琴斯托霍瓦。时间还太早，她任何地方也去不成，于是在车站酒吧要了杯茶水，捧着玻璃杯暖手。在邻近的小桌子旁边坐着一些裹在方格头巾里的老年妇女、被烟草熏得过头的男人、为生活所累的丈夫、面孔像破旧钱包的父亲、因做梦而脸色绯红的儿童——从他们半张半合的嘴角流淌出淡淡的一团口水。

等待天亮用了喝两杯柠檬茶和一杯咖啡的时间。她找到了显克维奇街，向上走，走在街道的正中央，因为小汽车尚未苏醒。她望着一扇扇窗户，看见褶皱密集的窗帘，还有偎倚在窗玻璃上的橡皮树。在某些窗户里还亮着灯，但灯光发白，不引人注目。人们在这种光线里正匆匆忙忙地穿衣、吃饭，妇女在煤气灶上烘干长袜，或是为上学的孩子准备三明治，铺好的床将体温保留到下一个夜晚，烧煳的牛奶冒着煳味，鞋带回到皮鞋稳当的洞孔中，收音机在播送新闻，但谁也不听。后来她遇上第一个买面包的队伍。所有的人都在默默无言地排着队。

显克维奇街五十四号是一栋灰色的大房子，底层开了个鱼店，带有一个深深的庭院。克雷霞站立在房子前面，懒洋洋地打量着那些窗户。我的上帝，原来是这等普普通通。

她在那里站了约莫半个钟头，直到最终不再感到寒冷。

培训枯燥到极点。在专门买来做记录的本子上，克雷霞心不在焉地用圆珠笔胡乱涂写。主席台桌子上铺的绿色呢子给她某种慰藉。她本能地将它抚平。合作银行的工作人员在她看来都非常相像。女人被氧化成浅黄色的头发都剪成西蒙娜[①]的发式，嘴唇都涂了仙客来色的口红。男人清一色都穿着藏青色的西服，都带个猪皮的皮包，像彼此约好了似的，休息抽烟的时候尽说些俏皮话。

晚餐是面包和黄色的奶酪，用陶瓷杯喝茶。

晚餐后大家都转移到康乐室，桌子上出现了烧酒和酸渍的小黄瓜。有人从皮包里掏出一套镀锡的小酒杯。男人的手在穿着尼龙长袜的女人膝盖上游荡、徘徊。

克雷霞微带醉意去睡觉。她的两个室友凌晨才出现在房中，她们相互悄声提醒着要注意保持安静。这样过了三天。

第四天她站立在油漆成棕色的门前，门上挂着瓷质的小牌子：阿·摩斯。她敲了敲门。

① 可能是指法国女演员西蒙娜·西蒙（Simone Simon，1910—2005）。

给她开门的是个高个、瘦削的男人，身着长睡衣，嘴上叼着香烟。他有一双深色的充血的眼睛，仿佛好长时间没有睡觉似的。当她发问的时候，他眨了眨眼睛。

“阿·摩斯？”

“不错，”他回答，“阿·摩斯。”

她粲然一笑，因为她觉得认出了这个声音。

“我就是克雷霞。”

感到意外的男人后退了一步，让她进入门廊。住宅小而拥挤，洒满了日光灯银色的光。看起来就像火车站那样凌乱、邋遢。到处是装有书籍的硬纸箱，成堆的报纸，收拾了一半的衣箱。盥洗间敞开的门里冒出蒸汽。

“是我，”她重复了一遍，“我来了。”

男人突然围着她打转转，大笑起来。

“可小姐是谁？我认识小姐吗？”他突然又拍了拍额头，“当然，不用说，是小姐，小姐是……”他的响指在空中打得噼啪响。

克雷霞明白，他没有认出她来。可这也不值得大惊小怪。要知道他是在另一种情况下，通过做梦，从内里认识她的，而不是像所有的人那样在正常的情况下彼此相识。

“我会把一切都向您解释清楚。我可以再往里头走进一点吗？”

他迟疑了一下。香烟灰落到了地板上。男人伸手向她指了指房间。

她脱下鞋，进去了。

“小姐您看，我正在收拾行李。”男人如此解释房内的杂乱无章。他把沙发床上揉得皱巴巴的被子送到了另一个房间，返回后便在她的对面坐下。洗褪了色的长睡衣露出他胸口的肋骨：真是瘦骨嶙峋。

“阿·摩斯先生，您是不是有时梦见了什么？”她没有把握地问道，立刻就知道自己犯了错误。男人纵声大笑起来，巴掌拍在条纹睡衣盖住的大腿上，嘲讽地望着她。至少她觉得情况就是如此。

“有意思，小姐来找一个不相识的家伙，就为了问他，是不是梦见了什么。这真的像梦一样，像梦……”

“我认识先生。”

“是吗？怎么小姐认识我，而我却不认识小姐呢？咳，或许我们是在雅希的演唱会上相识的？在雅希·拉特卡那儿。”

她否定地摇了摇头。

“不是？那又是从哪里认识的？”

“您叫阿·摩斯。”

“我的名字是安杰伊[①]。安杰伊·摩斯。”

“克雷斯蒂娜·波普沃赫[②]。”她说。

他俩都站了起来，彼此握了握手，又重新坐下，神色都有些尴尬。

“那么……”过了片刻他开了口。

① 在波兰语中安杰伊（Andrzej）与阿摩斯（Amos）都是以字母A（音“阿”）开头。

② 克雷霞是克雷斯蒂娜的爱称。

“我叫克雷斯蒂娜·波普沃赫……”

“这我已经知道。”

“我今年三十岁，在银行工作，担任主管的职务。我住在新鲁达，您知道那是在哪里吗？”

“在卡托维茨附近的什么地方。”

“完全不是。是在弗罗茨瓦夫省。”

“啊哈，”他漫不经心地说，“您不想喝点啤酒吗？”

“不。谢谢。”

“既然如此，我只好自己喝了。”

他站起身，走进厨房。克雷霞见到壁柜上有台打字机，卷筒上还卷着一张纸。她突然想到，他此刻该做些什么，该怎么说，一定都写在那儿呢，她甚至站起了身子，但安杰伊·摩斯已返回来，他手里拿着一瓶啤酒。

“说句实话，我原以为小姐是住在琴斯托霍瓦。有那么一瞬间我甚至觉得，我认识小姐。”

“是吗？”克雷霞高兴地问。

“我甚至想过……”他眼睛射出一道闪光，就着瓶子喝了一大口酒。

“什么？”

“您知道，是这样，人有时记不住所有的事情。并不是总能记得住。或许我们之间真有过些什么？在演唱会上，在……”

“不，”克雷霞急忙说，她感到自己脸发烧，“我从来没有见过您。”

“怎么，您不是说认识我吗？”

“是的，但只是认识您的声音。”

“我的声音？上帝，您要什么花招？我大概在做梦。到我这儿来了一位姑娘，一口咬定，说是认识我，却又是平生第一次见到我，只认识我的声音……”

蓦然他呆若木鸡，一动不动，酒瓶子仍贴在嘴边，目光死死盯住了克雷霞：

“我明白了，小姐是安全局的。你认识我的声音，因为你窃听过我的电话，对吗？”

“不对。我在银行工作。”

“好，好，不过我已拿到了护照，就要走。我就要出国，你明白吗？我就要到自由世界去。就像你看到的，我在收拾行李。这已经到了尽头，你们不能再把我怎么样。”

“请您别……”

“你想干什么？”

“我梦见了您。我是通过电话簿找到您的。”

男人点着了香烟，站了起来。开始在塞满破旧家具的房间里从窗口走到房门来回踱步。克雷霞从小手提包里拿出身份证，打开放到桌子上。

“请您看看，我不是什么安全局的。”

他俯身到桌子上方，朝证件瞥了一眼。

“这什么也不能说明，”他说，“要知道证件上不会写着谁是安全局人员。”

“我该怎么做，您才能相信我呢？”

他挺立在她的上方，抽着香烟。

“知道吗，小姐？已经不早了。我这就要出门。我跟别人有约。再者我在收拾行李。我必须去办各种重要的事情。”

克雷霞从桌上拿起自己的证件，放进小手提包。她感到喉咙憋闷得发痛。

“我这就走。”

他没有挽留。他把她送到门口。

“就是说您梦见了我？”

“是的。”她边说边穿鞋。

“您是通过电话簿找到我的？”

她点了点头。

“再见。我很抱歉。”她说。

“再见。”

她冲下楼梯，来到街上。她一路朝下走到车站，一路都在啜泣。睫毛膏融化了，刺激得眼睛生疼，世界变得模糊了，出现了许多闪亮的彩色斑点。售票处对她说，最后一列驶往弗罗茨瓦夫的火车已经开走，下一列要到明天早上才开。于是她去了车站酒吧，要了一杯茶。她什么也不想，只是望着单调地浮泛着的柠檬片。雾蒙蒙、潮气重的夜色从月台流入了车站内部。“这不是说明梦并不可信的证据。”克雷霞最后作如是想。梦总是有意义的，从来不会错，是现实世界没有成长到梦的正常状态。电话簿说谎骗人，火车选择了不适当的方向，街道看起来彼此过于相像，城市名称中字母出错，人们常常忘记自己的名字。只有梦是真的。她觉得，在左边的耳朵里她又听到那温存的、充满爱恋之情的声音：

“我给询问台打过电话，小姐您要乘的开往新鲁达的最后一班火车已经开走了。”安杰伊·摩斯说，他坐到了她的小桌子旁，用手指在潮湿的漆布上画了个十字，“小姐睫毛上的睫毛膏糊了。”

她从小手提包里掏出手帕，用唾沫弄湿了一角，擦了擦眼睑。

“就是说您梦见了我？这是难以理解的奖赏。如此梦见一个不相识的人，一个住在国家的另一端的人……哎，说说看，在这个梦中发生了什么事？”

“什么事也没有发生。只是您曾对我说话。”

“我说过些什么？”

“说我是个不同凡响的女人，说您爱我。”

他把响指打得噼啪响，慢悠悠地望着天花板。

“这是结识异性多么奇特的方式。我佩服得五体投地。”

她没有吭声。用小匙子小口地喝着茶。

“我真想此刻已经待在家里。”过了一小会儿她说。

“我们走吧，到我那儿去。我有两个房间。”

“不。我在这儿等车。”

“随您的便吧。”

他走向小卖部，给自己端来一大杯啤酒。

“我想，您不是阿·摩斯。就是说，不是我梦见的那个人。我定是在什么地方弄错了。可能是另一座城市，不是琴斯托霍瓦。”

“有可能。”

“我将不得不再去寻找。”

男人猛地把啤酒杯往桌子上一搁，以致啤酒都泼出了一些来。

“可惜，我将无法知道结果。”

“不过您有相似的嗓音。”

“我们走吧，到我那儿去。您在床上睡个好觉，而不是在酒吧的小桌旁打盹。”

他看到，她有些踌躇。她睫毛上没有了那些噩梦般的睫毛膏看上去要年轻得多。疲惫软化了自命不凡的外省闺秀。

“我们走吧。”他重复了一遍，而她则无言地站了起来。

他拎着她的行李，重新朝山麓走去，踏上了已是空荡荡的显克维奇街。

“在那个梦中还有些什么？”他在房间里一边给她铺沙发床，一边问。

“我已不想说这件事了。这并不重要。”

“我们喝点啤酒？或者喝点烧酒好睡觉？我能再抽支烟吗？”

她点了点头。他消失在厨房里，而她犹豫了片刻之后走向了打字机。在她读完一首诗的标题之前，她的心就开始怦怦跳。诗的标题是：《马里安德之夜》。她立在打字机前方恍如瘫痪了一般。而她背后，在厨房里她梦中的阿摩斯把玻璃杯弄得叮当响。一个活生生的、温存的、瘦削的、有双发红的眼睛的男人，就是这个人，他了解一切，理解一切，他进入人的梦中，在那里播种爱情和不安。这就是那个推动世界的人，仿佛世界是块大幕布，用它遮挡了某种别的真理，难以捉摸的真理，因为那是没有任何事物、任何事件、任何牢靠的东西支撑的真理。

她用颤抖的手指触动了打字键。

“我写诗，”他在她背后说，“我甚至还出版过诗集。”

她无法转过身来。

“喏，请吧，请小姐坐下。现在这已没有什么意义。我就要去自由世界。要是您给我地址，我会给您写信。”

她听见他的声音就在自己身后，在左边。

“您喜欢吗？您阅读诗歌吗？这只是草稿，我还没有把它写完。您喜欢吗？”

她垂下了脑袋。热血在她耳中轰隆作响。他轻微地触了一下她的肩膀。

“出了什么事？”他问。

她转身朝着他，看到他盯着自己的一双好奇的眼睛。她感觉到了他的气味——香烟、尘土和纸张的气味。她偎依到这种气味上，他们如此一动不动地站了几分钟。他的双手抬了起来，迟疑了一下，而后就开始沿着她的后背抚摸她。

“可毕竟还是你，我终于找到了你。”她悄声说。

他的手指触摸到她的脸颊，他亲吻了她。

“就算是吧。”

他把手指插进她氧化成浅黄色的头发，又伸嘴去咂吮她的嘴唇。后来他把她拉到沙发床上，动手脱她的衣服。她不喜欢他这种过于狂野的举动，她感觉不到欢愉，简直就像在做出牺牲。而她又不得不允许他随心所欲。于是她被脱掉了裙装、衬衫、吊袜带和胸罩。他那瘦削的胸腔在她眼前移动——干巴巴，像石头一样生硬、呆板。

“你在梦中是怎样听我诉说的呢？”他气喘吁吁地悄声问。

“你是在我耳朵里说的。”

“在哪只耳朵里？”

“在左耳里。”

“在这里吗？”他问，接着就把舌头伸进了她的耳朵。

一切都为时太晚。她已不能解脱，无可逃遁，只好闭紧眼睑，任其摆布。他用身体的全部重量压服了她，占有了她，穿透了她，使她麻木。而她也不知是从哪里知道，这是必经之途，知道首先得把属于阿摩斯的东西给他，为的是以后能将他本人带在身边，将他像植物，像棵大树一样栽到房子前面。因而她屈从于这个陌生的身体，甚至还用双手笨拙地搂抱它，加入了有节奏的古怪的舞蹈。

“真见鬼！”过后男人说，点燃了香烟。

克雷霞穿好了衣服，坐到他身边。他把烧酒斟满两个酒杯。

“感觉如何？”他朝她投去短暂的一瞥，喝光了杯里的酒。

“不错。”她回答。

“我们睡觉去。”

“现在？”

“明天你要赶火车。”

“知道。”

“得上好闹钟。”

阿·摩斯慢慢向盥洗室走去。克雷霞一动不动地坐着审视阿摩斯的神殿。墙壁漆成橙黄色，但经日光灯的冷色光照射变成了令人不快的青紫色。在床垫子从墙边挪开的地方，看得出更鲜亮的橙子的颜色。她觉得，那地方发亮，刺眼。窗口挂着被香烟熏黑的窗帘，右边是个搬空了的壁柜，上面摆着一台打字机，滚筒上戳着《马里安德之夜》。

“你为何爱上了我？”他从盥洗室返回时她问，“我跟别的女人有什么不同？”

“你是个发了疯的女人，我敢向上帝保证。”

他又穿上了那件袒胸的条纹长睡衣。

“说我是个发了疯的女人，是什么意思？”

“你是个疯子。行事出人意料，缺乏理性。”

他给自己斟满一杯烧酒，一口喝干，说：

“你穿行半个波兰来找一个不相识的家伙，对他讲自己的梦，还跟他上床。这已足够说明你是发了疯。”

“你为什么骗我？你为什么不承认你是阿摩斯并且知道有关我的一切？”

“我不是什么阿摩斯。我叫安杰伊·摩斯。”

“那么马里安德是怎么回事？”

“哪个马里安德？”

“《马里安德之夜》，马里安德是什么？”

他扑哧一声笑了，挨着她坐到椅子上。

“是市场上的一家酒馆。所有的本地下三烂都到那里喝酒。我为此写了一首诗。我知道，是首蹩脚货。我写过一些更好的段子。”

她难以置信地望着他。

归程中充塞了开关门的咯噔声——夜班火车的门、车间的门、车站厕所的门、公共汽车的门的咯噔声。最后是家里的大门发出的沉闷的撞击声。克雷霞扔下旅行包，旋即躺到了床上，睡了一整天。傍晚惴惴不安的母亲来叫她吃晚饭。这时克雷霞已忘记她到什么地方去过。梦，如同橡皮，擦掉了整个旅行。几天后的一个夜晚，克雷霞在自己的左耳里听到了一个熟悉的声音：“是我，阿摩斯，你到哪儿去了呢？”

“怎么了，你不知道我能去哪里？”

“我不知道。”他回答说，“难道你不是跟我一起漫游？”声音沉寂了。克雷霞觉得，这沉默是某种羞惭的表现。“你别再走得那么远。”倏地她耳朵里的声音又响起来。

“对你而言这意味着什么？”她怒气冲冲地问他。他大概是给这个腔调吓坏了，只好保持缄默，而克雷霞则不得不从梦中醒来。

自打这次去琴斯托霍瓦的远行之后，什么都跟先前不一样了。新鲁达的街道干了，洒满了阳光。姑娘们将一束束报春花摆到办公桌上。指甲上涂的指甲油脱落了，氧化的头发底部出现了黑色的发根并将浅色的发梢推向了肩膀。中午银行大厅的大窗子打开了，街上的嘈杂声——儿童的喧闹声、小汽车的噪声、妇女突然加快了脚步的尖跟皮鞋的咯噔声、鸽子噼啪响的振翅声——从窗口涌了进来。下班成了一件令人愉快的事。狭窄的小街道吸引人们从它那儿经过，在那儿可细瞧人们的面孔，记住某些特殊的小院风光。咖啡馆开门揖客，烟雾缭绕的空间充满了好奇的目光和懒洋洋的谈话。玻璃杯里冲泡的咖啡飘出永恒的香气，铝质的小匙子发出叮当的响声。

五月克雷霞去找一位占卜家，向他询问自己的未来。占卜家给她撰好了占星图，而后闭目凝神地坐了许久。

“你想知道什么？”他问她。

“我将来会怎样？”她说，而他必定是在眼睑下看到了某种辽阔的空间，因为他的眼球忽左忽右地转动，仿佛看到了事物内在的发展前景。

克雷霞点着了香烟，等待着。占卜家看到了浅灰色的谷地，而在谷地里看到了残留的城市和村庄。画面是静止的，没有生命的，化成灰烬了的，而且每时每刻都在褪色，变得苍白。谷地里的天空是橙黄色的，低矮而轻灵，犹如帐篷顶。没有一样东西在动，没有一丝风，没有一丁点生命。树木使人想起石柱，仿佛盯住过罗得之妻[①]的目光也同样盯住过它们。他似乎觉得听见了树

① 典出《圣经·创世记》19：1—26。上帝要剿灭所多玛城，因为罗得曾礼遇两位天使，天使把他们夫妇和两个女儿领出所多玛城，让他们逃往小城琐珥，并且嘱咐他们不要回头。上帝将硫磺和天火降向所多玛城时，罗得之妻回头看，立即化为盐柱。

木在怎样轻微地爆裂。那里既没有克雷霞，也没有他自己，也没有别的任何人。他不知道该说些什么。他只感到由于心慌而引起的腹部痉挛。他害怕自己现在不得不撒谎、胡诌。

“永远不会一次就彻底死去。你的灵魂将会多次来到这里，直到找到了它寻找的东西。”他说。随后他深深吸了一口气，补充说，“你会出嫁，生孩子。孩子会生病，而你会关心照料他。你的丈夫将会比你年纪大，会使你成为寡妇。你的孩子会离开你，走得很远，或许会漂洋过海。你死时将会很老。死亡将会使你愉快。”

仅此而已。克雷霞离去时心境平静，因为这一切她都知道。没有必要花这份钱。拿这些钱她能买件淡绿色的珍珠纱线的女衬衫，这样的衬衫多以打包的方式从国外寄来。夜里她又听见阿摩斯的声音。他说：“我爱你，你是个不同凡响的人。”

在半睡半醒中她似乎觉得能辨识出这个声音，觉得她能肯定这声音属于谁，于是就幸福地睡着了。然而半睡半醒中做的梦，像所有的梦一样，终必是梦。早上醒来时一切都化为乌有，烟消云散了，留给她的只是模糊的印象，仿佛她知道点什么，只是她不很明白究竟是什么。这就是一切。

豌　豆

“想要认识世界，压根儿就用不着出门。”玛尔塔冷冷地说了这么一句，当时我俩正在她屋前的台阶上剥豌豆。

我问她，怎样去理解这句话。或许她指的是可以读书，看新闻，听新鲁达广播电台广播，在网络上漫游，浏览报纸，到商店去听各种流言蜚语。但玛尔塔想的是旅游的徒劳无益。

在旅游中需要安排好自己，使自己能适应这种活动，使自己能适应世界。所有的注意力都要集中到自己身上，想着自己，自己照顾好自己。旅游中最终总要碰到自己，似乎自己就是旅游的目的。在自己家里可要自在得多，只不过是简简单单待着而已，无须为任何事去奋斗，也无须去谋取任何东西。无须操心铁路交通的连接和列车的时刻表。无须庆幸、赞叹，也无须心烦、绝望。完全可把自己放在一边，而那时获得的感想会最多。

她说了这一类的话后，就沉默不语。她的这番高论使我惊讶不已，因为玛尔塔不曾经历过比去瓦姆别日采、新鲁达和瓦乌布日赫更远的旅行。

有些豌豆生了虫子，我们把这些豌豆扔进了青草丛中。有时我觉得，玛尔塔说的与我听到的常常完全不一样。

后来我跟玛尔塔聊天，有一搭没一搭地随便闲扯。聊博博尔的狗，聊蜗牛侵袭了菜畦，聊野樱桃汁。玛尔塔在每个句子之间都留下了许多空间。有些话语停搁在我的嗓子眼儿里，在我的口中打转，就像那滚烫的马铃薯块。R有时听见我们的对话，总要笑我们，他说，我们彼此交谈就像说梦话似的。玛尔塔每逢回想起几十年前出售定做的假发时，还会忽地活跃起来。那时她的手指醒来了，忙活着拿些编得很特别的发辫或是头发分缝的精美结构给我看。

每次这样的交谈都会自行把话说尽，我们并排坐在她家屋子的台阶上，或是坐在我家阳台的金属椅子上，那些椅子由于去年的雨水侵蚀已经开始生锈。在我俩之间播下的沉默，自己播下的沉默，向四面八方扩展着，贪婪地跟我们争夺空间，让我们连呼吸的空气都没有。我俩沉默得越久，开口说话的可能性就变得越小，一切可能的话题就显得越遥远，越不重要。这种沉默常常是柔顺的，温和的，有如多孔的人造纤维，给人以干爽，愉快的触觉，像那丝绸。可我有时生怕玛尔塔不能跟我一样感受到这一点，孟浪地突然抛出一句“喏，不错……”或者“是这样的……”或者甚至是一声单纯的、茫然的叹息，来打破我们的这种静默。这种担心开始破坏我从沉默中获得的全部乐趣，因为我不知不觉成了它的卫士，从而也就成了它的囚徒，在我内心深处绷紧了弦，惴惴不安地等待着那些时刻，等待着某种神奇的、不可思议的光滑的东西，某种不受约束的出乎自然的东西变成了不可忍受的东西。这可心的静谧终归会结束。到那时我们彼此还能说些什么呢，玛尔塔？

好在玛尔塔表现得总是比我聪明。她悄然无声地站立起来，不引人注意地离开了我，回到自己的那些用作点心馅的食用大黄，回到装在硬纸盒里的那些假发，而我们共同培育的作物，我们共同的宁静就跟随她蔓延、扩展，笼罩着比先前更多的空间，更有力地延展着。那时我独自留在寂静里，二度空间的、没有属性的我，处于时间拉长了的半存在状态，无思无虑，仰望高空云舒云卷，唯有令人目眩。

腔棘鱼

黑森林下边，朝北的方向总是阴。积雪在那里躺到四月，酷似一条吸附在土地上的硕大的白色寄生虫。山上有这样的地方，那里根本见不到太阳，或者一年中只有某段时间太阳能照到那里。玛尔塔对我讲起过洞穴、岩石壁龛和裂罅。她说，在一个洞穴里住着一种远古的瞎眼的生灵，一条小小的完全是白色的蜥蜴，它在那里生活，而且不死。“它会死的，”我回答道，“每个有生命之物都会死。或者可以这么说，物种本身不会变，但单一个体一定会死亡。”不过我明白玛尔塔想说什么。这就像我在儿时曾经想过的一样。我曾想腔棘鱼会永远活着，这种所谓灭绝品种的代表逃过了死亡，或者甚至是物种本身将其作为唯一不死的代表挑选出来，让它世世代代永远证明该物种的存在。

关于皮耶特诺的旅游指南

皮耶特诺作为某种反常现象出现在旅游指南中，因为它并非吸引人的旅游热点。比方说，在众所周知的粉红色的苏台德旅游指南中，有这样的描述，说它是波兰唯一的地理位置奇特的村庄，说每年从十月到翌年三月在这个居留点上见不到太阳，因为乾山山脉从东边和南边环绕着它，伏沃齐斯克丘陵的一个最高的高地从西边将它围住。在一九四九年出版的西里西亚山脉旅游指南中，关于皮耶特诺是这样写的："皮耶特诺，位于新鲁达西北的居留点，在玛尔佐夫斯克山涧的上方。第一次提到它是在一七四三年（作为 Einsiectler[①]）。一七七八年的人口为五十七人；一八四〇年为一百一十二人；一九三三年为九十二人；战后，一九四七年为三十九人。在一八四〇年，那里有二十一幢房屋，其主人为封戈埃特岑伯爵。山涧的较低部分建有一座水磨坊。一九四五年以后居留点部分地方无人居住。村庄处于风景如画的深谷，以其特殊的地理位置而著称，是个冬天阳光无法直接照射到的地方。"

① 德语，意为：移民点。

弗拉蒙利纳

弗拉蒙利纳是一种冬天生长的蘑菇。从十月到翌年四月长在枯死的树木上。香气四溢，味道甘美。很难不注意到它——它像蜂蜜一般黄灿灿。然而谁也不在冬天采蘑菇。人们早就约定，在秋天时采蘑菇。因此，弗拉蒙利纳就像一个生不逢时的人。由于出生得太迟了，一切在它看来都是没有生气的，僵化了的。它生活在这样的时期，对于它的物种来说，世界在这个时期已然结束。它在自己周围看到的只是阴暗的冬天景象，有时大雪纷飞，它那黄澄澄的菌盖常被白色的雪片覆盖了。它看到的是别的蘑菇的残骸——盖了一层白雪的微绒牛肝菌由于腿已腐烂而摇摇晃晃；鳞皮牛肝菌也已东倒西歪；多孔菌由于潮湿而倒伏。

阿格涅什卡几乎总是在我拿弗拉蒙利纳做蘑菇馅饼的时候到我家来喝咖啡。这使我不得不把她跟这些冬天的蘑菇联系到一起，产生一种相互的联想。她常常坐在玛尔塔喜欢坐的同一张椅子上。阿格涅什卡住在皮耶特诺附近，从山上可居高临下地见到皮耶特诺全部的华美和贫困。她见过醉醺醺的男人和到处游荡的孩子，见过迈着颤巍巍的双腿从山上拖拉树木的妇女——她们多半也都是喝醉了的。她听过狗的狺狺声、乳牛的哞哞声、雅谢克·博博尔的收音机的嗡嗡声——那架收音机经常只能收听到一个地方台。她看过满是鸭粪的小溪，看过全村昏暗的影子、掉了毛的猫、坏了的机器和不能用的旧水泵。正是由于见得多，阿格涅什卡这才有那么多可说的人和事。她整天坐在屋前的小靠背椅上，用钩针钩餐巾，从高处俯视皮耶特诺。她看到的是一幅三度空间的、色彩斑斓的全景画，比卫星电视的图像还要有趣得多。再者阿格涅什卡的丈夫从来不在家。只有上帝才知道他平时在哪里牧羊，而冬天他则在森林里干活。此外他跟所有的人一样酗酒。他们夫妻没有生儿育女的福气，因此阿格涅什卡只要能找到一个赏识她的、愿意听她说话的人，她必定说得很多。倘若她有孩子，她储备的那些话语可早就迅速用尽，花光了。

可是今天阿格涅什卡已不再醉心于有关皮耶特诺的话题。她的目光总跟着做煎饼的平底锅的挪动而转移，并且用小匙子一小口一小口地喝着咖啡。

“当我还在布拉霍贝特纺织厂工作的时候，那光景……”她说着，但立即就煞住不说了，沉默了好长一段时间。

我知道，几年前他们就把她解雇了。

布拉霍贝特每年组织职工参观游览。有一次阿格涅什卡跟着参观团去了奥斯威辛。简直是美极了。一路上，男人们坐在旅游车里喝着烧酒，女人们唱着歌，把她们所有会唱的歌曲全都唱尽了。阿格涅什卡永远忘不了奥斯威辛。那里有家商店，不大，是家用空心砖建成的食品店。他们经过一整夜的旅行之后。清晨从大轿车上下来，就在这时商店正好开门。原来是适逢商店进货，进了一批食用油，而那时所有商店的货架都是空空如也，什么也买不到，最多也只有芥末和醋。而这里出售的食用油，想买多少就能买多少，不是限量每人只能买一瓶或两瓶，而是想买多少都可以。于是大家都排好队，谁想买多少就拿多少。阿格涅什卡大概拿了十来瓶。他们卖给了她。他们什么也没说，没有要求票证，也没有数购油的瓶数。这些油后来她用了两年左右的时间，因为光做菜用得了多少油！只有煎马铃薯饼、炒蘑菇、煎鱼时需要用到油，做其他的饭菜油都不太用得上。从奥斯威辛买的食用油甚至够她用三年。

更多的话她没有说。

而用弗拉蒙利纳做馅饼的方法是这样的：

十张煎饼

半公斤蘑菇

一个洋葱

两片又干又硬的黑面包

盐、胡椒粉、肉豆蔻干

两匙捣碎的面包干

半匙人造奶油

炒蘑菇用的奶油

一匙奶油

半玻璃杯牛奶

一枚鸡蛋

洋葱须用奶油炒到发亮。然后放进切碎的蘑菇，加盐和胡椒粉，加入刀尖上的那么一丁点肉蔻干。炒十分钟。在这期间将面包放在牛奶里浸泡、挤干、碾碎，同鸡蛋和奶油一起加到蘑菇里。用煎饼把馅包起来，滚上一层捣碎的面包干，放在人造奶油里煎片刻，直至变成金黄色起锅。

蘑菇性

假如我不是人，我便会是蘑菇。我会是淡漠、无情的蘑菇，会有冷而光滑的皮肤，既坚韧又细嫩。我会阴郁、怪异地长在翻倒的树木上，总是默默无声。我会用伸展开的蘑菇趾尖去吸吮树中残留的一点阳光。我会生长在死亡了的东西上。我会透过这死亡渗入纯净的土地——我的蘑菇趾尖会停留在那里。我会比树木和灌木都小，但我会长在高过浆果灌木丛的地方。我会是不持久的、短暂的，但是，作为人，我不照样是不持久的、短暂的吗？我会对太阳不感兴趣，我的目光会不再去追寻太阳，我会永远不再等待太阳出来。我所思念的只会是潮湿，我会挺身迎接雾和雨，我会使湿润的空气在自己身上凝聚成水滴。我会分辨不出夜晚和白天，因为我又何必去分辨它们呢？

我会具有跟所有的蘑菇同样的能耐——躲开人的视线的本领。通过向人灌输怯懦、回避的思想制造混乱，从而能在人的面前逃之夭夭。蘑菇是催眠家，它们受之于天的是催眠的能力，而不是爪子、飞毛腿、牙齿和理性。采蘑菇的人昏昏欲睡地来到我们的上方，目不转睛地盯着自己前方色彩斑斓的、由太阳光和树叶构成的闪烁不定的画面。我会把他们的双脚死死拖住不放，我会让他们的腿跟森林里的枯枝落叶和干死的苔藓缠绕在一起。我会从下方看到他们外衣的背面，看到外衣的里子。我会工于心计地一连几个钟头一动不动，既不生长，也不变老，直到产生一种苦涩的信念，以为我不仅控制了人，而且控制了时间。我会在白天和夜晚最关键的时刻——黎明和黄昏时长大，那时其他的一切生灵都正忙于从梦中醒来或沉入梦境。

我会对所有的昆虫非常慷慨；我会把自己的身体奉献给蜗牛和昆虫的幼虫。我心中会永远没有恐惧，我会不害怕死亡。我会想，死亡算得了什么，人们能对你做的唯一的事，无非是把你从地里拔出来，切成碎片，用油煎炒，吃掉。

Ego dormio et cor meum vigilat[①]

“玛尔塔，玛尔塔，你对所有的事都关心。”如此这般碰见玛尔塔在路上用小棍子清理排水沟时对她这样说。

然后，如此这般就推着自己的自行车到新鲁达买香烟去了。我从窗口看到了他们。玛尔塔清理完了自己的小水沟，小心翼翼地往下走。青草已长得很高，该是割草的时候了。我似乎觉得，即便在这里我也感觉到玛尔塔的气味——灰色毛衣的气味，她的灰白头发的气味，她那薄而脆弱的皮肤的气味。这是长久放在同一个地方的物品的气味。故而在老房子里如此容易感觉出来。这是某种曾经是流动的、柔软的、而今已经凝固了的东西的气味。不是死亡，而是凝固，死亡对它已没有威胁。像溶化在水中、被遗忘了的明胶，像贴在食盘边上的一条果子冻残迹。这是渗入了被子里的梦的气味。这是丧失知觉的气味——当别人最后用打针、摇晃、拍你的脸颊把你弄醒时，皮肤就会散发出的气味，自己的呼吸也会散发出的气味。当你把脸靠近窗玻璃向外看的时候，呼出的气息就会从窗玻璃上折返回来。

老年人都有气味。玛尔塔是老年人，虽然不是非常老。假

① 拉丁语，意为：我身睡卧，我心却醒。

如时间停留在过去，假如我像当年在老人部门工作时那样年轻，玛尔塔对我而言就是非常老了。她当会手拿塑料袋子在烧得很热、空气干燥的走廊里徘徊。由于无所事事，她的指甲会覆盖上一层角质。

下午我们到瓦姆别日采去找木匠，那个人是村子里有人向我们推荐的。跟他谈完事情之后，我们去了长方形大教堂。玛尔塔很早以前到那儿去过一两次，虽说她住得那么近。她看起来很激动。她用最长的时间观看挂满那些侧廊的还愿画——人的感恩转化而来的画及以各种可能的不幸和幸运的结局为题材绘成的连环画：它们展示了数以十计的相关疾病、轮回和皈依的故事、昔日流行的习俗礼仪以及德国人简洁的说明文字——作为在这个充满阴影的回廊上存在着种种奇迹的证据。

在大教堂的台阶上我们默默无言地吃了松软的冰淇淋。吃下了冰淇淋我们感到透心凉，加之由于对在教堂里体验到的各种事理的印象过于强烈，我们的身子都有些发僵。为了暖和一下，也为了活动活动发僵的身体，我们又沿着一条羊肠小道去参观表现耶稣受难历程的十字架苦路。到了那里玛尔塔猝然兴高采烈地把十四幅耶稣受难像中的一幅指给我看。

十字架上挂着个女人，一个姑娘。她穿的连衣裙是如此贴身，以致她的胸部在一层油彩的渲染下看起来像是赤裸的。发辫环绕着用粗糙的石头雕刻出来的忧伤的面孔精巧地蜷曲着，看起来仿佛雕刻这副面孔的石头比发辫风化得更快了些。连衣裙下露出一只鞋，另一只脚赤着。我根据这个特征辨认出，在到阿格涅什卡家去的路上，小礼拜堂里挂着同一个人的画像。不过那幅画像有胡须，因此我常想，这是身穿特别长的长袍的耶稣。画像下边有题词："Sanc. Wilgefortis. Ego dormio et cor meum vigilat."[①]可玛尔塔却说，这是圣特罗斯卡。

后来开始下雨，蓦然飘来一阵新鲜草木的芳香。小镇几乎空无一人。在出售纪念品的商店里玛尔塔给自己买了一个特价的小木盒，盒子上刻有"瓦姆别日采纪念"的字样。而我在那些含有圣徒传的小册子中，花了一个兹罗提买到了一本我在这一天应当找到的东西：《圣库梅尔尼斯（又称维尔吉福尔蒂斯）传》，书没有页码，没有作者，没有出版年代和出版地，只是在封底上，在右上角有人划掉印刷的书价"三十格罗希[②]"并写上了"一万兹罗提"。

① 拉丁语，意为：圣维尔吉福尔蒂斯。我身睡卧，我心却醒。"我身睡卧，我心却醒"典出《圣经·雅歌》5：2。

② 格罗希，波兰货币名称，一百格罗希等于一兹罗提。

舍瑙的库梅尔尼斯传

——由帕斯哈利斯修士在克洛斯泰尔借助圣灵
和本笃会修道院院长之力写成

之一 在我打算撰写库梅尔尼斯的生平的时候，我向与她同在的圣灵请求，求他像乐于赐予她非凡的美德和赞同她苦难的死亡一样，赐我表达的技巧和敏捷的思维，让我能准确而有顺序地描述她生活中的各种事件，让我能用她的话语表达。因为我是个没受过教育的普通人，此外我还是个内心迷失的人，文字领域不是我的天赋所在。故而我请求宽恕我的无知，或许还有幼稚的胆大妄为，我承担的工作——描述一位如此不同凡响和伟大的人物的生和死，理应由一位同样是不同凡响的大文豪去完成。我工作的目的是诚实的——我渴望证明真实性，记录下发生在我出生之前许多年但确实发生过的事。我之所以这样做，是为了堵住那些对她一无所知却说她没有存在过的人的嘴巴。

库梅尔尼斯生平的开端

之二 库梅尔尼斯出生对自己的父亲而言是不完美的，但这种不完美的含意只在于她的父亲期盼的是个儿子。可有时在人的世界里不完美的事物在上帝的世界里却是完美的。她是双亲的第六个女儿，她的母亲在生产时死去，因此可以说，她们在人生的旅程中彼此错过了——一个到来，另一个离去。库梅尔尼斯在受洗时得到的名字是维尔吉福尔蒂斯或维尔嘉。

这件事发生在位于山麓的舍瑙村。山脉挡住了北边来的风，因此那里气候温和，而在南边的山坡上有时还生长葡萄，这标志着那片土地昔日更接近上帝，也更暖和些。西边是别的雄伟的高山，拥有平整的峰顶，仿佛是用来作为巨人们用餐的餐桌，从东边环绕舍瑙村的是长满了树木的阴森森的高地。从南边延伸开去的是捷克平原辽阔的景貌——它吁请人们去周游世界。因此维尔嘉的父亲从来不曾在家里坐热过板凳。他整年都在狩猎，而每到春天他总要整装上路进行更远的征战。他体格壮健，脾气暴躁，动辄勃然大怒。他给自己的女儿们请奶娘和保姆——实际上这就是他能为她们做的一切。维尔嘉出生几个月之后，他就动身去了布拉格，参加欧洲各国形形色色的骑士集会。从那里，所有的人就踏上了远征圣地的征途。

库梅尔尼斯的童年

之三　维尔嘉是在女人中——在自己的姐姐、奶娘和仆妇之中度过了自己人生的幼年时期的。家里很热闹，兄弟姐妹众多。有一次父亲想把她招呼到身边，却忘记了她的名字——他有那么多的孩子，脑子里又装着那么多的事情，在自己的一生中进行过那么多的战争，又有那么多的农奴，以致女儿的名字从他的记忆中漏掉了。有一年的冬天，她的父亲回来了，从远征中带回了下一任妻子。小姑娘爱自己的这位后妈胜过爱自己的生命。小姑娘赞叹她的花容月貌，赞叹她那银铃般清越的嗓音和她那双靡颜腻理的手——这双手能从乐器上弹奏出神奇的音响，听来如闻天籁。每当她望着这位后母的时候，她就想，自己将来也会是这般模样——袅袅婷婷，仪态万方，娇柔如绒羽。

维尔嘉的体态遵循她所想望的蓝图发展——小姑娘长大了，变成了一个千娇百媚的少女，见到她的人无不暗中惊叹造物的神奇。因此许多贵族和骑士都迫不及待地等候姑娘的父亲和主人归来，以便预先为自己定下姻缘并赶在别人前面向她求婚。

之四　当所有的女人两年来一直在等待父亲、丈夫和主人的归来的时候，有一次，家里出现了一个旅途劳顿的年轻骑士，宣称自己在一个烈日炎炎的国度，在其他许多牺牲者的尸体中似乎见到了他的遗体。那年轻人在她们家里住了整整一个夏天，在花园里散步，用甜蜜的歌曲和有关蔚蓝的大海及耶路撒冷金色大门的故事来宽慰维尔嘉的后母。但后来他永远地消失了。后母哭哭啼啼，她的乐器躺在地板上，带着断了的琴弦。

不久之后，在一个漆黑的夜晚父亲回来了。大家举着火把把他迎进了家门。他胡子拉碴，蓬头垢面，老远就散发出一股血腥味。他的马匹累得到家立刻就倒下了，但男爵却看都不看它一眼。他的目光在几个女儿的脸上移动，最后停在维尔嘉妩媚的面孔上。而她却觉得，自己见到的是个陌生人。

几天之后维尔嘉深爱的后母出血而亡，而父亲，不顾居丧期未满，在一天之内就将五个女儿分别嫁给了自己手下最优秀的骑士。维尔嘉，作为唯一不到结婚年龄的女儿被送进了修道院。

初到本笃会修道院

之五　在布罗乌穆夫后面，在克洛斯泰尔居留点有个修道院，那是男爵的祖父捐资建立起来的。男爵把自己最小的女儿送到了那里。在他们乘车翻山越岭去修道院的途中，男爵不得不背朝女儿的脸，他感到女儿的娇娆令他心疼。他在灵魂深处绝望地思忖，这个最美丽、最称心、从而也最钟爱的掌上明珠，如今却变得如此遥远，如此不可企及。

修女们欢天喜地地接纳了小姑娘，不久便发现，她的精神美与肉体美完全相一致，甚至前者还高于后者。她们教会了这个孩子许多东西，当然修道院的规章也对见习修女提出了很高的要求。库梅尔尼斯很快便学会了读、写、字正腔圆地唱圣诗和其他一些赞美我们的主的礼仪、方式。只要站在她身边，就会感受到从她身上涌出的一股暖流，会使人的心灵得到净化，变得崇高、可爱，甚至黑暗的斗室也显得明亮起来。在她的言语中蕴含着她这种年龄从未见过的智慧，她的见解往往是少有的成熟。她瘦弱的身体散发出圣膏的芳香，有人在她的被子里发现了玫瑰花，虽然是冬令季节。有人把她放在镜子前面，镜面上便出现了圣子面庞的形象，并在那儿一直保留到第二天。

开始见习修行准备献身主的时期

之六 正是在这个时候发生了一件最可怕的事情——父亲又一次远征归来。他看到女儿显得像个成年人，面对亭亭玉立的姑娘他更加心疼。他暗自定下了把她嫁给自己的战友沃尔夫兰·封潘内维奇的计划。于是他派了个使者带着书信去了修道院，让她做好离开修道院的准备。由于她尚未举行发愿礼，女修道院院长不敢拒绝男爵的要求。

有谁在什么时候见过晚秋时节的群山，那时树上还挂着覆盖了一层闪亮寒霜的最后枯萎的树叶，那时比天空略显温热的大地正带着初雪的花边饰带慢慢变成荒野，在干枯的草地下边也开始露出它那石头的骨骼，那时从地平线模糊的边缘开始渗出黑暗，那时一切声响都突然变得尖厉，像刀似的悬在寒冷的空中——这个人就会感受到世界的死亡。但我想说的是世界一直都在走向死亡。日复一日地凋零，虽然由于某种原因，直到晚秋才揭开这种死亡的全部秘密。唯一在抗拒这种衰败的有生命的地方——是人的身体，但不是整个身体，只是身体的一个小小的部分，在心脏下方搏动的部分，在正当中，在当中的当中，在人的眼睛看不到的地方，在那儿搏动着一切生命的源泉。

库梅尔尼斯乘车回家，一路祈祷着，请求上帝将道路的走向倒转，将时间卷成一个线圈，让它不要流向任何地方。不久她便认识到外部世界的任何地方对于她都无可逃遁，她明白，在我们的主居住的地方进行内部的漫游成了唯一的救助。于是她跨进了自我的门槛，她在那里看到了更为宽广的世界，上帝是这个世界的终结和开头。

之七　这次旅行之后维尔嘉病倒了，一连几个月发烧，卧床不起，大家都以为她不久于人世了，而她的未婚夫，虽说忧心忡忡，最后也开始物色别的意中人。可她却又感到有些好转，从此沃尔夫兰阴郁的目光便一直注视着她的康复。他那披挂着皮革和金属甲胄的高大、瘦削、青筋突起的身躯，守护着她娇小的身体。他那搭靠在砍掉过多少无辜者头颅的剑上的手，似乎时刻准备着投入下一场战斗。

维尔嘉对父亲说：“在我生病期间我见过从来不曾梦见过的事物。我到过一些我原以为根本就不存在的地方。父亲，请给我一点时间，直到我在身心上完全复原。请把我送到修道院去，一年后我会回来，那时就能把我嫁给沃尔夫兰。”

但她父亲是个铁石心肠的人，把女儿交给那些修女的话他听都不愿听，因为到了那里，女儿就会变成某种特殊的东西、某种没人耕耘的东西，就像一片撂荒的田地。把她嫁给沃尔夫兰·封潘内维奇，在某种程度上也是把她交给自己，就是说交给男性，上帝让他自己成为男性中的一分子，就是为了占有和明智地支配主的创造物。

于是他对女儿说："你以血肉之躯属于尘世，除我之外你没有别的主人。"女儿回答他说："我有另一位天父在天上，他会给我物色另一位可以托付终身的人。"

男爵一听此言就火冒三丈，说道："我是你生的主人，他是死的主人。"

库梅尔尼斯逃进山中的荒野，在那里受到魔鬼的诱惑

之八 库梅尔尼斯明白，父亲的固执比一切的劝说都更有力量。她终于逃进了山中的一片不毛之地，在荒野里漫游。她遇到了一座石头山，山中有个洞穴，洞穴旁边有道清泉。她悟到，这是上帝给她安排的藏身之所，让她能经得住父亲的愤怒并回到修道院去。她爱上了这个藏身之所，在里面一住就是三年。她在孤独和祈祷中打发时光。她靠蘑菇和草根度日，收集树叶铺床，枕的是粗糙的石头。倘若有人觉得这是不可能发生的事，我可以请耶稣和众位使徒做证，因为我了解不少这样的情况，人独自受到群山接纳，为群山所供养。

就在这时，被她的圣洁所激怒的魔鬼出现在她那里。魔鬼站立在洞穴的入口处，嘲讽地打量着她。而她不露声色，对魔鬼视而不见，仍在不停地祈祷，以致尽管洞穴里又冷又黑，却开出了水仙花，并用白色的花环围绕着她。这样一来魔鬼就不敢往里走，只是站在原地，一个劲地挖苦她。魔鬼一会儿是个半人半马的形象，一会儿看上去又像是半人半蛇，有时显出的又是一只有双人眼的黑色大鸟。魔鬼看到各种变化都不曾引起维尔嘉的注意，就开始诱惑她——一会儿送来美味佳肴，把它放在洞穴的入口处，一会儿送来五颜六色的华丽女装，一会儿又送来充满世间智慧的书籍。

库梅尔尼斯使卡尔斯堡的康拉德的孩子们恢复了健康

之九 好些令人感到惊奇的事例开头都很少得到传扬，因为毕竟缺乏见证者，然而另有一些事件却使人听到有关圣女的消息。

有一次卡尔斯堡的康拉德伯爵夫妇带着三个子女跨越几座山头，途中他们吃下了可疑的蘑菇，孩子们都得了重病。一家人暂住在临近的村庄，母亲已在为自己的孩子们恸哭哀伤。康拉德听说山中有位隐修的修女，便不顾自身尊严，飞身上马踏遍林间小道，到处寻找。终于在上帝的帮助下找到了她，对她说："我恳求你，救救我的孩子，请给他们第二次生命。"库梅尔尼斯婉言谢绝他的请求，解释说，她不愿离开洞穴，她不配以主的名义救治他的孩子们。康拉德跪倒在她面前，泪湿了她的双脚，哀求不止。库梅尔尼斯跟他一起去了村庄，在不省人事的孩子们身体上方画了个十字，顿时使他们恢复了健康。

就这样世界获悉了圣女的行踪，这成了她的荣誉，而后又成了她殉难的起因。

库梅尔尼斯医治染病的灵魂和由于心灵空虚而带来的痛苦

之十 人们听到有关她行奇迹的传闻之后，便开始成群结队进入森林，找到洞穴请求帮助。有个魔鬼附体的人给变成了狼，夜夜嗥啸不止，见人就猛扑上去，又抓又咬。家人把他领到圣女那儿，她俯身在他上方，冲着他的耳朵说了几句话。而在场的人则都听到她怎样对缠在不幸者身上的魔鬼讲话。他们交谈了片刻，冷不防地魔鬼从病人的口中跳了出来。大家都看到魔鬼怎样幻化成狼的形象窜进了森林。那人康复了，在健康和幸福中活到高寿。

还有这么一个人，酗酒成癖，常常喝得昏迷不醒。圣女在他头顶上方画了个十字，默默祈祷了一阵子，然后将手伸到他的腋下，从那儿拉出一只丑陋的大鸟，它笨拙地拍打着翅膀，飞走了。

有时人们也把生病的动物带到洞穴，而她从不拒绝救治它们，她只是把双手放在动物身上，为它们的健康祈祷，仿佛它们也是人。

曾经有个人来请求扶持，这个人被逐出了故乡的城市，因为他在那儿触犯了法律。可是这人离开了故土便无法生活，并且在灵魂深处备受椎心思念的煎熬，以至于什么事情也做不了。

库梅尔尼斯将双手放在他的额头上，从这一刻起这个人就逐渐康复，因为她唤醒了他对在国外找到的东西的爱。他开始耕种土地，娶妻生子，还盖了新屋。

人们也要求过她到那些濒临死亡的人们中去，引导他们的灵魂从死亡的迷宫中走出来。

库梅尔尼斯艰难走到修道院发愿修行

之十一 她还行了许多超乎奇迹的奇迹，但不久之后，尚未忘记怨愤的父亲知道了她的行踪。库梅尔尼斯受到圣灵的警告并由圣灵指引，历尽艰辛来到了自己的修道院，在那里发愿修行。她在祈祷、阅读和严格的持斋把素之中孤独地度过自己的光阴。每逢礼拜五她都坐在椅子上进入入定状态。她修行的斗室的门总是敞开着。别的修女都说，从她的斗室经常发出金色的异彩，并传出一种奇特的声音，仿佛库梅尔尼斯在跟什么人交谈。她去望弥撒的时候，修女们经常暗中触摸她的长袍。

库梅尔尼斯的父亲强行接女儿回家

之十二　遗憾的是，一切怨愤、憎恨和绝望的生命都很长。库梅尔尼斯的父亲在精神混乱的情况下不肯放弃自己的意图。他得知女儿在修道院之后，便怒气冲冲地前去接她回家，而他脸上和双手上还看得见刚刚愈合的最近一次战争的伤口。他对女儿说："我在进行保卫信仰的战争，而你在举行婚配礼之前已有许多时间去恢复体力，这段时间已经过去了。现在我们回家。"

她回答说："我已不叫维尔嘉，既不是你的女儿，也不是沃尔夫兰的未婚妻。我的名字叫库梅尔尼斯，而且我已成了我们主的新妇。"这番话使父亲怒不可遏，他抓起自己坐的凳子狠狠地砸向那把他和女儿分隔开的栅栏。栅栏倒下了，而他一把抓住姑娘的手，拉着她就往外走。毕竟她年轻，有力气，而他已衰老，而且被频繁的征战弄得精疲力竭，故而她挣脱了出来，逃跑了。

虽说他深感受了致命的羞辱，但无论是在修道院院长还是在自己的仆从面前，他都表现得不动声色，处之泰然。他在离修道院不远的一家旅店过夜，将自己关在空气又闷又污浊的房间里，让自己慢慢恢复平静的心态。

之十三　翌日他带着沃尔夫兰送给未婚妻的礼物和贵重的华装艳服回到了修道院。她走进探视室的时候，他笑容满面地迎了上去，说道："告诉我，女儿，是否存在着两类人，普通人和完美的人？你是否就属于完美的人，而我则属于那些普通人？你跟别的那些听从父亲的意旨和上帝的意旨出嫁，为上帝的荣耀生儿育女的姑娘有何不同？为什么修道院的生活成了你的理想？要知道，人是能庄重地和圣洁地过着婚姻生活的，并不排除达到完美的可能性。两条路都会让上帝喜闻乐见。既然如此，为什么你要这样固执地走一条制造出那么多麻烦、令人痛心、破坏家庭的路？你是我最小的女儿，是我晚年的支柱。需知人从自己的天性上就是随和、肯容让、渴望跟别人相处的生物，而不是什么孤寂、遁世、任性的……有什么比跟另一个心爱的人建立共同生活，像我们的主吩咐的那样，爱他，跟他一起繁衍后代，获得土地，更符合我们的天性呢？难道圣子不是对我们说过：'如果你们将来彼此相亲相爱，那时你们大家都会认识到，你们都是我的弟子'吗？"库梅尔尼斯回答道："我已经有了永远钟爱的良人，我已跟他结合。"父亲听后吼叫道："什么？未经我的同意，你已经有了人？"

"父亲，请息怒，你的女婿是耶稣基督。"库梅尔尼斯回答。

库梅尔尼斯遭到自己父亲不光彩的劫持和禁闭

之十四 男爵没有得到所要求的结果悻悻而归。毒化他心灵的不是思念，不是一厢情愿的单恋式的爱，而是不能容忍有人敢于违抗他的意旨的恼怒和愤恨，所以他才怂恿沃尔夫兰一起去犯下可怕的渎圣罪——武装袭击库梅尔尼斯所在的修道院，劫持了她，将她捆在马背上带回家。尽管她一再请求他们，央告他们，一再提醒他们，说她已不属于尘世，而是属于耶稣基督，他们却全当耳边风，肆无忌惮地把她关在一个没有窗户的房间里，让她在一段时间里失去自由，为的是瓦解她的意志，令她信服婚姻生活。父亲每天都到这里来，问她是否改变了主意。她坚持的时间越长，越是不肯让步，他心中对上帝的怨气和仇恨就越大。从历次战争中他一无所获，他的城堡和产业都陷入一片混乱，家庭已不复存在。于是他断了女儿的食物和饮水，认为饥渴能摧毁她的意志。但她每天以十字形状躺在石头地板上，不间断地祈祷着。饥饿也拿她无可奈何。沃尔夫兰甚至已不想继续禁锢她，并且开始请求男爵不要再固执下去了。

沃尔夫兰有时透过门上的钥匙孔窥视自己未来的妻子，总是看到她以同样的姿势躺在地上——两手平伸，脸朝天花板。她的一双眼睛注视着天花板上的一个点，一动不动。她显得那么凄美。

库梅尔尼斯在被禁锢中祈祷

之十五　她不屈不挠地坚持着，祈祷着："我蔑视俗界的王国和一切装饰品，但不是由于对罪恶的畏惧，也不是出自虔奉宗教的动机，只是为了对我们的主耶稣基督的爱，我对主耶稣基督是一见钟情，永生永世地爱上他。主啊，我曾寻找过你的容颜，终于在我的心中找到了，尘世对于我便成了不必要的多余的东西。主啊，你给了我女人的性别和女人的肉体，它成了纷争和所有的欲望之源。主啊，请让我从这种恩赐之物中摆脱出来，因为我不知该拿它怎么办。请你收回我的美貌，请你给我永结同心的标记，说明你爱上了卑微的、不配你爱的我，而且从我一出生你就给自己定下来了。"

库梅尔尼斯的奇迹

之十六　我必须把圣女库梅尔尼斯一生的故事接着写下去，在此，我正写到她临近殉难的这一天，虽说我写它是件困难的事，而你们对它将更难以置信。

男爵和沃尔夫兰骑士在等待任何一点变化的时候，他们心中的忧惧也在增长，怕自己的希望会落空，怕自己的所作所为是鲁莽、冒失地试图改变那些他们根本不能施加影响的事情。为了驱散这种忧惧，为了哪怕是片刻忘却那被禁锢的姑娘，他们组织狩猎，举办宴会。于是乎清早号角齐鸣，晚上乐声悠扬。

在一次宴会上，男爵对沃尔夫兰说："假若你到她那里去，强行占有她，到那时，没有领略过爱情滋味的她，或许就会明白她失去的是什么，就会自己摸到你的怀中。你以为，她跟这些乐于剥下裙子满足每一次欲求的花娘有很大的差别吗？"

沃尔夫兰言听计从地站了起来，摇晃了一下，不过立刻就打起了精神，径直朝门走去。男爵用力推开偎在身旁的花娘，吩咐斟上一杯啤酒，等待着。然而没过多久，沃尔夫兰重新出现在宴会大厅。他惊魂未定，满脸惊惶的神色，嘴巴一张一合，说不出半句话来，只是用手一味往自己身后指。男爵从长凳上跳将起来，径直朝沃尔夫兰出现的方向走去。好奇的宾客、仆从和乐手跟在他的后面簇拥着。

之十七 库梅尔尼斯站立在没有窗户的房间里，但已不是大家认识的那个少女。她脸上长满了丝绒般的胡须，披散的头发垂落到双肩上。从被撕破的袒胸低领连衣裙的大领口挺出两个赤裸的少女的乳房。她那双黯淡却不失温柔的眼睛的目光依次扫过那些好奇者的面庞，最后停留在男爵身上，几个花娘开始在胸前画十字，又一个接着一个屈膝跪下。库梅尔尼斯——抑或是别的什么人——抬起双手，似乎想把他们所有的人都搂到怀中。她用轻悄的嗓音说道："我的主让我从自身解脱了出来，他把他自己的面孔给了我。"

就在当天深夜男爵命令把怪物封砌在房间里。沃尔夫兰翻身上马，没跟任何人告别就悄然离开了。

魔鬼再度到来和他的三次诱惑

之十八　第一夜魔鬼变化成婴儿的形象来到库梅尔尼斯面前。当她有那么一小会儿停止祈祷的时候，发现在墙根有一个摇篮，里面躺着一个无助地嘤嘤哭着的极小的孩子。

库梅尔尼斯见到孩子感到惊讶，她中断了祈祷，把孩子抱在手上，搂在怀中。魔鬼用他的粗嗓门儿纵声大笑，得意扬扬地说："我终于控制你啦！"而她回答道："不，这是我控制了你。"而且紧紧地将他贴在胸口。魔鬼想挣脱出来，但办不到，于是又决定改变形象。可是从圣女胸膛迸发出的力量是如此强大，竟把魔鬼憋得吐不过气来，直到完全失去魔力。魔鬼明白，他与之较量的这个人跟他一样强大，可能由于跟主相结合，此人甚至在力量上比他还更胜一筹。他不肯放弃自己的图谋，只能改变行动的方式。

"你本来可以去爱和被人所爱。"他说。

"我本来可以。"她回答。

"你本来可以怀上孩子，觉察到他在你体内的动静，而后让他来到世界上。"他说。

"交给世界。"她说。

"你本来可以给他洗澡，喂养他，给他换尿布，抚爱他，看着他一天天长大，长得像你，在灵魂上跟你一样。你本来可以把他，还有别的孩子奉献给自己的上帝，而他会是多么欣喜。”

“我本来可以。”

“你瞧瞧我。”那时魔鬼说道。

她更加用力地将他紧贴在自己的胸口，慈爱地抚摸他光滑的皮肤。然后库梅尔尼斯掏出乳房，让魔鬼去吸吮。魔鬼拼命挣扎，消失得无影无踪，跟出现时一样匪夷所思。

之十九 第二天祈祷休息的时候，他变成主教的形象出现在她面前，对她发表了一次讲演，就像主教们通常发表的演说一样。他对她说：

“你想向他们表明什么？你是想说上帝一字不差地实现了你的请求，把你变成了怪物？你对他理应有点认识。他创造的奇迹可不是这些。

“已发生的事情他们不会理解。他们会带着羞愧把你忘怀。他们会诅咒你，讥笑你。这奇迹使他们充满了恐惧。他们不会相信，这奇迹是来自他。奇迹应该是美好的、崇高的。环绕奇迹的应是芬芳的香气，照耀它的应是天国的光辉，作为奇迹的背景应奏响天使的音乐。而你成了什么人？一个长胡须的女人。而今你更适于当个市场上的丑角演员。

“你固执地待在这里，茕茕孑立，形影相吊，用别人的面孔取代自己如花似玉的容颜是愚蠢至极的。你不是他。他跟你开了个玩笑，如今对你已毫无兴趣。他已把你忘于脑后，创造世界去了。你以为，你在他的思想上占有足够的地位？他留下你面对愚昧的人群，这些人既会要求将你神圣化，也会要求将你放在柴堆上烧死。

“任何人都不会记得你。你待在这里是徒劳的，你痛苦也是徒劳的。你想教会上帝爱？你想以你这个卑微的人物让他晕头转向？”

库梅尔尼斯听了这番话在主教面前画了个十字，说道：

“你的全部力量来自怀疑。但愿你什么时候领略过信赖的恩惠。”

听了此话魔鬼消失了。

之二十　第三天库梅尔尼斯的囚室出现了一个圣十字架，十字架上是救世主的身体，但没有面孔。见此情景，库梅尔尼斯心中充溢着一种忧悒和可怕的负罪感，以为他是由于她的缘故才使自己丧失了面孔。然而库梅尔尼斯的灵魂是警觉的，深知凡是罪过出现的地方，他都不在那里。她认出，这是魔鬼第三次来诱惑她。于是画了三遍十字。魔鬼明白自己已给辨认出来了，打了个寒噤。

“你想要我怎么办？”惊恐万状的魔鬼问道，因为长久以来就没有一个人像这个女人这样似人非人。

她回答他说：“你要向我忏悔。向我承认自己的罪恶。”

魔鬼绝望地吼叫起来：“怎么？我得向活人忏悔？”

但他知道，对于他而言已没有别的出路，因此他开始诉说，起先是恼怒地，而后就变得越来越谦卑。他向她忏悔了三天三夜，最后请求通过她求得整个人类对他所犯的一切罪愆给予宽恕。

库梅尔尼斯对他说："你难道不也是上帝的孩子，跟我一样，跟所有的人一样？"

听了魔鬼的回答，她了解了上帝的玄义，并把只剩下一口气的魔鬼从自己的紧抱中放走。

库梅尔尼斯遭受折磨和殉难

之二十一 男爵由于内心的纷乱开始喝得更多，而当他清醒的时候，在封砌死的房间门口发现了鲜花和点燃的蜡烛。同时也发现一群虔心祈祷的妇女。她们害怕他的愤怒，见了他就立刻四散逃跑。这使他更加火冒三丈。

他扯起嗓门儿吼叫道："你是谁，敢公然违抗我的意旨？"

她回答说："我心中是上帝。"

有生以来从未感受过的疯狂控制了男爵。无论是作为新生儿拼命往世界上挤的时候，还是把异教徒的大军斩尽杀绝的时候，他都不曾体验过这样的疯狂。这是一种暴怒，它只能从上帝或魔鬼身上找到自己的根源。他一脚踹倒新砌的墙，面对那个敢于从他的强权意志下溜走的生灵。因愤怒而丧失理性的男爵扑向了她，一边破口大骂，一边用匕首捅她。但他觉得这样做还不解气，于是举起她的身体，摆成十字，用长钉钉在天花板的方木上，一边钉一边还在叫嚷："既然你心中有上帝，就让你也像上帝一样死去！"

甚至在她死后也不让她安宁，在将她埋入坟墓之前，他命人剪掉了她脸上的胡须，但胡须却又神奇地长出来了。

他在自己罪恶的残生中，多次将圣女肖像上的这把胡须抹去。可接着又有人把胡须画上了，这就像世界分成了两半：一些人创造，另一些人破坏。对圣女的缅怀持续不断，她在人们心中激起了许多希望，圣女的事迹传遍了国土大地，传到了外国。各地人民给她起了许多名字，因为每个地方都会产生不同的名号。

结　尾

之二十二　我在这里所讲的一切，都来自圣灵的感应，来自有关库梅尔尼斯的文献，也来自克洛斯泰尔本笃会修道院的各种藏书，还有我所听过的有关她的各种传说。

恭请你，无论你是什么人，在读到这些文字的时候，请想想有罪的帕斯哈利斯——一名修士，假若主给了他选择的权利，他会百倍乐意选择库梅尔尼斯的肉身，连同它全部的苦难和经历，而不是所有王国的各种尊荣。

请你们向未来的各代人讲述这个故事，让他们都知道，任何恶都不能奴役人的灵魂，知道跟基督同心同德的人都可能会死，但任何力量永远也征服不了他们，战胜不了他们。

做假发的女人

去年玛尔塔给我看了她的一只小木箱。那是做假发女人的专用箱子，她把它放在房间的窗户下边。箱子中央塞了一些旧报纸，报纸里卷的是做假发必不可少的一些专门用具。箱子里也有做好了的假发，套在木头脑袋上并用玻璃纸包了起来，不让哪怕是一点点尘土落到它上面。箱子里还留有一缕缕头发，那些头发尚未加工，尚未梳理，那是准备用来做假发的原材料。

她展开卷着的报纸，拿出一缕头发，说道："你摸摸看，它们是多么柔软，鲜活。头发甚至剪了下来也还活着。诚然，它们不再长长，却一直活着，一直在呼吸。它们跟人一样，人的身子可能会不再长高，但这并不意味着人已死亡。"

而我却不敢把这些头发拿到手里。我想，我这是感到厌恶。

"这些头发你是从哪里弄来的？"我问。她说，她曾有个相识的理发师，此人如今已经去世了，他活着的时候，经常把一些已厌烦人鱼公主发型的姑娘的最漂亮的长发辫留下来。他为玛尔塔把剪下的发辫从地板上捡起来，用纸包好，存放在理发台子的抽屉里，以便日后作为礼品送给她。有时他甚至为玛尔塔收集买假发的订单，买主常是些由于疾病或衰老而掉了头发的妇女，也有些男士。他们经常遇到的麻烦是秃头，尽管痛苦不算很大。玛尔塔说，头发，尤其是它长长的时候，会收集人的思想，会以一种不确定的分子形式将思想积蓄起来。因此谁想忘掉什么，想从头开始，这个人就必须把头发剪掉，并把它埋进地里。

“假发总是由某些人的头发做的，那些戴假发的人又会怎么想呢？”我问。

“戴假发需要勇气，”玛尔塔说，“头发来自某个人，就得接受那个人的思想。戴假发的人必须做好接受某个人的思想的准备，而他本人必须强大，有抗拒力。不能一天到晚戴着假发，这是必须注意的。”

玛尔塔曾经做过许多假发，平均一年做五六个，几乎总是根据具体的订单做的。她为订购者选配适合他们的发质和颜色的头发，因为那时尚未发明染发技术。她将一绺绺头发按同一方向摆好，然后浸入肥皂水中，进行脱脂并清洗干净。洗净的头发干燥后，她将一绺头发卷在手指上，放到梳发设备上梳理。梳理时单根头发就会掉下去，留在她手上的就是一缕缕洁净的、闪光发亮的、如同新割的青草一样整齐的头发。然后她用夹发板——即两片带梳子的薄板——将几缕头发夹住。玛尔塔从夹发板拨弄出一小绺头发，就像有时垂到眼睛上，让人不得不不耐烦地撩上去的那么几根。她将这样一小绺头发用线编织在一起。她给我看了，这些头发打着特殊的结穿挂在线上，状如流苏。长头发必须折成两段甚至三段，打结串在一起。玛尔塔将这些没有额头的额发在房间里铺开，使头发不致弄皱、压断。从这一刻起才开始做假发。晚上，她将那些串着打了结的头发的线织成一个有间隔的网。玛尔塔用钩针做这件事，完全就像钩毛线帽子一样。她那指甲苍白的瘦削的手指准确地将带有头发的线穿过网眼。她先钩一个小圆圈，这个小圆圈将来正好位于人的头顶部，然后不断增加网眼，越钩越大，从她的手指下逐渐出现一个半球形、可包住脑袋瓜的形状。根据具体订单做假发，必须清楚订购者脑袋的大小和形状。因此玛尔塔弄了个练习本，里面记录了她量出的尺寸。她把练习本给我看。“R.F.–52，54，14”，带有一幅用铅笔画的拙劣的素描，表现的是颗高额头的脑袋。有好几个地方因泼上了牛奶或洒上了泪水而弄湿过，变得模糊不清。还有：“C.B.–56，53，18”和一幅假发草图，中间分缝，波浪形轻微卷曲的头发，这些头发将会垂到戴假发者的双肩。或者是补发，即不完全的假发，只盖住脑袋的前部，向后梳跟戴假发者剩余的真头发结合在一起。或者是黏发，即秃头上黏一块有头发的薄饼，黏在头皮上，这是那些梳“借发”式发型的男子所想望的。这类人物见了刮风就胆战心惊，一阵风起，宛如在嘲笑他们的苦心钻营，竟能将那闪亮的秃头上巧妙安排的发丝弄得乱七八糟。

玛尔塔还有几个木头脑袋，由于不断往上面套发网，给磨得油光烁亮。其中一个小的，仿佛是为儿童制作的，另一个大得使我难以置信，她是仿照某个人的脑袋特制的。做这样大的假发，一个品种的头发往往远不够用，必须加上选配的头发，将来自许多个脑袋上的头发混合在一起。这就要求必须考虑头发的发质、粗细和颜色来进行精确的选配，这样做出的假发看起来才自然。

玛尔塔说，有个时期妇女都喜欢梳分头，这可使头发中显示出一种与鼻子线条平行的笔直、健康、有活力的神韵。要在假发上做出分缝，须将单根头发穿过它极细微的小孔，在下面将这些头发结成个精细的网。这种锁针的编织法是最费时费事的，因而玛尔塔将所有的分缝都视为讲究精致的顶峰。有一次有个熟人来拜访我们，此人梳着分缝的光滑发式，我见到玛尔塔带着不安的神情望着她的脑袋。玛尔塔也不喜欢染过色的头发，尤其是染成浅黄色的头发。她说，染过色的头发不再是思想的储藏库。颜料会破坏头发，或者使头发失真。染过的头发已不能行使自己的功能——储存的功能。这样的头发，是空虚的、矫揉造作的。最好是把它剪掉，立地弃之如敝屣。它们没有生命，没有记忆，也没有用处。

玛尔塔没来得及给我讲所有的一切。后来她把时间用在排走从山上流下来的水，她把水引到屋外的小溪，让它流走，以免冲刷房屋的地基。她得赶在夜里发大水之前加固池塘的堤岸，否则水就会将它彻底冲毁。做完这些工作她得晾晒打湿了的皮鞋和裤子。只有一次玛尔塔允许我试她的假发——一顶深色的、卷曲的假发。我照了照镜子，看上去似乎变得年轻一些，也更引人注目一些，但显得陌生。

“你看起来不像你。”她说。

我一时突发奇想，要请玛尔塔给我做顶与众不同的假发。

让玛尔塔仔细瞧瞧我的面庞，将它刻印在自己作为假发制作师的记忆中。让她量好我的脑袋的尺寸，将其永远保留在她自己的练习本里，添加到其中描绘其他脑袋的特征、尺寸的行列，而后专门为我选择头发、颜色和制作方法。让我也有自己的假发，让它将我隐藏起来，给我来个改头换面，在我发现自己有另一副面孔之前，赋予我一张新的面孔。但我最终没有对她讲出这个请求。玛尔塔将我试过的假发装进一个小袋子，袋子里装满了核桃树叶，那是用来给假发防腐的。

边 界

捷克与我们的土地接壤，处在视线的范围之内。夏天，两地鸡犬之声相闻。八月的夜晚则会传来捷克谷物联合收割机的轰响。每到礼拜六在索诺瓦便奏起了迪斯科舞曲。边界是个非常古老的东西，多少个世纪以来就将某些国家分隔开。改变边界不是件容易的事。树木都习惯于在边界上生长，动物也是如此。但树木尊重边界——不会离开自己生长的地方。动物可不一样，它们总是傻头傻脑全然不把边界当回事。成群的狍子每到冬天都大摇大摆地迁移到南方去。狐狸一天两次穿越边界来来去去——太阳一出它立刻就出现在这边的斜坡上，过了下午五点钟，当大家都在观看电视新闻的时候，它就掉头回去。根据狐狸的定时迁徙可以调整钟表。我们也一样，常常越过边界采蘑菇，或者由于懒惰，不想蹬着自行车走过艰难的山路到特乌马丘夫去——在那儿通过边界是合法的。我们常常是扛起自行车，一眨眼就到了边界的另一边。

翻挖过的森林路面几米之后就恢复到原样。我们已习惯了边防军人的日夜守护，通过他们夜间巡逻队的灯光、他们的宾士汽车的轰鸣和他们摩托车夜间的吼叫，我们知道了这一点。几十个身穿制服的男人看守着一条带状的荆棘丛生的土地，那里生长的树莓不用害怕有人去采摘，果实又大又甜，芳香扑鼻。我们更乐于相信，他们守护的是这些树莓。

彗　星

我无缘无故突然产生了一个古怪而强烈的想法：

我们之所以是人是由于忘却和漫不经心。实际上，在唯一真实的现实中，我们是被卷入了其大无比的宇宙战役中的一种生物，这个大战役可能已持续了许多个世纪，而且不知何时会结束，是否会结束。我们只是看到这个大战役的某些反光——那是在月亮的血红色的东升中，在火灾和风暴的肆虐里，在十月凝冻的落叶和蝴蝶失魂落魄的飞翔之间，在夜晚无限延长和正午突然停住的时间的不规则搏动里头看到的。因此我是一个天使或魔鬼——被派来将一个生命同某种使命搅和在一起的天使或魔鬼，而这使命，要不就是不管怎样都会自行完成，要不就是被我忘到九霄云外。这忘却是大战役的组成部分，是对方的兵器，有人用它来打击我，使我受伤，流血，让我在片刻时间脱离这战争游戏。所以我不知道我有多么强大或多么虚弱，我不了解自己，我什么都不记得，因此我甚至没有勇气在自身寻找这种虚弱或这种强大。这是非同一般的感情——深深埋藏在内心的某个角落，成为跟别人通常想象的完全不同的另一个人。而这并不会带来不安，只会带来轻松，无时无刻不深入到生活的各个方面的某种疲惫就会自行消散。

过了片刻这种强烈的感情就完全熄灭了，融化在具体的画面中：通向走廊的敞开的门，睡着了的母狗，清晨来砌石头矮墙的工人。

傍晚R进了城，而我去了玛尔塔那里。山隘上方悬着一颗彗星——停息在降落的过程中，一动不动，在空中放射出这个世界陌生的凝固了的光。我和玛尔塔坐在桌旁。她梳理做假发的头发，将一小绺一小绺多种颜色的头发放到漆布上，把整个桌面都摆满了。我给她读圣女的生平。我觉得她没有留心听。她在抽屉里搜寻，将报纸弄得窸窣响，把自己收集的头发包在报纸里。春天的苍蝇和飞蛾已经发现了人类的电灯泡。变大了的有翅膀的影子在厨房的墙壁上杂乱地晃动。最后玛尔塔只提出了一个问题：那个写出圣女传的人是个什么人？他是从哪儿得知这一切的？

夜里R回来了。他一边从塑料袋里拿出采购的物品，一边说，城里人们都站在阳台上用望远镜观察彗星。

谁写出了圣女传，他是从哪儿知道这一切的

他生来就是个不完美的人，因为自他记事以来，他就对自己不满，仿佛出生时就犯了错误，选择了不该选的肉体、不该选的地点和不该选的时间。

他有五个弟弟和一个哥哥。父亲死后哥哥管起了农庄的劳动分配和处置劳动果实的工作。约翰对他既憎恨又赞叹。憎恨是由于兄长管理田庄的固执和专横，他规定田庄里的一切都必须按时做好，每个人都有自己固定的职责，必须按例行方式完成。甚至祈祷也不能例外。约翰喜欢祈祷，因为这是他唯一能做到自己跟自己相处的时刻。可也就在那时他的兄长常常推他一下，催促说："快结束吧，祷告的时间已过。羊都在等着你呢！"出于同样的原因，他也对兄长感到赞佩。正是由于他的经营管理，兄弟们都有吃有喝，不至于饿肚皮。

可是有一年寒冬来得早，他们来不及收最后一茬干草，树上的果实全都冻坏了。很显然，兄弟中有一个该去当修士，这个人就是约翰。

就这样约翰到了罗森塔尔的修道院，生活在一群年轻和年老的男人中间，而他的日子则过得与在家里时没有太大的差异。到了修道院他在厨房和园子里干活，劈柴烧火，刷锅洗碗，用

馊水喂猪。从十月到翌年四月整个时间他都感到寒冷，因此他乐于待在厨房里，偎依着炉灶，而他那件棕色的修士服烤热了，也就散发出烤煳了的呢子气味。春天分配他到园子里，在米哈乌兄弟的照管下干活。米哈乌修士教他辨认各种草本植物，使他养成了对所有发芽生长、出叶、开花、结果的东西的敏感性。“小伙子，你有一双侍弄草本植物的能干的手。瞧，你的香罗勒长得多好。我们还从未有过这么好的植株。”如今名叫帕斯哈利斯的约翰的修士服逐渐吸满了百里香、海索草、茴香花以及薄荷的气味。

尽管改了名字，换了服装，变了气味，帕斯哈利斯仍然感到不自在。他情愿成为别的什么人，待在别的什么地方。他尚不清楚他想成为什么人，待在什么地方好，但他经常合掌跪在礼拜堂，不是祈祷，而是观察礼拜堂里的那些油画，特别是其中的一幅油画更使他百看不厌，画的是圣母手里抱着个婴儿，身旁站立两个女人——手里拿着一本书的圣卡塔琳娜和手里拿了把钳子的圣阿波罗尼亚。他看得入了神，想象自己就在这幅画中，处在画面的正中央。他身后是开阔的空间，在地平线上高高耸立着白雪皑皑的山峰。稍近是座城市，有巨大高塔和红砖房子，踩踏出的一条条小道从各个方向通往城市的大门。在他旁边，伸手可及之处坐着怀抱婴儿的圣母；救世主的一双光亮、匀称的小脚搁在那覆盖连衣裙的大红披风上。在圣母的上方，空中悬浮着两个天使，一动不动，张开翅膀，宛如两只硕大的蜻蜓。帕斯哈利斯是圣卡塔琳娜还是圣阿波罗尼亚——他久久不能决定，反正是她俩中的一个。他有一头长发，垂到后背。连衣裙紧紧裹住他圆润的胸脯，以柔和神奇的波浪形状垂落到地面。双足赤裸的皮肤感觉到衣料温柔的爱抚。那时有种快感笼罩了他，他闭上了眼睛，忘记了自己是身穿棕色修士服跪在礼拜堂冰凉的地板上。

帕斯哈利斯兄弟有副俊秀的容貌——剪成修士式的短发只能更加勾勒出它的娟美。那双湛蓝的眼睛在长睫毛之下的一瞥一顾，都给人以勾魂摄魄的强烈印象。他那光滑、鲜嫩的皮肤洁净无毛，雪白的牙齿无可比拟。那时他就这样跪在礼拜堂中，双眼紧盯着圣母画，看上去美得令人心疼，美得令人难以自持。

策莱斯滕兄弟见到他时就是这种景象。策莱斯滕是位内务总管修士，除了修行，他还负责兄弟们的物质供应。他把帕斯哈利斯唤到自己的修室，开门见山地说：“我喜欢你。你有修道生活的真正天赋，在我们这个雨骤风狂、异端横行的时代实在难能可贵。说不定有一天你会当上修道院院长。不过现在还是让我来照拂你。”

于是帕斯哈利斯就成了他第三任或第四任副手。每天的工作是往修道院的卧室送灯，将大小毛巾分别挂好，管理和监督剃刀的使用。时间流逝，秋去冬来，帕斯哈利斯开始学习阅读，现在他关心的是修道院阅览室的灯。策莱斯滕兄弟亲自检查他的阅读进度，晚祷后把他叫到自己的修室，让他朗读指定的段落。策莱斯滕一边听他读，一边在修室踱步，从一面墙壁走到另一面墙壁，或者脸冲窗口站一会儿。那时帕斯哈利斯就会看到他厚实的肩背和裹在毛线袜里的后脚跟。“你朗读得越来越好。”他的上司说着走到他跟前，漫不经心地用大拇指抚摸他剃得很光的后脖颈。这种抚摸并没使帕斯哈利斯感到不愉快。终于在一次读书的时候，策莱斯滕走到他身边，将一只手伸进了他的修士服。“你的后背像少女的一样光滑。你长成了个壮实的青年。”帕斯哈利斯赤裸裸躺到了他的床上，隐藏在毛毯下的是如此细软的被单，以致使皮肤感到有些不知所措。在这光滑的被褥里，他允许他对自己的身体为所欲为，只要策莱斯滕兄弟想干什么就干什么，想怎么干就怎么干。这既不使他感到惬意，亦非不惬意。

从此以后，帕斯哈利斯的修士服散发出的已不是草本植物的气味，而是尘土、书纸和一个陌生男人肉体的古怪而苦涩的气味。

有一次，当他俩被性爱和自己的肉体弄得精疲力竭，并排躺在床上的时候，帕斯哈利斯向策莱斯滕倾诉说，他想成为一个别的什么人。“假如我是个女人，又会是一番怎样的情景……”他在黑暗中思忖道。他也对策莱斯滕谈起了紧紧裹在圣卡塔琳娜身上、又波浪似的垂落到地面的连衣裙。“你要是成为女人，我们应该注意到这是我们自己这种人的缺陷，虽然这种缺陷是自然秩序的一部分。”策莱斯滕用阿罗帕吉塔的话回答他，接着便闭上了眼睛，似乎是想跟任何正确无误的表述分隔开来。

另一次帕斯哈利斯向聪明的策莱斯滕兄弟问起罪恶：“告诉我，这是不是不可饶恕的滔天大罪，因为我们不只是违反了贞洁誓言，而且还破坏了自然法则……”“你懂得什么是自然？”策莱斯滕恼怒地说，他从床上坐了起来，把一双赤脚放在冰凉的地板上。他的背部盖满了丘疹的红色斑点。他开始穿修士服。帕斯哈利斯躺在空床上感到寒冷。策莱斯滕的身子像火炉一样烤人。“所有的大哲学家和教堂的神父都说，女人是一切恶之源。由于女人，亚当犯了原罪！由于女人，我们的主死在十字架上。女人是为诱惑而生，但那些受她诱惑的都是蠢货。你要记住。女人的肉体是粪袋子，每个月自然本身就向我们提醒这一点——用不洁的血给女人的肉体作出标记。”策莱斯滕翻开帕斯哈利斯先前高声朗读过的书页。“你过来，读！”他说。帕斯哈利斯哆哆嗦嗦，赤身裸体地站立在书本的上方。“在古时的修会有人说，地上的坑总是应当盖起来的，而即使是什么动物落入坑中，受罚的也将是那个敞开坑的人。这些严峻的话也可用到女人身上。女人出现在男人眼前，使男人受诱惑，坑——就是女人娇艳的容貌，洁白的脖颈，熠熠生辉的眼睛。女人应为男人的罪恶受过，男人犯罪，女人必须在最后审判时付出代价。”“穿上衣服！”策莱斯滕见到情人瑟瑟发抖的身子说道。“我们的罪过是微不足道的肉体罪过，在忏悔时不值得提及的罪过。这是较之跟女人交媾要小得多的恶。”

然而策莱斯滕兄弟是个不太细心的人，不理解帕斯哈利斯。他关心的并非跟女人交媾。帕斯哈利斯不是想占有女人，而是想成为女人。他想要的是一对丰满的乳房，并且一举一动都能感觉到乳房的存在，是温暖、柔软的圆润之物完全取代两腿之间那玩意儿的缺失。他渴望感觉到垂及后背的长发，闻到自己柔嫩皮肤香甜的气味，耳畔能听到环佩玎玲之声，能用纤纤玉指摆弄连衣裙的褶皱，用薄薄的纱巾掩饰袒胸露背的领口。“你真美。我对你怎么看也看不够。”策莱斯滕霍地冲着他的耳朵说道，“可现在让我们一起祷告吧。”

他俩并排跪在地板上，悄声祷告起来。

由于在修道院里过去和未来没有太大的区别，由于在人们的生活和时间上没有太大的变化——可能的例外就是一年四季的色彩有所更迭——因此人总是生活在持续的现在。人生活的时刻，在修道院外面或许只不过是短短的一瞬，但在这里，这个瞬间既找不到开头，也找不到结尾。倘若不是眼中永远不会失去最后目标的人体的睿智与颖悟，修道院的生活就可能是永恒的。

充满了繁文缛节的昏昏欲睡的日程从四面八方包围了帕斯哈利斯，在这种烦琐的规程中，每个手势、每个仪式的瞬间都经过仔细的考虑，不可越雷池一步。他从窗口观察到，连狗也懂得遵循修道院的生活规律。每天中午它们都出现在丢弃残羹剩饭的垃圾箱旁。它们贪婪地吃着，然后消失，然后回来，兴奋地扒开下一顿食物垃圾。傍晚它们选定自己的团伙——咬架、哀嚎，或者相反，玩起了什么狗游戏。冬天它们躺进了仓房和牛栏。一到春天就能听见它们妒忌的吠叫，那是它们彼此间在瓜分母狗。夏天在墙旮旯里就会出现一些可怜的无助的狗崽儿。到了秋天这些小狗已经像匪帮似的捕猎幼小的啮齿动物了。

帕斯哈利斯像所有修士一样，黎明即起，用凉水洗脸，穿上修士服，然后就立刻进入祈祷和劳动的慢节奏中，加入形象阴郁的修士们在一长排互通的房间和回廊间窃窃私语的来回拖着脚漫步的行列。

策莱斯滕兄弟对于他，是父亲、情人和朋友。教会了他许多东西，给了他少有的修道院特权——每个月去一次姐妹修道院，给女子修道院送鲜肉。这是送给帕斯哈利斯的一份厚礼：如此开阔，如此莽苍的空间景色，相比之下修道院里那些回廊和迷宫显得病态和矮小。他们在黎明前就动身——为了赶在正午时分抵达女子修道院的厨房便门。大车慢慢朝山下行驶，而后，当他们到了山口，连犍牛也对不可思议的远景看得出神，不时停下脚步。一条辽远的地平线将碧绿的格拉兹谷地和连绵不断的宛如摆开的桌子似的群山与那无尽的天空区分开来。不知何故，帕斯哈利斯顿时感到惴惴不安。沿途他们只经过了一个小村庄和几幢泥糊的茅舍，这是他思念家园的唯一瞬间。

大车在便门前刚一停下，立刻就响起了报警的铃声，但很快就静了下来。大车驶进了庭院，两个修士兄弟开始卸车，搬下几大块猪肉。帕斯哈利斯急不可待地左顾右盼，寻找任何一个女性形象。但他最常看到的只是一些年老的修女，她们脸上和嘴角唇边都布满了皱纹，嘴里缺了好几颗牙齿。这使他想起了自己的母亲。后来修女们请他们进入厨房，招待他们用餐。厨房整洁而温馨，空气中弥漫着蜂蜜和奶酪的气味。修女们有养蜂场，也养乳牛。作为赠肉的回礼，他们得到一罐蜂蜜和一篮子用干净的布包着的奶酪。帕斯哈利斯揣摩，女人身上定有这样一股气味：蜂蜜和奶酪的混合气味，既令人感到愉快，又令人恶心。

有时帕斯哈利斯得以看到点什么更多的东西。有一次他坐在大车上朝围墙里边观瞧，见到几个修女在围墙后面侍弄自己的菜园。她们在给蔬菜薅草。忽见她们将拔出的莠草扎成小捆儿相互投掷，还用修女服宽大的袖子掩住嘴巴以抑制细嫩的笑声。这场景令他为之震撼：她们竟然像少女一样玩耍。她们中有人为了躲避一束植物的打击，轻盈地撩起裙子，跳过菜畦。模拟头发的黑纱巾迎风飞舞，仿佛她们的脑袋上神奇地长出了翅膀。帕斯哈利斯后来多次模仿过她们这种柔软的、总是那样圆润、优美的动作。

经历了这一幕之后，他郁郁寡欢地回到了修道院，甚至回到策莱斯滕兄弟身边也了无兴味。这里的一切都是有棱有角的，笨拙而粗糙。策莱斯滕也不例外。尽管策莱斯滕的身体能给他欢愉，因为他已学会了那一套苟且之事，但策莱斯滕的肉体并没有帕斯哈利斯幻想的那种东西。他挨着他躺在床上的时候，羞涩地幻想着策莱斯滕是个女人。他伸手顺着情人的后背抚摸，最后他的手指触摸到的是毛烘烘、粗糙的屁股，绝望中只好赶忙把手缩回来。后来他又开始想象，设若自己是个女子，那时策莱斯滕当能保持本性了。他想，但愿自己有副女儿身，连带着两腿之间的那个神秘的狭小、阴暗、肮脏的地方，他不由打了个充满快感的寒战，直到成了一个真正的着了迷的人。“那玩意儿究竟是个什么样子呢？”他思索着，“是不是像耳朵眼，像鼻孔，只是稍大点，圆圆的，显眼的。或者，也许是道裂缝，是个永远流血的伤口，就像皮肤上划破了个口，永远不痊愈。”只要能了解这罪恶的秘密，帕斯哈利斯就是豁出性命也在所不惜，但不是从外部认识事物的那种了解，而是成为他想了解的那种东西，在自己身上体验到那玩意儿的存在。

在接下来的那个冬天，策莱斯滕患了感冒，不意病情最后严重到无药可治的地步。一些修士兄弟聚集到他的修室，开始为垂危的病人连做三次祈祷。策莱斯滕明白这意味着什么，他那双烧得通红的眼睛在兄弟们的脸上转来转去，似乎是想从他们脸上得到保证：他那就要到来的事会列入修道院生活的日程。后来响起了敲击梆子的咚咚声，所有的修士都来听濒危者的临终忏悔。当修道院院长唱起“Credo in unum Deum”[①]时，帕斯哈利斯放声大哭。策莱斯滕兄弟在断断续续的忏悔中没有将他俩几个月来的苟且行为称为罪恶。帕斯哈利斯的脸上一直热泪长流。修道院院长为临终者做了恕罪祈祷，有人将他的身体抬到石头地板上。傍晚他就溘然长逝了。

修道院院长必定是看出了年轻修士的绝望情绪；因为他建议免除帕斯哈利斯次日送鲜肉的任务。但他却不肯放弃这个任务。他的皮肤在燃烧，他的大脑在燃烧，他的心也在燃烧，仿佛他活生生就被投入地狱的烈焰中。

送鲜肉的大车在黑暗中启动。大车的木车轮发出均匀的辚

① 拉丁语，意为“我信仰唯一的上帝”，是《信经》的第一句。

辚之声，而在犍牛嘴巴上方则升起了一团白雾，那是它们呼出的气息凝结而成的。太阳升上了低矮的冬日天空，山口在他们前方敞开了，只是笼罩在雾蒙蒙的白色大气中，既看不到格拉兹谷地，也看不到桌子山。帕斯哈利斯在抵达目的地之前就发烧、呕吐，像打摆子一般浑身颤抖。大车走得很慢，犍牛在雪中艰难跋涉。把病人带回去已毫无意义。兄弟们只好把他留在女修道院，交给面有难色的修女，并向她们保证，一旦他康复，他们就来接他回去。这时外面正暴风雪肆虐。

帕斯哈利斯记不清自己置身何地。他觉得似乎有人抬着他往下走，走向黑暗、潮湿的地窖，猛然间他明白了，别人是打算把他放在策莱斯滕的尸体旁边，将他俩埋在同一个墓穴里。他试着挣脱出来，可他有个印象，自己是给捆住了手脚，或者是给蜷在自己的修士服里头。修士服突然变得沉重而又僵硬，俨如厚实的棺材盖。稍后，他见到自己上方有两个可怕的巫婆。她们抓住了他的脑袋，往他的嘴里灌什么滚烫的、讨厌的液体。其中一个女巫向他暗示，说他喝的是策莱斯滕的尿。帕斯哈利斯惊吓得浑身麻木。“我中毒啦，现在我中毒啦！”他叫嚷道，可他的声音从光秃的墙壁反射回来，听起来显得十分陌生。

后来他霍地惊醒，发现自己躺在一个小小的房间里，窗户又窄小，又高。他想小解，膀胱胀得很，于是他从木板床上坐了起来，放下了双脚。有一会儿他只觉得头晕目眩，感觉到自己的双脚触到了柔软、暖和的老羊皮。他小心翼翼地站立起来，朝床下看了看，寻找夜壶。房间里除了一张床，一个拜垫和一块小地毯什么也没有。他用旧毛毯裹着身子向外张望，看到宽阔的走廊，窗户开在一边，直接朝向陡峭的岩石，这时他才弄清楚自己是在什么地方。就在门边立着个裂口的泥制容器，他拉进房中，解决了问题。他回到床上的时候，感到真是三生有幸。这里的空气要暖和得多，散发出的气味也完全不同。他的双脚忘不了那老羊皮的触感。

傍晚时分女子修道院院长来到他这里。她的年纪与他的母亲相当。她的嘴巴围上了一圈纤细的皱纹，而干枯的皱巴巴的皮肤则有一种灰烬的颜色。她拉起他的一只手，给他数脉搏。“我是如此虚弱，根本就站不起来。”帕斯哈利斯有气无力地悄声说，竭力使她相信他所说的话。女修道院院长注视着他的眼睛，问道：“小伙子，你多大了？”“十七岁。”他说，一边拉着她的手不放。“请嬷嬷允许我留在这里恢复健康。”他请求说，亲吻了她那只干枯的、暖和的手。她淡淡一笑，抚摸着他那剃光了的头。

第二天，他在发烧的谵妄中记住的那两个老妇把他唤到厨房。大木盆装满热气腾腾的滚烫的水。“洗个澡吧，别给我们把虱子带来了。”年长的一个说道，她两腮的皮肉耷拉了下来，活像两个空钱袋。她说话柔声软语，仿佛是儿童的腔调，也许是因为她没有牙齿，也许是因为她来自南方。她们扭过头去给他洗澡，擦洗他弱小的身躯，就像母亲所做的那样，动作果断而又温柔，直到皮肤给擦得通红。他得到一件修女们常穿的那种亚麻长衬衫，一双半高鞠皮鞋。两个修女把他领到他过去两个礼拜因病卧床的房间。

自此女修道院院长每天都到他这里来。站立在他的上方，凝神专注地打量他。他无法忍受这探究的目光。他几乎可以肯定，女修道院院长已经洞察他所有的谎言和佯装。他把脸转向墙壁，等待着。她通常总要给他量脉搏，然后两人一起跪下，念《赞美马利亚》祷文，也为生病的人们祈祷。每逢她走出房间，他总要闭上眼睛，在空气中搜索她的气味。但女修道院院长没有散发出任何气味。他还认为，她当年是个美人儿，个子高高的，身材匀称，看起来健壮、有力。她的门牙中间有道缝。一天傍晚她来了，刚走到房门边就说，让他准备上路回去吧。她转身准备离开，手已放到了门把手上。帕斯哈利斯冷不防跪倒在她脚前，抓住了她的修女服，嘴巴紧贴着她穿毛线短袜的脚背。“嬷嬷，求你别把我交到那里去。”他用尖细的嗓音叫喊说。她一下子愣住了，呆立不动，直到这时他才感觉到她的气味——尘土、烟和面粉的气味。他紧紧贴在这种气味上准备承担一切后果。过了一段漫长的时间，她向他俯下身子，把他从长跪中拉了起来。

他对她诉说了一切，甚至讲到了策莱斯滕。他对她讲到了自己的身子，说他不想要原来的这副模样。最后他放声大哭，泪水顺着他的脸颊流淌，渗湿了亚麻布衬衫。“人的理性难以理解上帝的全部作为。”她发出一声叹息，冲他别了一眼，眼神里闪露出某种奇异的光。小伙子无法控制抽搐地涕泪滂沱。女修道院院长走了出去。

“我只知道一点，你不能留在这里。”女修道院院长对他说，清晨她在参加牧师会之后没有事先通知就来到了他的房间。“你不是女人，你有自己的性本征……虽说可把它掩盖起来。作为男人你在这里是危险和不受欢迎的。”从酣梦中给生生拽醒的帕斯哈利斯好不容易才跟上她说的内容。“不过我曾向圣母祈祷，她给我派来了库梅尔尼斯。”帕斯哈利斯把这个名字悄声重复了一遍，什么也不明白。她命他起床，在长衬衫上披件外套跟着她出了房门。他们穿过一系列走廊，由小至大，再拐弯，绕过了回廊和台阶，他们终于站到了小礼拜堂的门前。这小礼拜堂是加盖到一栋闲置的建筑物的石头墙上的。女修道院院长在胸前画了个十字，帕斯哈利斯机械地重复了这个手势。他们走进用一盏小油灯照亮的不大的空间，油灯就放在地板上。女修道院院长在它微小的火焰上点燃了蜡烛。他的眼睛也逐渐习惯了看东西。

一幅巨型油画就是整个祭坛。画的是个十字架，十字架上钉着个人。帕斯哈利斯见到这幅油画猝然感到忐忑不安，同时又觉得似曾相识，连衣裙轻柔垂向地面的褶皱是那样熟悉，如见故人。他的视线凝聚在两个光滑、鲜嫩的女性乳房上。由于两手伸开，乳房就显得更加突出，在他看来简直就是整幅画的中心点。然而画上还有某种更加奇特、更难以令人接受的东西，帕斯哈利斯开始发抖——十字架上女人的躯体上端赫然是一副耶稣的面孔，长有淡红褐色的连鬓胡须的年轻男子的面孔。

帕斯哈利斯对自己见到的事物并不理解，却本能地双膝跪地。他的牙齿直打战——并非由于清晨的寒冷，而是因为预感到他是跪在一个虽说绝对不属于尘世、却跟自己相似、很亲近的人面前。耶稣的眼睛温和而略带忧伤地望着他，这种忧伤可能只是爱的另一面。在这种爱里既看不出受难，也见不到痛苦。

他扭头去看女修道院院长。她莞尔一笑。

“这就是库梅尔尼斯。我们也称她为特罗斯卡，其实她有许多名字。”“这是个女人。”帕斯哈利斯悄声说。“她还不是圣徒，但我们相信，总有一天她会被尊为圣徒。暂时她只受到克莱门斯教宗的祝福。离现今不远，大约两个多世纪前，她出生在布罗乌穆夫。她是个有德行而美丽的女人。所有的人都争先恐后地向她求婚，但她只想要与我们的主结为佳偶。她父亲试图用监禁逼她出嫁，而就在那时却出现了真正的奇迹。主耶稣想使她避免失去童贞，奖励她的坚忍不拔的意志，把自己的面孔给了她。”女修道院院长在胸前缓缓画了个十字，“气得发狂的父亲把她钉上了十字架，她就像自己心中的良人一样受难而亡。我们选择了库梅尔尼斯作我们修会的守护神，可是当今的教宗却禁止对她的崇拜，所以我们只好将她安顿在这里。我们相信，教宗会改变自己的决定。现在走吧，你在这里会冻坏的。”

女修道院院长在回程的路上问他，是否善于保守秘密。他极力点头称是。“那你会写，会读吗？”

母鸡，公鸡

每年春天，玛尔塔都会去新鲁达给自己买两只母鸡和一只公鸡。她饲养这些鸡，关心它们无思无虑的生活。它们每天许多个钟头都在圈起来的场地里散步，视线布及天地之间，地上可能找到一点粮食，天上可能出现老鹰。在鸡的世界，下方，脚下是生，上方，头顶是——死。傍晚，玛尔塔把所有的鸡全都赶进鸡埘，早上全都放出来。她给它们送来拌有麦麸的煮烂了的马铃薯——装在一个烤点心用的旧白铁模子里。她侍弄这些鸡没怎么费劲，却每天获得两枚鸡蛋。她有时给我带来一个装白糖的小口袋，口袋里装的却是鸡蛋，蛋壳上满是鸡粪。蛋黄的颜色非常鲜艳，看到这种与太阳真正相似的东西，让人不得不眯缝起眼睛。秋天玛尔塔在一天之内亲手把自己的鸡家族统统杀光。

她这样做我不能理解，头一年我曾好几天不跟她搭腔，将她给我的母狗叼来的鸡骨头扔了出去。玛尔塔整个夏天都不买肉，仅靠蔬菜过日子，这个人准是有恶魔附体。她的那些鸡都养熟了，不怕人，从人的手上啄食点心末子，望着人的眼睛。玛尔塔一连三天用它们炖鸡汤，煮鸡肉，骨头啃到最后一根鸡腱。我真难以相信，这么一个瘦弱的老妇人竟然能在三天之内吃掉三只家禽。

这时她来到我的窗下，说道：

“我买鸡啦。”

“知道了。”我嘟哝了一声。

“你在干什么？”她和解地问。

“我忙着哩。”

她沉默了片刻。我也正好写完了一叠纸。

“这得花你许多时间。”我听到，她在朝阳台的方向走，马上就要登上台阶。我听见她认真擦脚的声音，她进屋前总要把皮鞋底擦得干干净净。过了一会儿。我便看到她坐在走廊里的圆桌旁边，头戴一顶荒诞的运动帽，脸上笑吟吟的。

“不耽误你时间吗？”她说，让我看她篮子里的两只小母鸡和一只小公鸡。

我疑心玛尔塔有睡眠的麻烦。说不定正是由于这个缘故，一提到她的梦她总是保持沉默。她说过，她的全部睡眠就是傍晚打两个钟头的瞌睡；说她的身体似乎根本就感觉不到疲倦，只是对天黑会有一种习惯性的反应。玛尔塔一小觉醒来，就算全天都睡足了。这时她就在厨房里点上一盏小油灯，或是一支小蜡烛，凝视着那点光亮。有时，遇到明亮的月夜，玛尔塔就不点灯摸黑坐着，从厨房的窗口观察月亮。她觉得月亮从来就不是一个样。她曾这样对我说，月亮的模样总是不同，它总是从另一个地方出来，以不同的路线照临云杉树冠。在这种月色清明的夜晚，玛尔塔喜欢出门，朝下走，经过小礼拜堂，然后向山口走去，走到奥尔布利希特家的风磨下边，这座风磨如今只剩下石头和一口井。从这里能看到泛着银光的群山和远方的谷地，看到谷地里闪耀着房屋的灯光，而在新鲁达和远处的克沃兹科上空则会浮现出一片黄色的光彩。当天空乌云密布的时候，这种光彩看得最清楚。城市灯火通明，宛若在呼求援助。

然而玛尔塔看到的最令人震惊之事是成千上万人的梦，这些人全都睡着了，陷入了一种实验性的死亡，他们一个挨着一个地躺在城市、乡村，顺着公路，挨着边界通道，躺在山中的旅游招待所、医院、孤儿院，躺在克沃兹科、新鲁达，还有看不到甚至感觉不到其存在的一些地方。这些人被浸泡在自己的气味里，被扔在陌生的床上——扔在工人宿舍的上下铺上，扔在拥挤的、用隔板分隔出卧室和起居室的单间住房的长沙发床上。在每个房子里都有着一些温热的、不灵便的躯体，伸开或紧靠着身子的手，轻微颤动的眼皮，眼皮底下不安地来回游移的眼珠子，呼吸的旋律，鼾声的音乐，陡然抛出的古怪的呓语，无意识的脚的舞蹈，在梦的漫游中寻找被子的辗转的躯体。他们的皮肤冒着热气，他们的思想迷离混乱，无法将它们区分开，无法让人从根本上相信它们的存在。他们的目光在看着某些画面——这正是梦：他们有画面，但他们没有自己。在时间的每一瞬间都有数以百万计的人在睡觉。当人类的一半醒着的时候，另一半正纠结在酣梦之中。当一些人醒来的时候，另一些人必须躺下睡觉，这样世界才得以保持平衡。一夜无眠，人的思想就会开始引燃，在世界的所有报刊上字母就会相互混淆，说出来的话语就会变得毫无意义，人们就会试图用手把这些话语推塞回嘴里去。玛尔塔知道，大地上的任何瞬间都不可能仅仅是明亮、紧张和有声有色的；在行星的另一面必定有个黑暗、流动、无声和混乱的瞬间跟它平衡。

梦

当梦一再重复过去发生的事件，当梦反复咀嚼过去，把过去变成画面，像过筛子一样筛掉其中的含意，我便开始觉得，过去跟未来一样永远深不可测，永远是个未知数。我经历过一些事情，完全不意味着我已了解它们的含意。因此我惧怕过去，如同惧怕未来一样。一旦发现某种我所认识的、迄今我以为是稳定和可靠的东西，原来完全有可能是由于另一种原因，以一种我从未料想到的方式发生的，原来是它把我引到了另一个不是由我发现的方向，原来我是个瞎子，原来我是睡着了的，我将把自己的现在怎么办？

我带着自己的梦加入网络中的那些人的网站——除了梦，没有任何东西能把我们如此紧密地联系在一起。我们大家以一种出奇相似和混乱的方式梦见同样的事物。这些梦是我们的财富，同时也是所有别的人的财富。因此也就不存在谁是这些梦的作者的问题，因此我们才如此乐意用所有的语言把梦写进网络，只用一个字母、单个名字[①]或代号来署名。这是世界上，谁也没

① 在波兰和其他一些国家同名的人很多，只有姓名连用才能较具体地表明是某一个人。

有所有权的唯一的东西。在整个地球上，无论在什么地方，当人们睡着了，在他们的头脑里就会迸出一些杂乱无章的小世界，它们像浮肉一样，长得超常地大和快。或许存在这样的专家，他们知道其中每一个单个的梦的意义，但谁也不知道所有的梦加在一起意味着什么。

网络中的梦

我在一座塞满了古旧、狭窄的公寓楼房的阴郁的古城里。我在研究某种稀有的现象：在房屋的外墙上有许多个圆洞，但谁也不知道那是怎样产生的。我所做的正是研究墙上、网上、栅栏上、玻璃上的这些洞。我发现，它们是按照一种显而易见的次序排列的！犹如物体上的小沟道，像是什么东西在飞行过程中遇到障碍物所穿透出来的。但我并不试图确定那是什么东西。吸引我的只是飞行的轨道。起先我觉得，大概是某种东西从天空飞来，在接近地面时又返回天上去。但事实显示的已无可争辩——这是某种从地上飞出并消失在天空的东西，途中也没有遇到特别阻挡它们的物体，因为那些物体都有洞。

忘　却

我去玛尔塔那儿，为她从通向溪流的小径上割荨麻。她两手抱在胸前踏着碎步跟在我身后说，上帝忘记了创造许多动物。

“例如鹬科鸟，”我说，“它会像乌龟一样坚硬，但有两只长脚，会有坚硬、能咬碎一切的牙齿。会在溪流里行走，会吃掉一切脏物、泥淖、枯枝和败叶，甚至吃掉水流从村庄带来的垃圾。”

于是我们想起了上帝出于某种考虑，忘记创造出的那些动物。他忽略了那么多的飞禽，那么多生活在地面的走兽。最后玛尔塔说，最缺的是那种夜里坐在十字路口的动作迟钝的大动物。她没有说那种动物叫什么名字。

德国人

初夏时节牧场上开始出现德国人。他们的灰白脑袋在草海中浮动。他们的金丝眼镜在阳光下愉快地闪光。如此这般说，凭鞋就能认出德国人，他们的鞋总是白色的，而且干净。我们不爱惜皮鞋，我们不尊重脚上的鞋。我们的皮靴粗糙而笨重，经常是用深色的皮革制成的。要不就是长筒胶鞋，斯塔塞克·巴赫莱达还常在胶底上磕烟灰。我们的皮鞋用的常是一些仿皮材料，是一些欧洲街道上常见的黑白对比强烈的时髦牌子运动鞋的仿制品。我们的皮靴永远溅满了黏糊的红色泥土，永远是歪歪斜斜的，永远是冻了冰又烤干了的。

德国人从汽车上涌了出来，他们的游览车为了不引人注目，胆怯地停在小路上。他们分为小组活动，或结成对子走路，最常见的是一个男人和一个女人一道走，样子像在寻找做爱的地方。他们给空空荡荡的空间拍照，这使许多人感到惊讶。为什么他们不给崭新的车站拍照，不给教堂的新屋顶拍照，只给长满青草的空空荡荡的空间拍照？曾有许多次我们用茶水和糕点招待他们。他们没有在椅子上无拘无束地坐下，也没有要求更多的东西。他们往往是喝完茶就走了。使我们感到尴尬的是，有时他们想往我们手中塞几个马克。我们担心自己看上去像是野蛮人——由于我们没完没了的修缮，由于那些洒满一地的灰浆，由于台阶的不牢靠的梯级。

无论他们走到哪里，最终都要出现在商店前面，许多小孩子在那里等着他们，伸手向他们要果糖。这使某些人感到愤怒，总是弄得有点不愉快。德国人在商店附近分发糖果的几分钟内，在我们头顶上方常常颤动着某种非常爱国的气氛，仿佛连空气也变成红白两色的[①]，仿佛空中升起了一面千疮百孔的国旗。那时我们甚至对糖果也不领情，我们感到自己是波兰人。

有些德国人来过多次。有些人邀请村庄里的人（一两个，经常是那些关照过他们德国人坟墓的人）去联邦德国，给他们解决了工作问题。

还有那么一对老年夫妇，他们曾经出现在我们的土地上。他俩曾用手指向我们指出并不存在的房屋。后来每逢节日我们都彼此寄贺卡。他们宽慰我们说，弗罗斯特家族对我们的房屋已不感兴趣。

“为什么有人会对我们的房屋感兴趣？”我恼怒地问玛尔塔。

而她回答：

“因为房子是他盖的。”

一天傍晚，当我们把喝过茶的空瓷杯和装过糕点的小盘子从阳台拿进屋里的时候，玛尔塔说，人最重要的任务是拯救那种正在瓦解的东西，而不是创造新的东西。

① 波兰的国旗是红白两色的。

彼得·迪泰尔

彼得·迪泰尔和他的妻子爱丽卡通过边界的时候，彼得的手上蹲着一只花大姐。他留心地瞥了一眼，见它有七个斑点。他高兴了起来。

“这是欢迎的意思。”他说。

他们走的是一条奇怪的公路干线。公路两边站着穿紧身短裙的姑娘，他们向汽车招手。

傍晚他们抵达了弗罗茨瓦夫，彼得感到出乎意料的是，他竟认识这座城市。只是一切看上去都显得更黑更矮小，仿佛他们进入了随便一张照片里面。在旅馆睡觉前他不得不吞下随身携带的药片，因为他的心脏跳动并不平稳，前后两次跳动的间隙会无限延长。

“我们到这里来得太晚了。”爱丽卡严肃地说，并坐到了床上。“我们太老了，经不起激动。你瞧，我的脚肿得多厉害。”

翌日，他们走马看花地参观了弗罗茨瓦夫，跟他们平生所见过的所有别的城市一模一样。他们见过各种各样的城市：处于瓦解状态的城市、繁荣的城市、向河流倾斜的城市、深深扎根于土地的城市和一些建筑在沙滩上像霉菌的结构一样脆弱的城市。还有遭到破坏变得杳无人烟的城市，有在坟地上重建起来的城市——后来在这样的城市里生活的人们就像行尸走肉一般，有分隔成两半、在起着决定作用的唯一的石头桥上保持平衡的城市。

参观城市之后便开始游览山区。喀尔巴阡山满是出售纪念品的摊贩亭，提到什克拉尔斯卡·波伦巴时，彼得固执地将其称为斯赫雷贝豪，似乎是怕与新的波兰名称弄混了。其实他们对途中的景色漫不经心，只想着一件事——何时能朝内乌罗德和格拉兹谷地的方向走得更远一点——他们是否来得及去看所有想看的地方。总而言之，是否有足够的时间去看曾经有过的一切，他们的眼睛是否能变成照相机，直截了当地把他们看到的东西拍摄下来。

彼得想再次看看自己的村庄，而爱丽卡却想看到见到了自己村庄的彼得。她考虑的是，只有到那时她才能从头至尾理解整个的彼得，理解他所有的忧伤，理解他那些简短的回答，理解他为何会突然改变决定，这种改变常常使她恼火，甚至终于能够理解他为何常常固执地摆纸牌算命，会为一些蠢事而浪费时间，会在公路干线上冒险超车，理解他身上所有挥之不去、令她感到陌生的东西——在他们共同生活的四十年中，这些东西始终没有发生过变化。

他们在一家乡村家庭小旅店歇脚。在这家旅店，所有注意事项，鼓励、要求、警告、通知，都用德语写得明明白白。在早餐之前，彼得就已穿戴整齐。他走到了房屋的门口。时值五月，苦苣菜开花比平原地区要晚得多。他看到自己的群山，只不过是地平线上一条条云遮雾绕的漂浮的直线。他闻了闻空气。是气味，而不是景色，造成了狂潮巨浪般的画面移动，像过度曝光、不清晰、扯断了胶片的电影，既没有声音、没有高潮，也没有故事情节。

早餐给他们吃的是水煮蛋，早餐后他们就出发了。道路引着他们先是向下，然后平缓向上。蜿蜒的山路东拐西弯，他们完全失去了方向感。他们经过了散布在山坡的村庄、一些大大小小的房子、一些神秘的溪流——不管它们的外表如何千变万化，总归是同一条小河。每个村庄都有自己的谷地，像巧克力糖块躺在盒里丝绒衬垫上的凹坑里。

这天最糟糕的感觉是——彼得认不得自己的村庄。它已缩成了一个小村子的规模，缺了房屋，缺了院落，缺了羊肠小道和桥梁。昔日的村庄只剩下一副骨架。他们把小汽车停在上了锁的关闭的教堂前面，教堂后边椴树林中曾经立着彼得的房子。

他闻了闻这个地方，重新放映起这古怪的过往的电影。终于他意识到，这样的电影他到处都能放映：在酒吧，在加油站旁，在地铁里，在西班牙度假的时候或是在购物中心采购物品的时候，说不定那时这钟爱的电影还会比现在看到的更加清晰些，因为那时没有眼睛看到的似是而非的东西干扰它。

他们沿着一条狭窄的弄平整了的道路漫游，居高临下地看到村庄，村庄的骨架，看到剩下的几栋房屋，几个小菜园，几棵高大的椴树。但这一切都活着——下方有人在行走，赶着乳牛，狗在奔跑，有个男人骤然爆发出一阵大笑。他按响了汽车喇叭。高一点的地方有个挑着水桶的人向他们招手，房屋烟囱的炊烟袅袅升上天空，鸟儿向西方飞去。

他们坐在路旁的草地上，吃着马铃薯片。爱丽卡匆匆朝他脸上瞟了一眼，她怕看到他湿润的眼睛或者抖动的胡须。那时她就会把装马铃薯片的小袋子放在一边，把他搂到怀中。但他的脸还是原来的样子，没有丝毫变化，仿佛是在看电视。

“你自己走远一点吧。”她说，又补充了一句，“瞧，我的脚肿得多厉害。”这话听起来就像副歌。

他没有回答。

“我们来得太晚了。我老了，没有力气向上走。我回到汽车那儿去，在那儿等你。”

她在他手上温柔地亲了一下，回头走了。还听到他最后说的一句话：“给我两个钟头，或者三个钟头。”

她心里一阵难过。

彼得·迪泰尔慢慢腾腾、晃晃悠悠地独自走着，眼看着石头和已是含苞待放的野玫瑰花丛。每走几十米就停下脚步，喘着粗气。那时他总要瞧瞧树叶、草基和长在纤细的树干底部的蘑菇，正是那些蘑菇慢慢吃掉了倒下的树木。

起先道路在荒地之间伸展，后来进入云杉林。但森林很快就到头了，彼得现在身后就是迄今一直装在自己心中的群山全景。他只回头望过一次，因为他害怕自己一看会把这景致破坏殆尽。这就像珍贵的邮票，若是看得太勤，便会丧失它原有的色彩和图案。直到他登上山脊方才站定，转着圈子环顾四野，饱览品味这景观，尽情享受。他把世上所有的山跟这些山做过比较，在他看来任何山都没有这么美。那些山要不就是太大，太雄伟，要不就是过于平淡无奇。或者太野，太幽暗，覆盖着森林，像黑森林山那样；或者太缺乏野性，太驯化，太明亮，像比利牛斯山。他掏出了照相机，对准了所看到的景物。咔嚓——照上了散布在各处的村庄建筑物。咔嚓——照上了盖满黑色阴影的幽暗云杉林。咔嚓——照上了一条细线似的溪流。咔嚓——照上了捷克一方黄色的油菜田。咔嚓——照上了天空。咔嚓——照上了云彩。这时他感到喘不过气来，马上就会窒息。

他继续走得更高，到达了旅游的指定路线，一些背着背包的年轻人向他招手问好。汗水蒙蔽了他的眼睛，他擦汗的时候，他们走远了。他感到实在遗憾，他们就这么走了。要不他就能对他们讲讲，自己在他们这个年龄的时候，如何来到这里，如何在低一点的地方，在潮湿的苔藓上第一次跟女人做爱；或者从山上指给他们看看，奥尔布利希特家的风磨立在什么地方，风车活动的曲轴是村庄的标志。他甚至想在他们身后喊他们，但他肺里缺乏空气。他的心跳到了嗓子眼儿，憋得他喘不过气来。现在就回头岂不是浪费了难得的机会！于是，他以巨大的毅力又向前走了几十米，来到了顶峰，边界线就从此经过。老远就能看到刷白了的分界柱。他完全丧失了呼吸能力，显然早已忘却了稀薄空气对他不利。他忘了，高山的空气对已习惯呼吸潮湿海风的肺可能是更加危险的。

当他想起自己的归程的时候，不禁一阵头晕。“假如我死在这里，又会怎样？”他思忖，挣扎着慢慢走到分界柱。不知何故，他突然觉得很可笑。这么多年生活在港口城市，盖房，恋爱，生儿育女，经历战争，却要穿过半个欧洲来到这里，走这么大一段山路。他暗自好笑，从衣袋里掏出一块巧克力。他站住了，仔细撕开包糖的金箔，但在他把巧克力塞进嘴里的时候，他就知道，自己咽不下这块糖。他的躯体正在忙别的事。心脏减缓了节奏，动脉松弛了，大脑产生出安然死亡的麻醉剂。彼得坐在分界柱下边，嘴里含着巧克力糖，地平线遥远的一圈慢慢拉走了他的目光。他的一只脚在捷克，另一只脚在波兰。他这么坐了大约一个钟头，一秒钟一秒钟渐渐逝去。最后时刻他还想到了爱丽卡，想到她在下边坐在小汽车里等他回去，她肯定在着急。说不定她已报警。然而此时此刻，在他心中她成了一个洼地的、海滨的和不现实的女人。仿佛他的一生只是一场梦。他根本不知道自己是何时死的，因为死亡不是一下子就到来的，而是一点一点逐渐发生的——他身上的一切逐渐崩溃、瓦解。

天黑的时候，捷克的边防军发现了他。其中一个军人还在他手上寻找脉搏；另一个年纪较轻的，害怕地望着一道从他嘴里渗出并流到脖子上的棕色的巧克力细流。第一个军人拿出了无线电通话机，以询问的目光看了看第二个军人，两人同时瞧了瞧手表。两人犹豫了片刻。他们大概是想起了可能会迟到的晚餐，也许是想到了他们还必须写的报告。后来他俩统一了思想，完全一致地将彼得放在捷克一边的这只脚挪到波兰那边。而这样做他们还觉得不够，因而他们又轻轻把整个尸体往北移，拉到波兰那边。随后他们带着负疚感默默无言地离去了。

半个钟头后，波兰边防军的手电筒灯光发现了彼得。其中一名军人叫了一声“耶稣！”就一步跳开了；第二名军人本能地抓起了武器，环顾四周。到处一派静寂，谷地里的城市看上去就像扔掉的巧克力包装纸，上面反射出闪烁的繁星。波兰人瞧了瞧彼得的面孔，彼此悄声交谈了几句。然后在庄严的静默中拉起了他的手和脚，把他抬到了捷克那边。

彼得·迪泰尔在灵魂永远离开肉体之前，就这样记住了自己的死亡——一会儿这边，一会儿那边，就在这两边之间做着机械运动，就像站在桥上，在边缘处保持着平衡。在他昏昏欲睡的大脑中出现的最后画面，正是对阿尔本多尔夫木箱木偶戏的回忆——一些小小的木偶在用油彩画出的景物里移动，完成给它们规定的机械动作。走着的是木头人，赶着的是木头乳牛，奔跑着的是木头狗，有个什么人木呆呆地笑着；高一点的地方是另一个形象：挑着水桶，招着手；画出来的炊烟升上了画出来的天空，一群画出来的鸟儿向西方飞去。两对木头军人没完没了将彼得·迪泰尔的木头躯体从一边搬到另一边……

大 黄

玛尔塔在房子后边栽培大黄。那小块土地是个陡坡，作物的行距不匀整——避开了较大的石头，然后向经常变动的田埂拉齐。冬天大黄消失在雪下和地下，蜷缩起自己肉质的茎，向另一方生长，倒着生长，向自己的芽体，向自己沉睡的根部生长。到了三月末土地隆起了肚皮，大黄重新出生。它又是小小的，白、绿色的，脆弱得如同没有皮肤的躯体，像个婴儿。它夜里生长，我们在青草丛中听见这种生长的沙沙声，非常细小——像一点点碎屑飘落——这种生长的声波惊醒了别的作物。白天苗畦就平静了，玛尔塔望着它们，脸上泛起红晕，这就像沉睡的部队醒来了，就像排好了战斗队列的士兵从地里冒了出来。起先是头顶，然后是强壮的肩膀，永远立正的挺直的身躯，最后从身躯上撑起有皱褶的绿色帐篷。

五月玛尔塔用把锋利的刀割下自己的士兵，似乎是对他们说一声“休息！”他们大概从下边看到了她，一个高大、强壮的婆娘手持一把快刀。刀在味浓、多汁的茎上横向割得咯吱响，酸味的汁水留在钢刀的刀口上。

玛尔塔将一束束整齐的大黄拿到新鲁达的绿色市场去卖，给人做第一道春天的蔬果汤，或是拿去做冬天朝思暮想的发酵大黄烤饼。

我帮她扎大黄束。我们把不完美的、受过伤的或太短的茎放在一边，留到以后在我的俄国小炉子里烤点心。

宇宙进化论

毕达哥拉斯的一位老师阿喀马内斯，是我最喜爱的哲学家。

根据阿喀马内斯的说法，世界是两种原始因相互作用的结果。阿喀马内斯将原始因理解为强大的宇宙本原，它们是永生的和普遍存在的。对这种相互作用最好是称之为永远的吞噬。一个吃掉另一个，无止无休，世界的存在就有赖于此。第一个宇宙本原是克托诺斯，这是某种不断地生育、萌芽、繁殖、增长的东西。它存在的目的和手段——就是从自身不断地创造。这种创造不仅在于自身增加许多倍，而且也在于发射出那些跟它不同，甚至矛盾的生命。因此在克托诺斯中是永不停息的增长，盲目的、无思考的、蒙昧的增长——生命的炮灰的增长。第二个宇宙本原是混沌，它吞噬克托诺斯，仿佛是消耗它，吃掉它。整个时间以尽善尽美的方式吞噬。混沌是非物质的，是一种法则，它溶化克托诺斯存在的空间，就像是将它消化掉了。没有克托诺斯混沌就不可能存在，反之亦然。混沌将克托诺斯变为虚无，今天我们就可以说，把它消减了。

两种宇宙本原的联系异常紧密，从中产生柯罗诺斯——也是一种法则，最好将其比作旋风眼，在吞噬和毁灭或破坏的正中心创造一种表面平静的存在，绿洲式的存在，几乎是海市蜃楼式的存在，其特点是稳定、规律、秩序，甚至充满了和谐，正是这种和谐给世界的存在提供了开头。柯罗诺斯阻挠吞噬，赋予它某种形式。一方面使劲创造、生产，将其分别组成一些由时间调整的小岛。时间是它（柯罗诺斯）的本质，也是它的基本法则；另一方面削弱破坏的冲击力。在这个地方产生世界和它的基本能量。

柯罗诺斯是宇宙本原之一；火、气、水是柯罗诺斯的产物，一代一代的神就是起源于这些基本元素。所有的神的基本特点是爱（philia）。所有的神因充满爱而光华灿烂，他们也正是竭力用爱战胜基本元素的恨（neikos），以便让世界最终获得一种坚不可摧、轻如空气的精神本性。正是为了这个目的，神创造了人、动物、植物，并赋予他（它）们爱的种子。

这是我在扎大黄束的时候对玛尔塔讲的。我们干完活后，玛尔塔对我讲了这样一番话：当人们说“一切”“总是”“任何时候也不”“每一个”时，可能这只是对他们自己而言的，因为在外部世界不存在这种普遍化的东西。

她向我提出忠告，让我留神，因为如果有人开口闭口“总是”，这意味着此人失去了与世界的联系，他说的只是自己。

我耸了耸肩膀。

谁写出了圣女传，他是从哪儿知道这一切的

帕斯哈利斯留在了圣女玛尔塔姐妹修道院，为了写出她们秘密的四个名字的守护神的故事。他在庶务用房得到了一间单独的修室，远离修道院的其余部分。修室宽敞、舒适、暖和，窗户高大，夜里关上木头的护窗板。修室里有张宽大而沉重的斜面书台供他写字，书台上带有特殊的凹槽，那是摆放墨水瓶的地方。帕斯哈利斯的窗口朝南，因此只要冬天的阴云飘走，一大束阳光就会射进他的房间。由于空气中细小的浮尘的飘荡和苍蝇急不可待的飞行，那束光带显得异常活跃。每当他在书台旁边感到寒冷的时候，他便站到阳光里晒热冻僵了的身子。那时他便看到平缓的山脉，觉得它波浪起伏，仿佛正跳着不易为人发现的舞蹈。很快他便认识了这条不同一般的地平线上每个弯曲的部分，每个谷地，每座山丘。

修女们每天两次把食物放在他的房门前。平常是面包和煮熟的蔬菜，礼拜天和节日还有葡萄酒。女修道院院长每隔两三天来看望他一次。“他们问起过你，”开头她说，那时他还不知如何着手开始自己的工作，“他们问过。而我回答说，你自己走了。那时他们说，你准是在路上发生了什么不幸，说不定是狼把你叼走了呢。而我则说，这里多年没见过狼，你多半是逃跑

了，溜进了山里……”帕斯哈利斯对这样的回答惊诧不已：“嬷嬷干吗要这样讲？”“我宁愿见到你背弃誓言，逃之夭夭，而不愿见到你死了，血肉模糊地躺在地上。”他抱怨说：“我不知道该如何开始。”女修道院院长指着放在斜面书台上的一本不大的书，对他说：“你必须把这本书认真读一遍，那时你就会认识那位写这本书的女子。你必须仔细地读，反复地读，直到了解她的每个细节，看到她是一副何等的模样，看到她的一举一动，了解她用怎样的声调讲话。到那时你将更容易理解，写出了这一切的那个人的感受和现在读到这一切的那个人——也就是你自己的感受。”

于是，帕斯哈利斯就开始读了起来。起先他觉得这本书似乎很枯燥，而且他也没有读懂多少，因为他的拉丁文不太好。可是后来他开心地发现，这位圣女的拉丁文也有许多不尽如人意的地方——如同修女们送来的甜饼中夹着葡萄干一样，她的拉丁文中塞进了一些捷克文、德文和波兰文。但后来他逐渐在库梅尔尼斯的著述中找到了那种他自己心中也有的渴望——变成另一个不同于现在情况的人，这一发现给了他莫大的鼓舞。

这是本奇书，因为得两页同时读。他从一页看到的标题是*Hilaria*[①]，一旦翻过一页倒过来看，看到的标题便成了*Tristia*[②]，也就是欢乐和忧伤。在书的两个部分之间还有几页是用另一种

① 拉丁语，意为：欢乐。

② 拉丁语，意为：忧伤。

颜色的墨水写出来的，这个部分称为祈祷教程。

还有个原因使帕斯哈利斯不能集中精力全神贯注于自己的工作——墙外女人的生活吸引了他。有时他能听到她们说话的声音和木屐敲击地面的声响。每到送饭的时刻，他就站在门后，窥伺着餐具轻轻敲击地板的响动，这告诉他门外有个什么女人。但他从来不敢在那时把门打开。只有在夜里，修道院生活的隐约回声已然止息，他才走出自己的修室。他只有这么点自由。他只能走一条允许他走的路线，从修室到挂有钉在十字架上的库梅尔尼斯肖像的小礼拜堂。终于圣女赤裸、发亮的乳房开始在他心中激起一种难以抑制的渴念。他幻想着，要是能把自己的脸藏进那两个乳房中间该有多好。有时他也幻想过某种更富刺激性的事，某种与策莱斯滕有关的事，他知道那种事是有罪和受到禁止的。他不止一次在自己身上检查过那种幻想，夜静更深的时候他把自己埋进粗糙的毛毯里，研究自己把持不住的躯体。

在 *Hilaria* 中，吸引他注意力的第一段的内容如下：

“我幻想能躺在地上，伸开双手和双脚，就这样等待着，直到你的天空充满灿烂的阳光，不断扩展，降落到我的身上，紧紧贴着我的腹部和胸脯。”

这是他第一次见到她的模样。她躺在修道院后边平缓的山坡上，躺在青草丛中，周围是盛开的色彩鲜艳的苦苣菜花，花的颜色令帕斯哈利斯看着刺眼。他从画面上抹去了苦苣菜花。现在围绕她的是碧绿的青草和纯净、巨大的天空。她的躯体像个十字架，摆在山坡上，像个符号，这符号在说“瞧，这里，这里！”下方，人们在路上行走，赶着犍牛，狗在奔跑，有个男子突然爆发出一阵大笑，羊脖子上的铃铛叮当叮当地响着，刺激得人的皮肤发痒，高一点的地方走着个人，扛着一只捕获的野兔在招手，烟囱里的炊烟袅袅，缭绕升上天空，鸟儿漠然地向西飞去。帕斯哈利斯见到这一切。

一个无力自卫的人，伸开手脚仰卧地面。要是黏附到这个人的身上，以全部力量紧贴着这个躯体，将它包围住，将这个躯体紧紧搂到怀里……那又是一种怎样的滋味？帕斯哈利斯对此并不知道。夜里他将毛毯卷成长长的棒槌形状，放在地上，想象自己下面躺着的是个女人的躯体，这躯体浑身热乎乎的，同时又柔软又坚硬，搏动着一个鲜活的生命……他小心翼翼地躺到了上面，呼吸一下就变得很浅，而且时断时续，仿佛突然缺少了空气。他就这么躺着，没有感到轻松。他脑子里想到的唯一的事就是就是把这个躯体固定在地上。后来，他睡到了床上，调整了呼吸，他想到了库梅尔尼斯的父亲，想他多半会有同样的感觉。

“荒唐透顶！”第二天女修道院院长恼怒地说，而帕斯哈利斯则是满面羞惭，心里责怪自己竟敢向她倾诉这种事。“我在这里给你提供藏身之所，给你提供吃喝，不是为了让你胡思乱想。你感到饥饿就吃，你感到孤独就祈祷。祈祷教程你已熟记在心了吗？”

是的，他已读过这个祈祷教程，但他觉得不可理解。“无思无虑”是什么意思？他想。怎么可能什么也不想？他站立在窗边的太阳光中，探究自己的思想。他觉得思想是无所不在的，眼睛看看窗外的景色，思想就会有活动，并且会一再重复：啊，乌云，树木，群山；啊，瞧它们怎样向高山牧场投下阴影。而当他为了跟那些景物分开，闭上了眼睛，他的思想虽然发生变化，但总是存在，总是不离不弃：我饿了，是不是已经到了开饭的时间？上边的声响是什么？是不是有人在奔跑？每天傍晚给乳牛挤奶的那个高个子修女是个什么人？或者，他会看到这样的画面：女修道院院长神情专注的面孔，她上唇上长的绒毛，她那从凉鞋里露出来的粗大脚趾；库梅尔尼斯画像前的帷幔，钉在十字架上的身体，圣水中漂着的一只死苍蝇。怎么可能不想？

有时帕斯哈利斯感到自己是给禁闭在修室。他的双脚需要运动。他郁闷地望着窗外的群山。他思念世界。他感到伤心的是，他既没见过城市，没见过宫廷的绘画，也没见过据说是高耸入云的教堂。教宗在南方遥远的地方，现在正跟宗教会议协商如何在路德教派信徒面前拯救世界。他想象这个世界——它是美好的，如同画上的一般，他在先前那个修道院对着这样一幅油画有时一看就是几个钟头。平缓的山地景观，谷地的沙堡，河流，沿河漂浮着的小船，小片耕过的田地，田地里是穿着整齐的农民，一座磨坊，一个乞丐，几条狗。可是在这里，眼前坐着的不是怀抱婴儿的圣母，只是教宗，一个高大、肃穆的男人，有点像策莱斯滕或格拉兹的主教。教宗的头脑里产生思想和言辞，天使们将其写在飘荡的丝带上，现正拿着丝带立在他的头顶上方。

修士的手正午时总是发软，思想停滞在飞行过程中，像一条条丝带那样挂在帕斯哈利斯的修室。它们杂乱无序，混成一团，文字失去了自己的形态并纷纷碎落，化为齑粉撒满一地。正午的魔鬼给修士造成一种印象：事物产生意义的历程减缓了速度，而太阳则停住不动。帕斯哈利斯将目光盯在某个点上，甚至不知是个什么点。打算做的工作变成了悬在头顶上方的石头，成了整个世界的重负。放弃的诱惑，突发的钻心的空虚，总是像蟋蟀鸣叫那样的单调、无聊。帕斯哈利斯读着"Anxietas cordis quae infestat anachoretas et vagos in solitudine monachos"[①]，他知道，自己在犯罪，不是因行动而犯罪，而是因放弃一切行动而犯罪。看来唯一的拯救就是逃跑。

帕斯哈利斯本想，一旦留在修道院，修女们会将他视为与自己地位相同的人，给他穿上修士服，允许他跟自己同桌进餐，允许他参与自己的生活。可她们都把他关在修室里，对待他的态度就像他根本就不存在。她们要他描述一个他不认识的女人的生活，整理她留下的文字，而这些文字他又不甚了了。他思忖："要我写库梅尔尼斯的故事，可谁来写我的故事？"因此第二天女修道院院长来的时候，他说，他要放弃。说他想去罗马，请求教宗承认他是个女人。到那时他就会作为享有与大家同等权利的修女回来。女修道院院长眨了眨眼睛，什么也没说。他

① 拉丁语，意为：心灵的不安折磨着处在孤寂中的隐居者和修道士。

用嘴巴触了触她的手。“好吧，”她终于开了口，“告诉你我为什么允许你留下来吧。我第一次见到你的时候，我想起了一头鹿，一头受伤的小鹿。而随着时间的推移，小鹿会长成强壮的大鹿。你向我请求留在这里的那一天，我曾向库梅尔尼斯祈祷，因为我不知该怎么做。我一向很少做梦，但那天我做了个梦。我梦见了漂亮的象牙浮雕，展现的是两只动物——鹿和狮。鹿吃掉了狮子，吞下了它的脑袋。”女修道院院长住了嘴，满怀期待地望着帕斯哈利斯。“喏，后来呢？”他问。“什么也没有，这已是一切。”“这意味着什么呢？”她耸了耸肩，“我不知道这意味着什么。但我知道，这样的梦不是每天都会有的。你应该留下来，写出圣女的故事，带着它去谒见格拉兹的主教，然后再去陛见罗马的教宗，好让他们正式将她尊为圣徒。”

这天傍晚，帕斯哈利斯详细地想象自己在罗马的一幕：教宗因他的工作和长途跋涉而大受感动。教宗使他想起策莱斯滕。他把手放在帕斯哈利斯头上，此举令众位主教和国王羡慕不已。而后他转身朝着所有这些统治者、富翁和聚集在庭院里的人们，说道：“从这一刻起帕斯哈利斯是个女人！”在回程的路上，每走一俄里[①]帕斯哈利斯的身体都在发生变化，乳房逐渐变大，皮肤变得越来越光滑，终于在某一个夜晚，他那天生的阳物一去不返地消失了，有如连根拔掉。在那里留下了一个洞，神秘地通向他躯体的深处。

① 1俄里约等于1.06公里。

书 信

我收到的信件几乎仅仅来自妇女，我写信的所有对象也几乎全是——妇女。在不看电视的时候，从这个地方看到的整个世界，似乎完全是女性的。女人在商店里出售食品，组织开会，带孩子购物，塞满往返新鲁达的公共汽车，剪头发，洒香水，约定黄昏时见面，亲吻两个面颊，在商店里试穿衣服，在邮局里出售电话卡，投送女人写的、女人读的书信。我还有玛尔塔和两条母狗。还有一只母山羊。R是个例外，他的在场更加突出了这种无所不在的女性气。按照同样的原则，有人往发酵的甜点心里加点盐，而往酸味的果汁里加点糖。

我考虑过一些词，它们之所以是不公平的，定是由于它们出自不平等的和胡乱划分的世界。“英勇”一词的阴性对应词是什么？难道是“女英勇”？如何称呼女子身上的这种美德而不强调她的性别？“老丈”或“哲人”这些词都没有阴性的对应词。说到老年妇女只能说是老太婆或老妇，似乎妇女到了老年就没有任何尊严，没有任何豪气，似乎老年妇女不可能是聪明的。充其量只能把她说成是“巫婆”，需要指出的是，这个词源于——“知道”，就是说“巫婆”知道别人不知道的事物。但这将是一个恶毒的老妇形象，是一个有两个耷拉着的乳房和一个不会生育的肚子、因怀恨世界而疯狂的人物，尽管是强而有力的。老年男子有可能是个聪明、尊贵的老人，简而言之就是智者，而要对女子说点什么类似的话，则必须绕来绕去，拐弯抹角，形容一番——年老的、聪明的女人，这听起来是那么卓越、崇高，以致足以令人产生怀疑。不过最令我感到不安的是“收作儿子”一词，因为没有直接与之对应的“收作女儿”这个词。上帝就把人都收作了儿子。

大麻做的糕点

把德国人的尸体从边界一方扔到另一方的同一个边防卫兵，冬天的时候来到黑森林巡逻。他的任务是检查森林中那条通向捷克的老路对于所有可能出现的酒精和小汽车走私者是否仍无法通行。早春时节需要带着电锯到那里去，锯倒几棵树木让它们倒在行车道上。这是保护国家边界的惯常做法。砍倒云杉当然要得到林业管理人员的同意。

边防卫兵认识附近所有的人。他一眼就能分辨出生人，那时便要检查那人的证件，给基地打电话。不管那是什么人，是采蘑菇的还是迷路的旅游者，边防卫兵总要从高处通过望远镜观察他的行踪，直到那人远离边界，朝自己的一方走去。

他以这种方式见过许多人，其中有单个的人，这种人迈着摇摇晃晃的两腿，但步子坚定；有成双成对的人，这种人很快就会没入某处的灌木丛中；有鱼贯而行的一群人，这种人在背包的重压下往往低垂着脑袋；有带着动物的人，这种人往往带着狗、马匹、乳牛、用篮子装的瞎眼的猫——那是要送到某处淹死的；有带着东西和机器的人，有骑自行车的人，有驾小汽车的人，有开拖拉机的人（实际上附近只有一个人有拖拉机）；有的人带着渔网，有的人带着电锯，有的人带着装在塑料袋里的蘑菇，有的人带着在贼窝里买的半公升烧酒……从某种意义上讲，边防卫兵眼前有个剧院，可惜剧院里演着的是些枯燥乏味的节目。他必须自己作出许多补充，好把故事拼凑完。他还必须知道某些事：如此这般推着自行车走过坎坷不平的路要到哪里去；下方一栋房子前面停着一辆白色的欧宝牌汽车是什么意思；而深蓝色的公共汽车、在别的房子里开着或关着的百叶窗又是什么意思，绵羊为什么在山隘里放牧而不是在森林边，铁床为什么会摆在果园……这一切他都必须弄清楚，否则对他见到的东西便不会明白。那他也便是视而不见。

他有过这样的情况，很显然，他经常看得出神，他看自己面前的世界就像看图片一般。下方，人在柏油路上行走，在赶着乳牛，狗也在奔跑，有个男子突然爆发出一阵大笑；羊脖子上的铃铛叮当叮当地响着，使人觉得皮肤发痒；高一点的地方走着个人，扛着一只偷猎的野兔，在向什么人招手。烟囱里的炊烟袅袅上升，鸟儿向西飞去。这画面持续存在，没完没了，似乎是永恒的。是场面巧遇了人，而不是人巧遇了场面。

除夕下午，这个有着红润、朝气勃勃、宛如甜面包似的脸蛋的年轻边防卫兵，骑着自己的大摩托车慢慢驶过雪地。车轮深深地陷入雪里，他必须加倍小心，以免滑进路旁的深沟。后来他看到许多来来回回转着圈子、又向前方奔跑的足迹。较大的雪堆印有个人体的形状，定是有谁在雪堆上待过并顺着它滑落，翻滚。定是有人躺在雪地上，挥动着手和脚，以这种方式在雪上留下一只大鸟形状的印记。

他在隘口遇上了他们。他们戴着五颜六色的可笑的帽子，总地看上去，有些令人生疑。尤其是当他想要他们出示证件的时候，他们竟然嘻嘻哈哈毫不当回事。他们相互投以意味深长的目光，接着又爆发出一阵大笑。他心想，这些人定是喝醉了，转而又觉得自己像个白痴，须知今天是除夕。然而他们愈是高兴，他就愈是严肃；他们愈是由于情绪高涨而热气腾腾，愈是高兴得几乎要飘浮到雪的上方，他便愈是感到给钉在了地上，他的双脚在雪地里也就陷得愈深。他们的好情绪激怒了他。

他们是些年轻人。跟他们一起有个姑娘，她给他的印象是又美又难以接近。她嘴里咬着一缕浅黄色的头发梢，神秘地望着他，仿佛是刚从美梦甚至是色情的梦中惊醒。

他们是些不认真的人，在边界地区随身不带证件，他甚至无法给他们登记。

"背包留在茅舍里。"他们说。

不管愿意不愿意，他必须跟他们一起回去。他们轮流在雪地上推着摩托车走。小伙子们对摩托车是内行，但这一点也没使他感到惊讶。他始终觉得自己在他们身边是个可笑的无足轻重的角色，于是他仿佛是无意识地敞开短大衣，向他们展示手枪闪闪发光的皮套。

茅舍里散发出无人居住的气息，也就是一种潮湿和晚秋残余物的气息：枯叶和干草，还有耗子的酸臭味。屋子里很冷。他坐在桌旁，登记他们身份证上的资料。他们所有的人都来自弗罗茨瓦夫，居住的街道名称听起来充满大城市味和世界味：

维也纳大街，维斯皮安斯基海滨，格伦瓦尔德大街，太空人大街。不错，他知道，他们是来这里欢度除夕的，为了喝个痛快，胡闹一番。很显然，他们不是走私贩子，无论如何他们不会有损于边界。可是现在不宜后退，不好对他们说：一切正常，我走了，我晚上也有活动，深色西服已烫得平平整整的，准备就绪，就挂在橱柜的门上。烈酒也已放在冰箱里冰着，香槟酒正威风凛凛地立在壁橱的酒柜里。

在他们那种搅乱他写字的思路、令人难以忍受的嬉笑声中，姑娘在他面前放下一杯茶，他怀着感激之情喝下了。热茶使他内里暖和起来，也放松了许多。他点燃了一根香烟。他吃了一块黑乎乎的古怪糕点，它带点草药的味道，带点异国风味，有点像蜜糖烤饼。他们的笑声是针对他的严肃来的。他应放过他们或者给他们以惩罚，然后朝森林的方向走，回到哨所，交差，回家。可他却坐着不动，吃着那种糕点。他们在彼此交换着意味深长的眼色中，以某种令人怀疑的热心不断把糕点送到他面前。所有的人都在望着他怎样把糕点塞进嘴里、咀嚼和咽下。他有个印象，他们的思想联合在一起，彼此交谈，只是他听不见，在他们中间只有他是个陌生人。他们是自己人，他是外人。可要知道，这是他的防区。

最后，不知何故——与自己的意愿相违，他走到屋前，给基地打了个电话。说他正在返回。天已经黑了。他们向他摇晃着帽子，哄然大笑。

他走的是一条自己熟悉的路，但他似乎觉得有点长。他应该已经到了小桥边，可实际上刚刚经过最后一幢房子。他想着那些年轻人，实际上他不能不想他们，他似乎觉得那是些狼人。我的上帝，这个想法吓了他一跳。狼人！他停住了摩托车，熄灭了车灯，骤然处在一片黑暗之中，黑暗使他愣愣地站立不动。他看到远方的村庄，亮着灯的窗户宛如空间的一些四方形窟窿。或许他应该回头，再一次回到那些人中间，告诉他们……可是，告诉他们些什么呢？他把摩托车猛地一拉，调转了车头，启动了发动机。车开动了，可片刻之后就钻进了雪堆。整个前轮消失在雪堆中。他的双手开始令人难耐地发麻，他不得不尽量活动手套里的手指。

意想不到的情况发生了。他头脑里出现了万千思绪，它们被掐头去尾，弄得支离破碎，残缺不全。话语从这些思绪中散落，如同从破口袋里撒落出罂粟花籽。他开始收集它们，但持续的时间是如此之长，大概过了一个钟头。而他则信心不足地继续使劲拉拽那陷在雪堆里的摩托车。他看了看表，但表盘是黑的，什么也看不见。于是他开始寻找打火机。他定是将打火机留在那间茅屋里了！那里一直在用干草烤糕点。糕点的气味回来了，边防卫兵感到不好受。他拿一小把雪擦脸，但这一点帮助也没有。他望着自己的摩托车，仿佛觉得它睡着了。得将它这样留到早上。他脱下短大衣，盖在机器疲惫的躯体上。它感激地嘟哝了一声。

边防卫兵回头又朝着隘口和小村庄漆黑的房子方向走。嘴里有糕点的味道，他又一次感到不好受。不好受，不好——受。他缺少了某种东西，某种跟温暖和食物有关的东西。瞬息间时间的流逝停止了。边防卫兵十分清楚地意识到，他犯了错误，他不该脱掉短大衣走路，而且是步行；他应该加快脚步，因为夜间在荒野这样行走是危险的。这里夜间一直有狼。

就在这时他听见了狼就在上方森林的某处，他听见了一种充满绝望的尖厉刺耳的声音，一种无望的、充满痛苦和孤独的哀鸣。

他在弗罗茨瓦夫动物园里见过狼。看上去像个标本，虽然会动。它有一身蓬乱的、发臭的毛，很像那条每天礼节性地追逐他的摩托车、企图抓住他的裤脚的看家狗。但这不是一切。因为看家狗有自己的时间，而狼是无时间限制的。狼不生也不死，狼甚至存在于那种没有狼的地方。这个发现使边防卫兵大吃一惊，以致他站住了，开始竖起耳朵谛听。悲伤尖厉的嚎声停息了，但现在他听见似乎有某种踏雪的细碎脚步的窸窣声。

他像渴念女人一样渴念丢失的打火机。如果它在身边，他就能用来给自己照亮，他就会知道现在是几点钟，就能解决许多问题。他就能在它的光照下一步步往上走，就能到他想去的地方。可像这样甚至不知是向右还是向左，是向上还是向下。不管怎样，反正都得往前走，他在雪地上流畅地滑行，俨如穿上了滑雪板。他喜欢这样。走得好。走得——好，到又暖和又有亮光的地方，到有梦一般的姿色、嘴里咬着一缕浅黄色头发的姑娘那里去。这时，在他的身后雪地上已无声地出现了五瓣蹄印。

他看到了它。既不在自己前边，也不在自己后边，只是在黑暗中的某处。它身躯硕大，花白的毛映照着雪的亮光。

“狼啊，以国家边界的名义饶了我吧！”他在这黑暗中说道。

狼在他身后站定了，思索了起来。

网络中的梦

我到了一个奇怪的杳无人烟的地方。我知道自己是迷路了。我在这阴郁的荒漠里徘徊；整个时间都是昏暗的。我时不时找到自己的踪迹：我的皮鞋印、我丢失的打火机、帽子、照相机，这给了我慰藉，让我知道我是沿着自己的足迹走的。冷不防地我站到了小溪旁，溪水里映照出灰蒙蒙的天空。我也看到了自己的面孔——我感到出乎意料，因为那原是另一副面孔。我一生都以为自己是另一副模样。我开始洗脸，并且惊骇地看到，水洗掉了我脸上的肉，却一点也不痛。我的脸溶化了，仿佛是蜡做的似的。我的脸溶化在水中。最后我恐惧地感觉到手指下方是光秃秃的骨头。在这个瞬间，我猛然悟出了一个令人心惊胆寒的真相——我已经死了，再也不能回头。

星历表

玛尔塔有个特别令我不快的习惯：她喜欢站在我背后，越过肩膀窥视我在干什么事。我听见了她的呼吸：又轻，又快，又浅，典型的老年人的呼吸。我闻到了她的气味，总是一种梦的气味，被单的气味，睡意蒙眬的皮肤的气味。儿童有时也有这种气味。这就是那种成年人乐于用香水和除臭剂压下去的气味——到那时人就有一种像东西散发出的气味，而不像人的气味。

玛尔塔常出现在我的上方，就这么站立着。这时无论我在做什么事都开始出差错：如果我在读书，书中的文字就会从我的眼前溜走，词句就会变得含意不清；如果我在写作，我就会突然感到文思枯竭，找不到可写的东西。那时我便会婉转地离开她远一点，以免刺伤她，但我却生她的气。

她不妨碍我做的唯一的一件事就是读星历表，即完美地标明行星位置的详细的表格。之所以不妨碍，可能是由于那里既没有文字，也没有句子，甚至没有需用眼睛看的插图。只有一列列完全是中性的数字，固定的数字，不适用于缺乏理解力的人的、一次算出就永远不变的、白纸黑字印出来的数目字。数的排列从一到六十，因为人们给了时间这么多的可能性，以便时间能以某种方式表现出来。因而它只有数的组合，十二个简单的、表示天空的字形符号，还有十个表示天体的标识——这就是一切。而认真地深入阅读这些数字，目光移过行和列，有了相当的实践经验之后，就能掌握其全部内容，看到其细致的瞬间平衡，这种平衡唯独纸做的活动装饰物才有。我妹妹就会做这种活动装饰物——细心斟酌的空间结构，它挂在丝线上，靠房间里难以觉察的气流推动。然而纸做的活动装饰物是很脆弱的，破坏它要比创造它容易得多。星历表中表现的世界却是神奇地稳定，确切地说它是永恒的。多半是由于这个缘故，没什么能妨碍我看它。

但是，在我的星历表中没有彗星。

火

“这是彗星年，”阿格涅什卡把牛奶倒进我的小锡罐时这样说，“那是教宗活着的倒数第二年。两种自然力相遇，而后到来的就是奇怪的冬天。人开始像苍蝇一样地冻死。”

阿格涅什卡有时会预言未来。她每天眺望皮耶特诺，唯一能预感到的事情就是世界末日。我们一次又一次地听到有关未来事态的另一种说法。她的想象能力是无限的。此外，她还善于东拉西扯，最终总能编出个什么故事。跟如此这般一样，随着讲故事的时间、地点和环境不同，讲的故事内容也不断变化：这要看是在傍晚还是在早上讲的，是在井边还是在“利多”餐馆里讲的，是喝着葡萄酒还是喝着烧酒时讲的。

听了她的预言之后我走大路回家。我走走停停，直接从小锡罐里喝着牛奶——那味道就像白色的天空。我想起了蘑菇，不知是否已经长出来了。天气已够暖和，该有第一批伞菌了，也够潮湿，该有旅行家蘑菇，对于马勃菌也已有足够的阳光。后来我含着满嘴的牛奶看到，房子上方的牧场着火了。火势像条细链往山下烧，顺风朝森林的方向蔓延。一条细线在缓慢移动，在阳光里愉快地闪烁着。它很安静，身后留下一片黑色的地带，留下一片酷似云影的东西，但比云影要黑一百倍。

“停住！”我说，一切都应停止，像在电脑的战略游戏中那样，像在电视的气象图里那样，在那里世界是由波浪形的线条和数字组成的。

什么也没有发生。突然听到有人在我身后叫喊。阿格涅什卡站立在隘口，她那短小、又矮又胖的身材穿着松松垮垮的运动服看上去极其丑陋。

“风向一变，就会烧着你们的房子。”她叫喊着。我似乎觉得，在她的喊声里仿佛包含着几分得意。

我朝下方奔跑。牛奶从晃荡的小锡罐里泼了出来，洒到我的皮鞋上。熏得黝黑的消防队员到来之前，我们已经忙了几个钟头。他们说是山丘那边的牧场烧着了。他们齐腰脱光了衣服，不慌不忙的。他们若无其事地穿过火墙，抓住那条熊熊燃烧的火线的两端。大概他们知道该怎么办——以这种方式控制这条在地上延伸的火线。他们使火线的两端拐弯，直到火线变成环形，让火在中心燃烧。风停了片刻，出现了一个大大的火圈。火在圈内肆虐，像飓风，像龙卷风。我透过吓得瑟瑟发抖的空气看见，它们怎样总是落到尖尖的草梢上，看见太阳去年的杰作如何枯死、烧焦。旋转的火舌喧嚣着，直到火自己吃掉了自己，最终熄灭。

烧毁了牧场、一片森林和浆果灌木丛。我最痛惜的是所有的浆果，这样一来，火便毁灭了一片多汁的未来。玛尔塔曾经向我们演示了如何扑灭燃烧的青草——用云杉树枝打火。轻轻地拍打，就像火是个小孩，只能轻轻地打他的屁股。如果拍打的动作过于强烈，就是给火提供了空气，火就会烧得更旺。玛尔塔说，牧场每隔几年就会烧一次，无须为此难过伤心。R对牧场火灾却另有看法。

“我找到了这个词，”他说，“‘哲人’的阴性对应词是‘卖弄小聪明’。”

谁写出了圣女传，他是从哪儿知道这一切的

他动手写圣女传。写得很慢，很艰难。他一个字一个字地编织姑娘的故事。后来，我们的主把自己的面孔赐给了她，从而使她最终殉难而亡。传记的头一个句子是这样的："库梅尔尼斯出生似乎是不完美的，但这种不完美的含意却在于，是人们强加给她的某种不完美。"第二个句子："但有时在人的世界里不完美的事物，在上帝的世界里却是完美的。"两个句子花了他整整四天的时间。实际上他弄不明白自己写的是什么，有什么意义。或者他明白了，但不是靠文字，也不是靠思想理解。他躺在地板上，闭着眼睛，一再重复这些句子，直到它们完全失去意义。直到这时，他才悟出自己是写下了世上最重要的东西：他该从什么地方了解，现在该做些什么；知道只有当他跟菜肴的味道、空气的气味以及各种声响分隔开来，那时他才能继续写下去。那时他将变得干巴巴、麻木僵化、没有感觉、没有味觉、没有嗅觉；修室里的一缕阳光不再令他高兴，而太阳的温暖在他看来也是无所谓的东西，不值得注意；同样，他曾经喜欢的一切都变得无足轻重。他的肉体在麻木僵化，在逐渐远离他，同时还将期盼他的回归。

他写呀写，迫不及待地写着：何时终于能够结束写作，何

时能恢复自我，重新把自己安顿在自己体内，可以伸开手脚懒洋洋地躺在里面，如同躺在舒适的被窝里。

他描述了圣女的童年——大家庭中的一个孤独的女孩，一个迷失在众多同胞姐妹群中的女孩的童年。“有一天父亲想把她唤到自己身边，却忘记了她的名字，因为他有那么多的孩子，头脑里装着那么多的事，他一生进行过那么多的战争，他还有那么多的农奴，以致女儿的名字都给忘到了九霄云外。”帕斯哈利斯现在深信，库梅尔尼斯的童年定是不同一般的——她瘦弱的儿童身体散发出一种香膏的气味，虽然是冬天，人们却在她的被窝里找到了新鲜的玫瑰花。曾经有一次为了准备参加某个庆祝活动，把她放到镜子前面，镜子上竟出现了圣子面庞的肖像，并在那里停留了一段时间。帕斯哈利斯认为，定是这件事促使库梅尔尼斯的父亲（他体魄健壮，性情暴躁，易怒）把女儿交给修女们教养。女修道院看上去就像他从自己的修室窗口看到的样子，一座建筑在高处的大房子，从女修道院的窗口看得见山。照顾小姑娘的那位地位较高的姐妹长得就像女修道院院长。当然不是那么具体，上唇没有绒毛，但她甚至是对自己的原型也可以辨认出来。

“这一切你是从哪里知道的？”当她读完头一页之后问他。但从她的声音里，听得出这是一种赞赏的语气。

从哪里知道的？他不知道是从哪里知道的。这种认识是从闭着的眼睑下得来的，是从祈祷、从梦、从环视四周、从到处看看得来的。也许是圣女本人以这种方式对他讲过话，也许是她的著作的字里行间在某个地方出现过她生活的画面。

他仿佛觉得，不仅是要写出一切是怎样发生的，叫出各种事件和行为表现的名称具有重要的意义，而给不曾有过、从未发生过、只是有可能发生、只是想象出来的一切留下一定的地方和空间也将是同样重要的，甚至是更加重要的。圣女的生平同样是不存在的东西。于是他甚至想过，可以在纸上留下空白的地方，比方说，在行与行之间，甚或在字与字之间——留下较大的间距，但最后他觉得这样做太简单化了。倒不如在描写库梅尔尼斯生活中发生的事件之外留下空白空间——留下多种可能性的广阔地域，留下一些扩展到整个舞台内部的活动的结果。

有一点也妨碍了他的写作，那就是圣女生活在往昔，生活在过去，当时那里既没有他的双亲，也没有他的祖辈，他能从哪里知道圣女的世界是何等模样？须知树木在不停地生长，人们在不停地砍伐森林，不断在出现新的道路，而旧的道路又长满了荒草。他的村庄跟他童年记住的村庄肯定不一样。而他没有见过的罗马又是一副怎样的景象？能跟他想象的完全一样吗？如何去讲述那些没有见过、从未体验过的事物？

因此，不管他愿意还是不愿意，他总是在自己熟悉的场景中观察她，在这座女修道院，在这个庭院里，在这些给他生蛋吃的母鸡当中，在那株他夏天享受阴凉的栗子树下，在跟女修道院院长的修女服一模一样的修女服里看到她。可以说，她伸开双手钉在十字架上的肉体搅乱了她存在的时间。只要他把库梅尔尼斯作为活着的姑娘来描写，她就一直活着，哪怕他在思想上让她死过许多次。整个时间她都待在空气层下面，待在空气层之间的什么地方，因为那里任何东西既没有逝去，也没有结束，虽说看不见任何东西。他认定自己写作的目的是使所有可能的时间、所有的地点和景物并存于一幅画中，这幅画将是静止的，是永远既不会过时，也不会变化的。

现在每天中午以前帕斯哈利斯都在写圣女的故事，而在下午他便开始用心抄写 *Tristia* 和 *Hilaria*。越来越频繁地出现这样的情况，他在写完她的一句话的时候，突然眼前一亮，他明白了这句话的内在含意。这使他激动不已，同时也惊诧不已。原来那些同样的字能以许多不同的方式去阅读和理解；或者能理解所写句子的含意，但体验不到这种含意；能知道写的是什么，但不明白写的东西。这一发现使他握笔的手停住了，一动不动，而他的思想却黏在发现的东西上面揭不下来。

库梅尔尼斯写道：

“我见到自己像个镶嵌的百宝箱。我打开箱盖，里面还有一个百宝箱，完全是用珊瑚做成的，珊瑚箱子里还有一个箱子，完全是用珍珠串起来的。我便这样急不可待地自己打开自己，一层一层地打开，不知还会见到什么，直到在最小的一个百宝箱里，在一个最小的盒子里，在所有百宝箱的底部，我看到了你的画面，鲜活的、色彩斑斓的画面。为了不致让你从我自己内里丢失，我立刻关上所有的箱盖。从此我跟自己和睦相处，甚至爱上了自己，因为我内心有你。

“任何人只要心中有你，都不可能是卑劣的，因此我也不是卑劣之人。

“我总是怀着你，却茫然不知，就像别的生灵怀着你也一无所知一样。”

帕斯哈利斯在自己的圣女故事中写到库梅尔尼斯为逃避未婚夫而躲进了女修道院的那一时刻，曾是如此激动，以致抛开了情节发展，从结尾的事件写起：被禁锢和被钉上十字架。他不吃不睡，奋笔直书。夜晚的天很热，因此不会挨冻。只是他的手指发僵，后脖子痛。

现在他看到的库梅尔尼斯是如此清晰、详细，仿佛跟她是老相识。仿佛她就是那个照料乳牛的修女，或者是那个给他送饭的修女。她个子长得很高，但身体苗条，手和脚都长得大，像女修道院院长。她有一头古铜色的浓密秀发，编成两条辫子，绕在头顶上用发卡别住。她的两个洁白的乳房圆润得那么完美。她说话迅疾而感情激烈。

后来他梦见了她，就是他创造的那个模样。他在某些走廊里遇见了她，走廊是这个和那个修道院细节的混合物。她手里端着个什么器皿，他走近她的时候，她递给他一只杯子。他喝下杯子里的东西，立刻明白自己犯了错误，他喝下的是火。她冲着他神秘地微笑，冷不防地亲吻了他的嘴巴。他在这梦中心想，他必定是快要死了，火已在起作用，没有任何力量能够救他。他感到孤单，孑然一身，形影相吊。

次日清晨女修道院院长来的时候，他对她讲了这个梦，而她则动情地将他搂在自己粗糙的修女服里。“你的头发长长了，儿子。”她说，将一绺黑发缠到手指上，“已经盖住了你的耳朵。你看起来开始像个姑娘。”

集体祷告之后，她把他领进了园子里。帕斯哈利斯由于芳香和温暖的空气而感到头晕目眩。月季和白色的百合已经开花。在苹果树和梨树中间，精心管理、没有杂草的草药畦和菜畦标示出一些简洁的图案。女修道院院长满面笑容地望着他，见他穿着自己的灰衬衫，赤着脚，心醉神迷地在花间走来走去。蓦然间她摘下一片薄荷叶，搁在指间揉碎了。“假如我不是……”她在这话语的边上停顿了一下，“我就能把你收作儿子。”她说。“应该说收作女儿。”他更正她说。

六月末帕斯哈利斯写出了舍瑙的库梅尔尼斯传的最后一个句子。进行打印、复制并抄写完 *Tristia* 和 *Hilaria* 又持续花了一个月的时间。

女修道院院长给格拉兹的主教写了封长信，帕斯哈利斯不久就要动身去完成自己的使命。他的修士服已洗干净并且修改过。它定是缩了水（或者是他自己长高了），因为它的长度才到他的踝节部的上边。他得到一双新木屐和皮褡裢。

“路上你会碰到许多离奇的惊险怪事、奇遇，说不定还有诱惑。国家到处笼罩在一种不平静的氛围之中……”帕斯哈利斯听到完全像自己母亲的女修道院院长的叮咛频频点头称是，但她说的话好不令人奇怪：“你只能顺应那些你认为值得顺应的奇遇。”这些话大大出乎他的意料，他瞥了她一眼。她把他紧紧搂在怀中，久久地抚摸着他的头发。他委婉地从拥抱中挣脱了出来，亲吻了她的手。她的嘴唇轻轻触及他的额头，在这轻轻一触之中他感觉出她上唇绒毛的接触。“是上帝把我送到你身边的。”她说。“愿上帝与你同在，儿子。”

翌日黎明时分帕斯哈利斯就上路了。刚出女修道院的大门，他便进入了夏天的晨雾里，太阳光透过雾层照射出来，仿佛只像是月光——雾就这么吸收了它的全部力量。他朝群山的方向走，整个时间都在向上迈步，越走越高，直到把脑袋从雾海下伸了出来，看到鲜绿色的山坡和湛蓝的天空。他的褡裢里放有两本书——库梅尔尼斯的著作和用木板装订的圣女传。他蓦地感到轻松和幸福。

他前方屹立着奇怪的扁平的群山，恍若巨人用其大无比的快刀削掉了它们的头顶。这景象不啻从地里冒出他们宫殿的废墟——威力被粉碎成尘粉的明证。帕斯哈利斯知道有一条绕远的道路，它以一条舒缓的弧线绕过群山，经过诺伊罗德去格拉兹。但他经过短暂的犹豫之后，仍径直走上那些扁平的、连绵不断的山峰。

青草过敏

青草扬花的时候，我们俩都得了花粉过敏鼻炎：我们的鼻子都肿了，而眼睛则泪水长流。R 和我都曾冲着几公顷的牧场和长满杂草的荒地大声喊叫。房子里没有一个角落能躲过看不见的细小的花粉颗粒，或许只有那黑暗的最底层的地下室——水总是从那儿流过——可以躲避。我们俩不得不在那里坐到下午，我们俩必须在那儿躲藏。在城里可就不同，总是可以关上门窗坐在家中。在城里，人们的眼睛只是从远处认识青草，而那些青草又都是经过修剪的。城市绿化机构不允许它们开花。城里人的脚结识土地是从足球运动场，是从那些下班后遛狗的小公园里。他们对青草扬花可以无动于衷，可以根本就不去想它。这里自打去年青草就上了阳台，生长在砖与砖之间的窄条土缝里，爬进了我的小园子，吞没了鸢尾花。

R 拿着大镰刀出了门，不顾一切贴着地面就割起了青草，青草倒下时，散穗轻轻触到了他的双脚，皮肤上留下了明显的发红的印记，后来就变成了成片的细小的斑疹。这就是说，像我们这种人，无法不受惩罚地砍伐青草。青草跟我们展开了战争。我说过：“我们在这里是外人。”而 R 却断言，说这样很好，这是我们用血肉之躯给牧场所做的献祭。有了这种献祭，我们就能为青草而生存。假如青草不能给我们半点伤害，它们就根本不会理解我们，甚至不会发现我们。那时我们才是外人，宛如死者的灵魂在活人中间走来走去，但由于灵魂不能以任何方式伤害他们，于是活人在提到它们时就说它们根本就不存在。

弗兰茨·弗罗斯特

弗兰茨·弗罗斯特由于特殊的原因喜欢上教堂。他和妻子在教堂各有固定的位子——他在右边，跟其他的男人在一起，而她在左边。教堂分开了他们的家庭，他们从教堂相对的两边相互看到，彼此眉来眼去，投以关切的目光。他的妻子常常检查他穿节日的西服上衣的样子是否好看，而他则带着自豪的神情欣赏妻子精致的发型、满头的卷发和发针，赞叹她在卧室的梳妆台前，在紫罗兰香水、熏衣草和上过浆的衣被气味中，默默无言地精心做出的发型。而后，在参与弥撒时，人们都在抑扬顿挫地应答神父的吟唱，弗兰茨的眼睛从妻子的头上瞟向了教堂里其他那些最吸引他的物件。例如长凳是以什么方法做出来的，怎么会想出那些把座位和靠背不显眼地连接起来的精致的楔子。令他神往的还有那些刻着姓名的小金属牌。它们的螺丝帽是半圆形的，手指触到那凉丝丝的凸起都是一件愉快的事。甚至他在观看教堂墙壁上挂的油画时，吸引他的根本不是画的内容，而是画画的布或做画框的木板条。不错，油画的画框才是真正的艺术。

教堂里有一幅油画，虽说他已熟记于心，但每次看到它，目光总盯在它上面离不开。这幅画展示的是圣母马利亚，她身边围着一些圣徒。其中的一个圣徒端着托盘，托盘里盛放着他自己被砍下的脑袋。然而最重要的是，这幅画是环形的，神奇地装配起来的画框不可思议地在墙上围出个完美的环形来。弗兰茨激动地想象，这得用什么样的木头，才能完成如此美妙的杰作。弥撒结束后，他经常走到这幅画跟前，研究框上木头的纹路。不是像开头预料的那样，不是像理性和经验提示他的那样用许多小块木头拼接而成。而是用一整块木头做出来的，只是在下方用普通的白铁片将两端连接了起来。应该承认，这种连接的方式看来相当随意。他深信，做这样的画框，用的是专门准备的木头，是把嫩树枝弄弯，让它按照环形生长，有可能是用铁丝捆着，让它弯到地面，再蓄意引导它在一个看不见的圆圈形空间发展。弯曲的树枝破坏了云杉和赤杨的垂直节奏。人的或动物的目光都常停留在弯曲的树枝上。植物不知存在着几何图形的事，充其量只是偶尔模仿几何图形。但在这种无意识的模仿里往往是密集度下降，出现疤节和变粗、变厚、缺乏对称性。人们就说这是“不完美”，植物怎么会知道什么是“完美”，什么是“不完美”？怎么会知道世上还有“完美”的东西？

空间里存在着各种各样眼睛看不见的形状，一切可能的式样，一切现成的方案。它们近在咫尺，就在身边，贴近脸颊，贴近眼球，然而它们有形无体，你的手在空中挥动，穿过它们犹如穿过烟雾。正是这种存在使弗兰茨激动不已。也许弗兰茨就是这样想的：过去有过和将来会有的一切都存在着——简而言之就是有，但却抓不住。说不定什么地方已经存在着那种他对付不了的水泵——它绝妙地解决了把水从下往上抽的设想；说不定已经有了人们刚刚想去发明，甚至尚无法想象其形状的机器；说不定也已经有了某些可用手进行复制并把东西刻印、禁锢在金属、木头或石头里的现成设备。空间充满了各种看不见的齿轮、传动装置、滑轮、系统，各种明明白白的基本秩序、规律性，只是眼下还抓不住它，掌握不了它。

约莫在三十年代初，弗兰茨·弗罗斯特便感到有些事不那么正常。他出门爬上两个村庄之间的那座山，去闻风的气味，去观察小草，把泥土放在指间揉搓。他注意到的东西，没有一样是他先前感觉到的那种样子。青草似乎变得更尖利了，动作稍不留神就会被它割伤手。泥土的颜色变得更深了，比以前任何时候都更红。他还有这样一种印象，那就是牧场中央的小道变长了，现在回家花费的时间要比过去长得多——因此他曾耽误了午饭。马铃薯的味道也不正常，甚至那些刚从地里刨出来的新鲜嫩马铃薯也有一种潮湿和青苔的邪味，像在地窖里放了许久似的。人们的面孔也变得模糊了，礼拜天他走进教堂的时候，似乎觉得，自己看到的是一些行走的、不清晰的照片。他向妻子倾诉，而她却说，或许是眼睛出了毛病，得了夜盲症或别的什么。可对这一点他甚至连想都没有想过。他把事情仔细思考了一番，得出的结论认为这不是眼睛的问题。要知道纺织物摸起来的感觉也不一样，菜肴的味道也起了变化，木头的气味也变了。刀似乎是按另一种方式切面包，昆虫是按另一种方式嗡嗡叫。这既不是弗兰茨·弗罗斯特的眼睛，也不是他的任何感觉器官的问题。发生变化的在于外部，但人们没有看到这一事实。人们亲身参与了这种变化，而他们却茫然不知。妇女的装束改变了，她们的肩膀现在看起来似乎变得更壮实、更有力——由于塞了特殊的衬垫而变得更坚挺。她们的裙子变短了，因此小腿看上去似乎更加棱角分明。甚至用模子烤出的面包的边缘也显得更尖更锋利，似乎想把人的舌头割伤。

他为此而惴惴不安，因为他正在搬运石头（石头看上去也是与先前不一样，似乎越来越多具有矩形的外形），他要在比老房子高一点的地方盖新房子。

他从广播中听到，某个天文学家发现了一颗新的行星。从此这件事再也不给他安宁。他从早到晚想着这颗行星，想它在远方的某处，在空无一物的空间徘徊，小小的，冷冷的，多半也是有棱有角的？既然先前没有出现过，而现在却出现了，这意味着，甚至那种永远不变的东西也发生了变化。如此变化的世界还有什么用处？在这样的世界上怎能平静地活着？

尽管如此他还是动手盖房。首先地下水勘探家给他找到了水源，他们开始挖掘一口新水井。为了让冰雪融化后流到小溪的水不致聚集在井里，为了不像老井那样地表水和地下洁净的水相混杂，他们不得不把新水井挖得很深。他们挖得很艰难，他们从地里挖出大块红色的岩石，这些岩石后来在太阳光的照射下逐渐干透，显得酷似死了的动物。这是一种阴郁的景象。

他对这些石头许诺，要拿它们去垒房子的地基，以这种方式让它们回到它们来的地方。

他们想要孩子，但弗兰茨·弗罗斯特的妻子总是怀不上，肚子总是瘪瘪的。他劝妻子不用着急，说房子建成了，孩子自会来。但他独处的时候，便会产生一种郁闷的思想。那颗行星的存在折磨着他，虽说他已不记得那颗行星的名称。他整天都在干活。他锛平了做屋顶用的椽木，用手一摸，总是觉得它仍粗糙不平，伤皮肤。砖，或许是烧得不好，易碎，粉屑散落在新地板上。山上流下的水经过房屋，安装了陶瓷排水管也不起作用。不管怎样，他相信靠艰苦的劳动和聪明才智，他有办法克服一切困难。椽木虽锛得不够平滑，却也算差强人意。墙壁也抹上了厚厚的灰泥，他们的邻居，做假发的女人又给他出主意，不如放弃安装排水管，让水经过房子流走，让它每个春天流过地下室，让它顺着石头台阶往下流。她说，对水堵不如疏，给它疏通出口，在地基上凿洞，让水流进池塘。他这样做了。可他整个时间念兹在兹的总是那颗行星。这算个什么世道，间或冒出一个新的天体。是否不知道的事物就意味着不存在？人一旦得知某种事物，这个事物是否就会改变人的命运？这颗行星是否会改变世界？

他用水泥瓦盖好了屋顶，他的噩梦也就随之而来。他的梦十分可怕。谷地是另一种样子，显得更加昏暗，谷地里的树木变得更大，但是树木之间没有房屋，只有齐腰的青草。小溪干涸了，群山削掉了自己的尖峰，变得矮而敦实，仿佛是老得秃了顶。没有路，也没有人。梦中他来到曾经对他而言很亲近的地方，他在那里寻找自己的妻子，甚至孩子。是的，他曾有过一些孩子。可是在那儿他谁也没找到，他自己是个陌生的外人；他望着自己的手掌，可它们是他不认识的某个什么人的手掌。他在这个梦中痛苦不堪，因为他感到自己永远是个迷失者，像个小孩子一样找不到路，不仅找不到路，而且根本就没有路。他惊醒了，醒来时浑身发抖，从远处再一次回顾整个的梦，一个画面一个画面地审视，在其中寻找最可怕的时刻，准备跟它较量一番。他调动了自己的全部理性以武装自己，严阵以待。他准备对梦指出它纯属无稽之谈。但是他找不到这样一个可以较量的机会。一切之所以都是可怕的，正是因为它是一场闹剧，没有意义。

这种情况延续到他的妻子终于怀了孕的时候。她一个晚上要起几次夜。她的拖鞋擦着崭新的芳香的杉木地板发出的沙沙声不时惊醒了他，而后他又沉入梦乡，所有的时间他做着同样的梦。他儿子出生的那天，他做的梦尤其可怕：

桌子上放着红色的毒蝇菌。他的妻子用一个大大的平底锅炒这种有毒的蘑菇，并一个劲往孩子无防卫能力的嘴里塞。而他在一旁看着这一幕，头脑里却没有任何反应，没有任何有关死亡的警告。孩子死了，变得很小，像个玩偶。而他则把孩子送到菜园，把一个赤裸的粉红色的躯体埋入了坑中。直到这时他才感觉到一种撕心裂肺的难以忍受的悲痛，以致醒来后不得不检查一下，看儿子是否还在呼吸，看梦是否并未突破它自己朦胧的边界，变成了真实。

很长一段时间他就这样忍受着煎熬，他害怕黄昏，害怕每一个夜晚。由于这些梦，他只能靠自己的半条命活着，另一半已经死了。

“神父是否听说过这颗新的行星？”他问教区神父。这位神父每个礼拜天都从柯尼格斯瓦尔德来这里做弥撒。

神父没听说过，不知道有这么一回事。

“您是从哪里知道这种事的，弗罗斯特？”他好奇地问。

“从广播里。”

“您听的是哪家广播电台？”

弗兰茨·弗罗斯特像村子里所有的人一样，听的是维也纳广播电台。

“您不要听这家广播电台的广播，他们在那里胡编乱造。您去听柏林的广播电台吧。”

“不过维也纳广播电台的天气预报真的很准确。”

“也许是吧。”神父回答。

当他正要离去的时候，弗兰茨鼓起了勇气说道：

“我总是做不属于自己的梦。它们让我简直活不下去。”

柯尼格斯瓦尔德来的神父望着他头顶的某个地方，回答说：

“难道梦还能是自己的吗？”

弗兰茨·弗罗斯特从神父那儿得不到任何帮助。他仿佛觉得，尽管他和神父进的是同一个教堂，尽管他们的视线落在教堂里同样的油画上，尽管他们看到的是装潢圣母和她周围圣徒的肖像画的同样的环形画框，但他们的想法却完全不同。

因此他不得不自己想办法解决问题。他从一棵倒下的大白蜡树锯下一段树桩，剥去树皮，给自己做了一顶帽子。他在木头上凿出一个可安置脑袋的深坑，周围留下一圈作为帽檐，又将帽子里外抛光，帽顶内垫了一块旧呢子。他把这顶帽子做得如此完美，远看很难分辨出它不是从商店里买的毡帽。再说干这种活他向来是能手。只有从近处看才显露出年轮和阳光在木头上微弱的折射。妻子多半会注意到这顶稀奇的新帽子，但她可能是无话可说，没吱声。要是她问了他，他或许会回答她说（他已准备好一套聪明的说辞）：这是为了防备新发现的行星，这颗他叫不出名字的行星会发送来可怕的噩梦，这些噩梦会消耗智力，耗尽清明的思考，直到智力完全丧失，而那时人就没有什么可以抓住的东西，人就会发疯。

由于有了木头帽子，他的处境似乎有所改善。在菜园里他那天夜里做梦埋自己的死孩子的地方，他栽了棵苹果树，青皮苹果。但他没尝到一口苹果的味道，因为战争爆发了，他被征入德国军队。据说他也是由于这顶帽子而丧命的，因为他不肯将其换成头盔。

他的妻子，他的孩子

弗兰茨·弗罗斯特的特征是以木头盔形帽对抗行星的影响；他的妻子，一个没有名字的妇女，其特征是满头的卷发。她在屋前台阶上打扫剩余的石灰浆。崭新的房子立在她背后，在阳光下沉默着。它太年轻，还无话可说。在屋后，她的丈夫带着几岁的小儿子在池塘岸边散步。远在西方的某个地方正要打仗。

此时有个人从太阳那一边朝这妇女走来。她抬起头，看到此人是她的小儿子。与此同时她听到房子后边传来的孩子的声音，她一愣，由于惊诧而呆立不动。

“你的儿子，我的兄弟在什么地方？我想见他。”孩子说。

她让孩子进屋，叫他坐到桌子旁边，就像平常要求自己的孩子一样。他听话地坐下了。

“我知道你是谁。”她说着，一面用围裙的带子把他的一只脚捆在桌子的腿上。然后跑到池塘岸边，用断断续续的声音把这一切告诉了丈夫。他俩面对面站立着，彼此望着对方的眼睛，望着，但从对方的眼睛里看不到自己，也看不到自己的思想，也看不到恐惧，什么也看不到。他们只能彼此用目光探究对方，以这种方式等待对方头一个开口说话。当他俩就这么站着的时候，他们的小儿子开了口，他什么都听见了，虽然他能听懂的还不多——至少他们这么想。“他在哪里，是不是在厨房等我，他真的长得跟我一模一样吗？我能去见他吗？”

接着，他就从山下往家里跑去，而他们俩则跟在他的后面。他们找到了捆在桌腿上的小男孩，他们久久地望着两张面孔，两个人物，其中的一个是他们的骨血，是他们认识的，熟悉的；而另一个长得跟他一模一样，却是陌生的。看样子似乎是认识的，但实际上不认识，不是自家的孩子，不亲近，而是隔得很远，可怕！这时，站在他俩身边的那一个走到捆在桌腿上的那一个的跟前，抱住了他，亲吻着他两边的脸颊，就像他们教导他亲吻姑姑和舅舅那样。而那一个也给了他同样的亲吻。他们俩看起来就像孪生兄弟，他们急着要出去玩耍，想到屋外生长着覆盆子和大粒的黑醋栗的地方奔跑，他们喜欢在小溪中踩着冰冷的石头蹚水，还时刻准备着去玩捉迷藏——牛蒡叶子总能确保有个最好的藏身之所。

无可选择——得把客人那只捆着的脚解开。两个小男孩一起跑到屋前，而后趁父母稍一疏忽，他俩便消失在苹果树和李子树下方高高的青草丛中了。他们纤细的声音飘到他们的邻居做假发的女人的果园上方。

“你可知道，这是什么吗？”弗兰茨问妻子。

他没有问是“谁”，而是问是“什么”。当一个人的心脏跳得怦怦响，两手发抖，脑子里出现古怪的空虚，不知该怎么办，不知是留下还是逃跑、还是佯装什么事也没有发生，在这种情况下，从来不问是“谁”，而总是问是“什么”。因为“什么”

比“谁”更能包含一切的可能性。在问起上帝时同样不问他是谁，也只问他是什么。

弗兰茨的妻子突然号啕大哭起来，用她总是放在围裙口袋里的方格花纹手帕擦眼泪。

下午他们的孩子回家了，头发里有草籽，玩得精疲力竭，晚饭时趴在桌上就睡着了。他们没有问起那另一个现在在哪里睡觉，是谁家的孩子。

后来弗兰茨就投入了战争，这场战争是新发现的行星招来的。

他离家前一天，工人们结束了上瓦的工作。他的房子有了屋顶。

初夏时节牧场上出现了伞菌。地窖里已经没有马铃薯，白菜都烂了，苹果全干了，核桃也已吃光，而大田作物则刚刚开始发芽，菜园里的蔬菜也是一样。只剩下做糖煮水果汤和做糕点用的大黄。

弗兰茨·弗罗斯特的妻子牵着儿子的手，到了森林边上的牧场。在那儿他们从青草里薅出光滑得出奇的伞菌菌盖，然后用一丁点荤油把它炒熟，他们母子就拿它跟麦糁一起搭着吃。伞菌是一种触摸起来非常令人愉快的蘑菇，它喜欢人的手指的爱抚。被揉破的白色表皮散发出茴香的气味。粉红色或咖啡色的菌褶令人想起花瓣。在把伞菌切碎扔进平底锅里之前，总想触摸、爱抚它一番。除此之外，伞菌是蘑菇中为数不多的具有热性的一种。它与人体有一股亲和力。

娘儿俩把白色球状的蘑菇扔进柳条篮子，而孩子已聪明到懂得如何把伞菌跟同样是白色的马勃菌区分开。因为马勃菌是粗糙的，像牛的舌头。弗罗斯特夫妇的孩子知道的就这么多。但他不知道的一件事，就是在牧场浓荫的边缘有时也生长跟伞菌一模一样的蘑菇——春天的毒蝇菌，它是缺乏叶绿素的鬼笔菌的兄弟，是一个用一只粗腿生长在森林边上矮树丛中的孤独者，是牧场上的死亡杀手。它从远处观察伞菌群，可以闻到它散发出的一种又香又甜的味道。这种蘑菇是披着羊皮的狼。

它那切碎了的美丽菌体也出现在小锅中。它的一些特征在酸奶油里消失了。弗兰茨·弗罗斯特的妻子摆好了桌面，端出麦糁，配菜是蘑菇。孩子不想吃，因此做妈妈的不得不哄着喂他。她说：吃吧，祝在打仗的爸爸健康，吃一口；祝做假发的邻居老太太健康，吃一口；祝你喜欢的小狗健康，吃一口；祝村子里的人健康，吃一口；祝柯尼格斯瓦尔德的神父健康，吃一口；为在仓库里刚出生的小猫儿的健康，吃一口；为整个世界不要再发疯，吃一口。孩子的嘴巴一再不乐意地张开。

夜里孩子开始呕吐。清晨，吓坏了的弗罗斯特太太抱着他赶到村子里去了，住在府邸的人们用小汽车把他送到了诺伊罗德的医院，在那里给他洗了胃。但这一切都已迟了，都已毫无帮助。第五天孩子就死了。

电报在战争前线寻找弗兰茨·弗罗斯特，但未能找到他。

酸奶油焖毒蝇菌的方法

半公斤蘑菇

三十克奶油

一个小洋葱

半杯酸奶油

两匙面粉

盐、胡椒、荷兰芹

将切碎的毒蝇菌同用奶油炒过的洋葱、盐、荷兰芹和胡椒放在一起焖十来分钟。加入酸奶油和面粉，搅拌均匀。可作马铃薯或麦糁的配菜。

玛尔塔，她的死亡模式

暗淡的白云从森林上方飘向谷地，立刻便下起了雨。玛尔塔在破损的漆布上擀面。面团在她的擀面杖下变成了薄饼，她又用玻璃杯口将它切成一个个的小圆片。我望着她的手，望着她全神贯注的面孔。她那低矮的小厨房里变得很暗，雨哗哗地抽打着大黄的叶子。玛尔塔的旧收音机悄声嘟哝着，声音低得简直听不明白它说的是什么。我心里想：死亡会从哪条管道进入她的体内呢？

通过眼球？玛尔塔朝某种阴暗、不定形、湿淋淋、黏糊糊的东西望上一眼，就再也无法把目光从那东西上移开。这阴沉沉软塌塌的画面会进入她的大脑，遮断她大脑的思维。而这就将是她的死亡。

从耳朵进入？她开始听见一种陌生的、死气沉沉的声响。一种低沉的、总是以没有希望改变的相同频率颤动着的声响在她的头脑里嗡嗡叫，这是一种与音乐大相径庭的声音。由于这种声响她将无法入睡，由于这种声响她将无法活下去。

或者是从鼻子进入？死亡以一种像所有气味一样的方式进入她体内。那时她会感到自己的身体没有气味，皮肤变得像纸做的，像植物那样只从外部吸收光，但不分泌任何东西。忐忑不安的她将会不放心地闻自己的手、腋窝、脚掌，可它们又都将是干枯和乏味的，因为气味作为最易挥发的东西，首先消失了。

或者通过嘴巴。死亡把话语推回喉咙和大脑。将死之人不想说话，他们太忙了，他们有什么可说的呢？有什么可传给后代的呢？无非是些平庸的废话，是些老生常谈和陈词滥调而已。该是个怎样的人，才能在最后时刻竭力说出寄语人间的名言？生命终结时的任何睿智都不如在另一边开头时的沉默更有价值。

死亡也能以另一种方式通过嘴巴进入人体内部——玛尔塔的老果园里结了许多深红色的苹果，她或许会吃下其中一个生了虫的苹果，一个里面带有白色的死亡之卵的苹果。这样一来死亡就会进入她体内，而由于苹果的物质和人体的物质之间没有太大的差别，死亡就会从内部吞噬她，侵蚀她。到那时她将会成为一个易碎的空外壳，在某次又去猛然一拉篱笆门上的坏锁的时候，整个就会破裂，碎成粉末。

我就这么皱着眉头偷偷打量她，而她此时正用一只小匙子往每个小圆片上放蜜饯玫瑰，又像包饺子那样用手指把面片捏起来。挂出许多边缘不平整的小小半月形面点。我带来了我的俄国小烤炉，为的是无须在她那破损的炉灶下点火。忽然太阳透过窗玻璃射了进来，虽说雨还在下。我们把摆好了点心的锡盘放进了烤炉，走到了屋前。

R 站立在我家的阳台上，用手指着天空。在小丘的上方悬挂着一道彩虹。叉开双腿的彩虹横跨在我们的小汽车上方，仿佛它刚生育出这辆小汽车似的。

气　味

所有的坏事都发生在冬天。冬天R出了车祸。在白色的山道拐弯处小汽车打滑，撞上了一辆载重汽车。他脑袋撞到了方向盘上，鼻子撞破了。小汽车镀镍的长盖罩救了他一条命。对这样的车祸一般都说，这算不了什么，什么事也没有发生。

但事情毕竟是发生了。从这时开始R总感觉到有一股奇怪的气味，虽说他的鼻子恢复得很正常，已经看不出缝合的地方。R说，这气味是时起时伏骤然出现的，浓淡强弱有所不同。在一个地方他感觉最为强烈，那就是能从那儿下到池塘的地方。那儿生长着荨麻，而在荨麻中间又生长着白蜡树，于是R嗅遍了荨麻叶子和树皮的气味，但他在那里什么也没找到。他甚至想到，或许是水散发出这种气味——既不令人喜欢，也不使人讨厌，有一点发甜，又有一点酸涩。但这不是水散发出的气味。有一次他在白兰地酒杯里找到了这种气味。后来在咖啡里，在冬天柜子里放了很久的毛衣里找到了它。终于他发现，这种气味不是物的固有特性，物体不是它的来源，实际上它没有来源，只是偶尔一次暂时附在物体上，所以给这种气味命名才如此困难。有一次R说，“它跟别的什么气味都不相像”，而后来他又觉得，正好相反，它存在于所有别的气味之中，受伤的鼻子、受伤的嗅觉细胞对它特别敏感，一旦发现了它，就会永远记住。不能给那种鼻子感觉到的东西命名，叫不出那种一出现立刻就引起注意的东西的名称，这正是使他深感不快的。在其他各种经验的系列中找不到这种经验的位置，不理解这种经验，无法解释这种经验，使他苦恼。某些昆虫也有这种气味，它们的余味还留在浆果上。还可以这么说，这是切番茄的刀口的气味，汽油与发霉的奶酪的混合气味，我那过时的小手提包里老香水的气味，铁屑的气味，铅笔芯的气味，新CD盘的气味，玻璃表面的气味，撒落的可可粉的气味。

因此我常见到R在做事情的时候会突然中途停下，嗅一嗅。他的面部表情显得很专注，很聚精会神。他嗅遍了自己的两只手。交谈时他会突然莫名其妙地揪下一颗纽扣闻一闻，嗅一嗅，或是在指间揉搓苦艾叶。那时他便觉得似乎发现了这种气味。但它总不是这种气味。

我们俩猜测，这是死亡的气味。是他的小汽车撞上基尔牌载重汽车的那个瞬间感觉到的死亡的气味。在那个短暂的、不可思议的瞬间，一切都可能发生并且无法挽回。在那个具有莫大能量的一刹那间孕育着一切的可能性，就如一克的物质转眼就会变成一颗原子弹。那时就有这种气味，这就是死亡的气味。

R担心，他会永远地感觉到死亡。他再也不会天真地走上瓦乌布日赫和耶德利纳之间冰雪覆盖的盘山路，再也不会忘乎所以地在城市火车站交叉路口飞跑，甚至不会疏忽大意地伸手去接我用蘑菇做的菜肴。他知道这些，而我也知道他知道。

库梅尔尼斯 *Hilaria* 中的幻景

Ego dormio cum ego vigilat.[①]

我仰卧着，睡前做了最后的祷告。那时我猝然感觉到，我在向上升腾，仿佛自身失去了重量，而当我向下望的时候，我看到了我自己，我的躯体一直仰卧在床上，躯体的嘴唇在活动着，仿佛这副躯体没有注意到它里面已经没有我。我立刻便发现，我能在空间活动。推动我的力量是思想，甚至最微不足道的愿望就能使我飘动起来，于是我升得越来越高，我从上方看到了修道院，看到了它那用木瓦盖的屋顶，看到了礼拜堂塔楼的石头尖顶。过了片刻我从更高的地方看到了整个大地，它是略微凸起的和黑乎乎的，陷入了一片黑暗之中，只是从世界尽头的某个地方射出的长长的太阳光照亮了它，也给黑暗投上了更加乌黑的影子。那种分层次的黑暗使我感到讨厌、别扭，使我整个人忧心忡忡，因为我知道，光是存在的，只是被遮住了。而当我想到亮光的时候，我立刻便看到了光，起先柔弱，像水仙，朦胧，像雾，可它一旦给见到，便不可逆转地越来越强烈，

① 拉丁语，意为：我身睡卧，我心却醒。

我害怕起来，我的眼睛会看瞎的。于是我明白了，这必定是天空和上帝使然，但又使我惊诧——因为我的头脑是清醒的——我始终是独自一人，哪里也没有个向导，须知在上帝的近旁总是待着成群的天使和形形色色的辉煌圣者。我感到某种似风非风的东西，不温，不热，吹拂着整个的我，仿佛我到了一个大气旋附近：那股力量将我推离光亮，它挡在我和那看不见的光亮之间——但那却是一条可感知的界线。尽管我想越过这条界线，此前没有任何东西如此吸引着我走向光亮，可是我太虚弱了，没有足够的力气向光亮走去。直到我的头脑里出现了一个声音，它可能既是我的声音，又是别的什么人的声音，那个声音对我说："这是时间。"那时我便领悟了有关世界的全部真理，懂得了是时间阻碍了光亮照到我们。时间将我们与上帝分开，只要我们在时间里，我们就受到禁锢，让黑暗随意摆布。直到死亡让我们从时间的镣铐里解脱出来，但那时关于生我们已无话可说。忧郁笼罩了我，虽然我的眼睛看到了光的全部辉煌壮丽。我不渴望任何别的东西，唯求永远死去，大概我已经死了，因为时间之风已骤然消失，我也沉浸在光亮之中。沉入光中的这种状态唯一可说的就是，什么也不说，因为所有的话语都跟我一起消失了。甚至我已不能作任何思考，因为思想也已不复存在。我既不能在这里，也不能在另外的任何地方，因为不存在这里和那里，不存在任何运动。在这种状态下，不存在任何质量，既没有优质，也没有劣质。我不知道这种状态已持续了多久，因为既没有瞬间，也没有千年。

假如我没有突然向往世界，我也许会永远停留在这种状态中，既不活，也不死。这时在我的眼前展现出的一派五彩斑斓的景象，就如一幅五彩画。我无法从那儿移开目光。

从这里看到的世界是睡着了的人们的世界。这个世界比我认识的世界人烟要稠密得多。因为那里还有所有我们认为是死了的人。我领悟出，这是审判日，天使们开始卷起世界的边缘，那边缘就像一幅巨大地毯的边儿。从上方和下方传来大战的隆隆之声，听到兵器铿锵，马蹄踏踏。但我没看到是谁在跟谁作战，因为我的眼睛正凝视着铺展在我面前的大地。有些人已经醒了，擦了擦眼睛，望着天空。他们的注意力还非常不集中，状态不佳，他们不知在望着什么。我见到群山，它们似乎是因恐惧而战栗，而它们的轮廓则在不断变得稀薄的空气里逐渐模糊。太阳高悬天顶，用明亮、炽热的光照耀四野。草原上青草开始燃烧，溪流中的流水波涛汹涌。动物走到森林边缘，无视自己的天敌下到闹哄哄的谷地。人也是一样，沿着干巴巴的道路纷纷来到某个约定的地点。他们走得沉稳坚定，精神饱满，谁也不拖拖拉拉。那时天空已不是平静和蔚蓝色的，而是汹涌澎湃，乌云翻滚。天空下植物在变成木化石。

那时我以自己的全部心神领悟到，我看到了时间的最后时刻。我是命中注定要看到世界的末日了。

我明白，我们的最后审判将是惊醒，因为我们只是梦见了我们整个的生活，设想我们是活着的。我们确曾真正活过一次，也已经死了，现在我们是死人。我们当成真实存在的那些生活、梦，对于上帝而言没有任何价值，因为任何事情都不曾真正发生过。我们不会为自己的梦负责，我们只对那种我们记不得的事情负责，因为死亡让我们睡着了。只有那种忘却了的存在才是真实的存在，我们在那里曾是有罪或是有德行的人。因此我们不知道醒来后该怎么办——是投入地狱之火，还是投入永恒的光明生活。

我不得不再说一遍：我们的世界住的是熟睡的人，他们死了，却梦见自己活着。因此世界上的人越来越多，不断有熟睡的死人移居这个世界，他们的数量越来越多，而真正的人，即那种第一次活着的人却显得寥寥无几。在整个混乱的世界上，我们中谁也不知道，也不可能知道自己究竟只是梦见自己活着，还是真正活着。

圣体圣血节

玛尔塔说，对看到的东西别太在意。她说这话时我们正在窗口观看圣体圣血节巡行，巡行队伍正在远处播种了亚麻的田地里移动。神父走在前头，然后是两面旗帜和一小群人。低一点的地方有一条狗在绿得耀眼的牧场上奔跑，似乎在远远陪伴人们在田野中做这次没有料想到的集体散步。

我不知道她为何要对我讲这句话——她已是要走了，手握着敞开的门的把手站着。

傍晚我想起了这句话。一段动态影片中的一个不动的镜头。影片里的一切都在变，一切都不再是先前的那种样子。眼睛也是这样构造的：看到的是更大的活的整体中的一个死的环节，而且眼睛会把所看到的东西钉住，扼杀。所以当我看的时候，我相信，自己见到的是某种稳定的东西。但这是世界虚假的画面。世界是运动着的，而且是摇摆不定的。对于世界而言，不存在任何可以记住和可以理解的零点。眼睛照出的照片，只可能是画面、图式。风景是最大的错觉，因为风景的稳定性并不存在。风景可以记住，仿佛是一幅画。记忆创造风景画片，但它无论如何都不理解世界。因此风景才如此易受那些看它的人的情绪影响。人在风景中看到自己内在的不稳定瞬间。人到处看到的只是自己。这就是一切。这是玛尔塔想告诉我的。

梦

我通过人的嘴巴进入人的内部。

人的内部构造犹如房子，有楼梯间、宽敞的前厅、照明总是太弱的通廊——这使得通向各个房间的门难以数清——一些房间的套间、潮乎乎的储藏室、镶了瓷砖的黏糊糊的带有铸铁浴缸的盥洗间、带有像血管一样密集的扶手的楼梯、错综复杂的过道、半层之间曲折的楼梯平台、客房、穿堂——温暖的气流会突然进入的房间、小密室、小杂物间、忘记储存粮食的小粮仓。我可以在里面自由自在地活动，毕竟我在那儿是独自一人。

这些房子从内看像是无人居住。卧室里的床铺铺得整整齐齐——盖着淡绿色的床罩，摆放着枕头套绷得紧紧的枕头，拉上了的窗帘，绒毛完完整整的地毯，放在梳妆台上的梳子。我既不能坐到床上，也不能把梳子拿在手中。我是个无肉身的幽灵。我只能看，我能看到每一个拐角。

但我知道，我是在人的内部。我根据微小的细节辨识出了这一点。过道里的一面墙壁是肉色的，而且在轻微搏动，有时有一种隐隐约约的均匀的轰隆声从深部传到我的耳中，有时一只脚会在布满细小筋脉的硬东西上打滑。一旦留心去观察，就可透过厨房餐具柜发现某种不定形、轻软而富有弹性的活的结构。

怪　物

我跟如此这般的第一次相逢是这样的：他站在阳台上大张着嘴巴，伸着一根指头指着糜烂的口腔。他身材矮小，胡子拉碴，就像一个丑陋的侏儒，这样矮小的东西夏天在毒蝇菌的蘑菇顶盖下大批生长。

“啊，啊。”他喊出声来。那时我看到他舌头上有一粒白色的药片。

我们在空落落的谷地的房子阳台上，面对面站着。他身后是太阳，我身后是阴影。我关心的只是如何阻止他进入门廊，因为他会在那儿赖到傍晚，老是张着嘴巴“啊，啊”地说着那种我听不懂的话。于是我退到了门槛，用身子挡住进到里面的入口。我忐忑不安地思忖，该如何接近电话机，同时目不转睛地盯着他。我大概是怕他。那时他用一只手做了个手势，就像是把器皿举到嘴边。他的“啊，啊”意思是“给我水！”我让他等着，就跑进厨房拿玻璃杯。我返回的时候，他仍然大张着嘴立在那里，他在观看热石膏墙上的一幅拙劣的绘画——一条保护这座房子的蓝色独眼龙。药片消失在他矮小身体的看不见的地方了。

“怪物！”他指着龙说。

战后不久，那时村子里还有池塘，池塘里出现过怪物。是个巨型的庞然大物，有乳牛那么大，形状像鳄鱼，脚上带有角质的爪子，满嘴都是像刀一样锋利的牙齿。它吃光了池塘里德国人留下的所有的鱼、所有的芦苇和全部菖蒲，随后就开始捕猎绵羊、狗、母鸡和鹅。夜间它爬到路上，爬到教堂跟前，沿着柏油马路笨拙地朝新鲁达的方向爬去。清晨人们惊恐地在自家的庭院里发现了它的脚印。鸭子像浮萍一样消失了，鹅只剩下痉挛地反拧着的橙黄色的鹅掌，池塘岸旁散乱地丢弃着吐出来的公绵羊角。乡公所忙于别的事：分田地，抓捕奸细、建立农业合作社，因此村里的男人只好自己动手干。他们往水里投放钙化物、毒耗子的药，有天夜里有人投进一枚生了锈的手榴弹而且竟然爆炸了。后来池塘看上去就像个装满肮脏毒水的水洼。但这一切竟毫不起作用。第二天夜晚怪物吃掉了一头小公牛。看起来它将进行报复。于是男人们磨尖了长铁棒，用原木钉了个木筏，划到了池塘中央。他们一次又一次猛扎水面，有条不紊地刺入浑浊的池水。但是刺出的孔洞急速合拢，水仍像先前一样穿不透。第三次他们采用了科学技术，不知从哪里运来一台大功率曲柄的直流发电机，用它来发电。他们从发电机拉出电线，犹如一张网布满了整个池塘。然后他们转动曲柄，因为这是个重活，他们只好分班轮流干，用电流抽打藏在水中的怪物。怪物庞大的身躯在水下痛得乱翻乱滚，水漫出了池塘，直到最后安静下来。整个村子喝酒庆祝胜利，从傍晚一直喝到翌日清晨。

可是几天之后怪物恢复了元气，出于报复将一个不小心的妇女拉到了水下。她身后只有镀锌的水桶留在岸边。

这是怪物末日的开始。所有的人一致认为它可以摧毁植物，咬死动物，但不能危害人的性命安全。怪物犯了法。政府当局的人来了，边防军、波德哈莱的部队和工兵也来了。一声巨响炸开了池塘朝小溪一面的堤岸，水流走了。怪物躺在池塘底。受了伤，气息衰微，但还活着。那时士兵们拿出了机关枪，在池塘岸上一字排开。军官一声令下，成排的机关枪子弹向怪物射去。挨到第一排子弹之后，它还试图反扑，那时人们叫喊着四散奔跑。很快又装上了新的子弹带，把那可恶的庞然大物打成了筛子。怪物的下场就是这个样子。

如此这般推着德国人留下的自行车去了新鲁达，但傍晚他又回来了，因为怪物的下场还不是事件的结尾。

接下来的几个夜晚，村庄里的人听见从森林的捷克那侧传来的阴森的凄怆叫声，那是什么怪物在黑暗中哭叫，那声音是如此凄厉，使人听后浑身的皮肤都起了鸡皮疙瘩。而在一个月之后，有人在干涸的池塘里发现了雌性怪物的尸体，它定是穿过森林、牧场、国界到这里来寻找自己的至爱，自己也在它惨死的地方死去。

雨

我过主保日的那天开始下雨，于是我们把椅子搬进了门廊，想等雨过后再将其搬到外头去。但雨下个没完没了，像一条条细绳从天倾注下来，遮挡了人们的视野。雨不是点点滴滴地下着，而是成片的一道道细流直泻而下。门廊逐渐湿了，我甚至不知是何缘故，也许水是从墙壁渗了进来，也许是两条母狗的过错，它们不断在地板上留下自己的脚掌的五瓣印记。屋外干草在雨下默默地淋湿。鼻涕虫可高兴了，在他们叶下的地下世界准备过节——潮湿节。

新鲁达方向约两公里的地方立着一幢奇怪的房子，但不是房子本身奇怪，而是房子的位置奇怪。它坐落在树木葱茏的暗绿色山峰之间的狭窄谷地上。它坐落的地点比附近任何房子都要低，实际上从任何地方都望不到它，除非是有人登上山峰俯视。溪流从两边冲刷它，舔着它湿淋淋的墙壁。R 站在门口，望着雨，讲起了故事，说房子里住着鼻涕虫先生一家，父亲是个大个子，棕色头发，母亲个子略小，他们有一双儿女。傍晚他们无言地坐在桌边，摸黑坐着，没有点灯，因为潮湿不便使用电器。只有他们闪闪发亮的皮肤映照着黄昏微弱的反光。夜里全家躺在墙角的地板上睡觉，四个紧挨在一起的身体轻微搏动着缓慢的呼吸节奏。早上他们进入繁茂的湿淋淋的绿地，在那儿留下自己黏糊糊的足迹。他们搬回一些开始腐烂、盖上了一层苍白霉菌的森林草莓和麝香草莓，并将其放到屋顶下，然后就默默无言地咀嚼这些草莓。泡透了的木桶里的水渗到地面上，给它覆盖上一层闪光的清漆。

这故事没有让任何人开心。我们打开了明亮的电脑世界，整个傍晚我们都沉没在这个世界里了。我们的面色在荧幕虚假的阳光的映照下变得惨白，有如一些幽灵。后来断电了，整个晚上我们都在用纸牌占卜：雨是否会停。不会停。从窗口我看到了玛尔塔的房子，滂沱大雨正顺着她的房子倾注下来。我想，也许该去看看玛尔塔，不知她独自一人昏天黑地里会干些什么。她多半打开了自己的假发箱子，正在编织那些谁也不需要的没有生命的头部装饰品。大概她正在编织一缕缕陌生女人的头发，那些女人或已经故去，或如今仍生活在天涯海角的某个地方，或正在旅行，或带着自己如同干面包一样已发干走味的青春年华在养老院里闲居休养。

我穿上了胶鞋，看到水就在春天 R 加高过的地方漫出了池塘。水从水泥闸门上面流过，流到木板平台下边。它呈现浑浊的红色，又稠又黏。它发出的已不是熟悉的潺潺声，而是哗哗作响，仿佛在发出呐喊。R 穿着黄色胶鞋和黄色雨衣，看上去活像个鬼魂。我看到他怎样束手无策地沿着土堤奔跑。我看到他的鱼在暗红色的翻滚着泡沫的旋涡中不安地准备送命。像城市居民那样颇具绅士风度、从容不迫的鲤鱼，一向总是那样慢悠悠，此刻却在波涛汹涌的水面游动，它们惶惶然惊慌失措地翕动着嘴巴，从嘴里发不出任何声音。在它们中间鳟鱼却异常亢奋，由于突然出现了游向尼斯克沃兹克河，游向奥得河，游向大海的希望。

“我知道，你准备做什么。”我一进屋就这么说。

玛尔塔坐在桌旁，桌上铺开了自己的收藏物。她展开报纸，拿出里面包着的一缕缕头发，一边用手指梳理。然后，她开始往夹板上绕线。我脱下胶鞋和雨衣，从它们上面流下一摊水。

“我记不得什么时候有过这么大的洪水。”玛尔塔开口说道，“或者是我的记性出了点问题。”她冲我粲然一笑，“我想送给你一件主保日贺礼。给你做一顶假发。用真头发，编织在丝绸上，专门为你的脑袋制作的。”

她从桌上拿起一束浅黄色头发，贴近我的面颊给我配色。她不甚满意，又拿起另一束，她说希望我自己挑选头发自己试，但我仍不能克服心理障碍，不肯触摸别人的头发。她吩咐我坐下，拿出褪了色的练习本和我送给她的 bic 牌圆珠笔。她开始给我量脑袋的尺寸，用手指肚温柔地触摸我的鬓角和额头。我有一种惬意的麻酥酥的感觉，跟当年妈妈把我领到女裁缝那里，让她给我量尺寸时的感觉一模一样。我必须一动不动地站着，而她，波涅维耶尔卡[①]太太——妈妈的女裁缝就叫这么一个古怪

① 波涅维耶尔卡（Poniewierka），这个词在波兰语中的含意是：受苦，受折磨。

的名字——则围着我打转，用一根皮尺动作敏捷地量出连衣裙、贴边、襟口所需要的尺寸，又围绕我的腰身和肩背量尺寸。她几乎没有触到我的身体，而我的皮肤反应却是那么强烈，令我产生一种压抑的、表面的麻酥酥的快感。我昏昏欲睡地站立着。

玛尔塔此刻重复着同样的量尺寸的仪式。我羞于这种快感，闭上了眼睛。“你的脑袋真大，你的脑袋真小。”我不知玛尔塔究竟说的是什么。

水　灾

这天夜里池塘上方的黑暗中轰隆作响，两条母狗不安地吠叫，喧嚣声把我们吵醒。我们知道，虽说在下雨，天就要亮了。

池塘已经消失。在池塘所在的地方流着一条小河，只是比平常的溪流要大得多，它气势汹汹，波翻浪滚。水泥闸门不见了，木板平台不见了，昨天 R 绝望地用来加固池岸的铁板也不见了。既没有姿态优美、几乎是热情洋溢的鲤鱼，也没有急躁、不安分的鳟鱼。池塘溜掉了。它受到从各处流来的水的怂恿，直流而下，流过牧场，然后流到森林脚下，流经皮耶特诺，注入另一条河，然后流到尼斯河。这会儿也许流到克沃兹科，也许流得更远。贵族气派十足的鲤鱼不习惯如此迅捷狂野的旅行，滞留在某个弯曲的地方，或者被水流留在淹没了的灌木丛中。没有了池塘。R 吃着厚皮菜，眼望着窗外。玛尔塔将满桶的水泼进雨水中。我向她招了招手，她也向我招了招手，随后便消失在她自己的小房子里。

午饭后 R 又讲起鼻涕虫一家的故事。他讲到这家主人的一些活动。夜间他在青草地中移动，溜到路上，休息片刻，便向人间的住所进发。到了那里便钻进人家的小菜园，在那儿吃掉湿淋淋的生菜、味道甜美的甜瓜嫩茎，乐滋滋地在上面咬出一些洞——这不是出于恶意，而是他的一种创造。令他高兴的是世界上存在洞和雨。但他最喜欢的还是变成了稀泥的篝火灰烬。他在这泥浆里溅了一身脏水，回家时浑身脏兮兮，给湿乎乎的余烬灌得醉醺醺。他的妻子给他以无言的谴责——她不安得要死。

傍晚我们听了气象公报：发生了水灾，但我们不害怕水。在这儿水不可能从别的任何地方来，除非是从天上来，就如一切都是从天上来的一样。

钉　子

我和玛尔塔一起去新鲁达买钉子。小汽车缓慢移动，一辆接着一辆——因为水冲垮了一段公路。在村子的汽车站我们捎上了克雷霞太太，她穿着男人的胶鞋在雨中淋得透湿。她上车后立刻脱掉了胶鞋，从塑料袋里取出了便鞋穿上。

小河沿岸所有的街道一片泥泞。房屋底层的窗户沾满了正在干燥的污泥。卖主们纷纷在晾晒货物。旧衣店女老板在绳子上挂满了穿过的衣服，这些衣服在自己的破烂生涯中已经有过许多经历：搬家，更换衣柜，坏了的自动洗衣机，过热的熨斗，物主们长胖了，有些旧衣服甚至经历了它们物主的死亡，而现在又经历了夜间泛滥的河水的考验。

有人在防洪的沙袋上摆开运动鞋——数十双一模一样的阿迪达斯牌、耐克牌运动鞋。它们的鞋带有如油绳依旧垂到水面。在沾满泥泞墙壁的灰暗背景下，它们鲜亮的色彩在放光。建筑物到二层的高度糊满了淤泥。

克雷霞太太谢过我们顺路捎她，一边抚平身上柠檬色的毛衣，一边朝着自己要去的方向走了。我们在桥后珠宝店近旁站住，买准备用来渍酸的黄瓜。这时那个疯子走到我们跟前，所有人都认识他，那是一个预言家，未卜先知者。他是个胡子拉碴的男人，披着一件用旧毛毯改的穗饰披巾。他冲着玛尔塔微笑，看来他们必定是彼此认识。

“怎么样？”他问。

“还是老样子。”玛尔塔回答。

他不相信地望着她。

“老样子？”

那时我觉得，他的脸色变得阴沉起来，似乎是想哭。玛尔塔对他说了声“保重”或者类似的什么话，而他却从秤盘上拿了一根黄瓜，转身扬长而去。

未卜先知者

这个人有个响亮而且具有异国情调的名字——狮子。他的模样看上去也真像头狮子。

他蓄了长头发和连鬓胡，不知何故头发和胡须在一个严冬全都变白了。

这位未卜先知的狮子靠抚恤金过活，令人难以相信的是，他年轻时曾在矿井遇到过事故，被埋在几乎有一百米深的井下两天两夜，躺在炽热、黑暗的煤槽里，犹如躺在母亲的腹中。整个时光他保持着痛苦的清醒状态，明晰的思维形成了一个环绕脑袋的发磷光的光环照耀着他。他认定自己会死，但没有死。矿山救护队把他挖了出来，随后他在医院里待了很长的时间。大难不死，他对生活本身格外关注起来。具体表现为从早到晚读书，起初他什么都读，手头有什么读什么。但随着时间的流逝，吸引他的逐渐转为一些从未出版过的打字书稿，这些打字稿是通过半合法的递送书店从克拉科夫送来的。书稿中有贝赞特[①]和布拉瓦茨基[②]、

① 安妮·贝赞特（Annie Besant，1847—1933），英国社会主义者、神智学学者。

② 海伦娜·彼得罗夫娜·布拉瓦茨基（Helena Petrovna Blavatsky，1831—1891），俄国神智学学者。

奥索维耶茨基[1]等人的著作，一些潦草的招魂会总结和职业说明，以及印度、犹太的各种神秘教义的占卜书籍。一些书籍中的表格使他重温早已忘却了的整齐、条理性，一些图解以其多层次的和谐吸引着他的眼球。有一次他偶然见到比得哥什星相家协会的地址，从他们给他寄来的书里，他花了一个圣诞节假期学会了摆占星图。从此以后他潜心研究星历表中一行行细小的数目字，做任何事都不像做这件事令他如此心旷神怡。他不止一次从晚上埋头研究到清晨，而在黎明时分他开始看到未来。他看到的未来总是那么可怕，死气沉沉，空空荡荡。里面从来既没有人，也没有动物。他看到它怎样降坐在房间阴暗的角落，怎样不断地向外扩展，蔓延到他那座公寓楼的楼梯间、楼前的草坪、街道，乃至新鲁达的市场。傍晚他外出散步的时候，跟它擦肩而过，它在他的大衣袖子上留下了陌生的金属气味。

他的妻子死后，他就成了个十足的未卜先知者。她活着时似乎把丈夫低低地压到地面，将他的每个想法、每个预感往下拉。她如同强大的低气压，迫使烟囱里冒出的每一缕烟低头，在城市上方造成冬天的阴霾。她用魔力将他的思想导向商店里的等候队伍，导向田地里的甜菜，导向需要搬进地下室的煤。此外她的声音还在整座城市对他穷追不舍。她把脑袋伸出窗外，通过庭院叫喊“小狮子，小狮子！”直到所有的小孩都抬起头，跟着她反复叫喊：“小狮子，小狮子！”她是个女巫。

① 斯特凡·奥索维耶茨基（Stefan Ossowiechi，1877—1944），波兰著名灵媒。

因此她死后，周围骤然就安静下来，而长年受到压抑的画面开始在他的脑海里胀大，扩展，蔓延，犹如潮湿的窗玻璃上的冰花——出人意料地张臂相连，形成许多环状及离奇的条带组合，瞎撞乱碰地构建出一些合乎情理却又是迷人的图案。这就是占卜。

他的顾客都是妇女。在他的占卜生涯中只有一次有个男人在他那里出现过。那是一位穿着讲究的老先生，由于糟糕的食谱或由于饮酒过度而显得臃肿。他跟这位先生曾经见过面，但没有来往，对他也不能提供太多的帮助。因为老先生关心的是爱情，而这是世界上最被高估的情感，就其实质而言简直就是荒谬，因为它源于人的内在的混乱。老先生寻找自己少年时代的情人，这既可悲又可笑。狮子根本不想管这种事，尤其是未成年的女子没有留下任何哪怕是最微不足道的线索，没有留下任何痕迹。然而这个男人的绝望是如此令人难以忘怀，他那身穿刻板挺拔的毛料大衣，将细毡礼帽拉到眼睛上的模样，是如此茫然沮丧，仿佛他在一切方面均已彻底迷失，甚至在自己的服装方面也是如此。

“我只想知道，她在哪里？”他说。

那时狮子朝过去瞥了一眼。他立刻在那里见到了所要寻找的姑娘，因为她比其他的生灵更活跃，在时间上更清晰，更惹人注目。让他吓了一跳，她根本就不是个少女，也不是个女人。我的上帝，他这一吓非同小可，他对那个忧郁的男人说了句：“她在这里。”因为他既看到现在的她，也看到将来的她。

“在城里？”男人高兴了起来，狮子头一次看到他的眼睛——肿胀而蒙眬浑浊。

“在附近某个地方。”

出门前男人偷偷塞给他一张钞票。

“此事请保守秘密。”他再次请求说。

狮子后来想，他没有必要讲这样的话，有关这样的事永远也不该说，谁会相信呢？谁会信他能见到不存在的东西？谁会相信人到头来不是人？谁会相信每次做出的决定都是一场梦！感谢上帝，人有不相信的能力，这真是仁慈上帝的恩典。

妇女问及爱情的时候，总是非常具体。她们总是希望被人搂在怀中，有人牵着她们的手走过公园，总是想给谁生孩子，礼拜六擦洗窗户，给谁炖鸡汤。他一闭上眼睛，就会看到她们的生活，也觉得了无兴味。他难以集中精力去关注那些使她们感兴趣的细微末事：她们询问的男人是栗色还是黑色的头发，是一个还是两个孩子，身体是健康还是有病，是有钱还是抽屉里空空如也。只要他略微费点心思，他就能看到这一切。他在预卜中数着孩子的数目。往抽屉里望一望，辨别出穿着白背心、吃着礼拜天鸡汤的男人头发的颜色。那些女性的生灵也真令他动情，她们坐在他对面，带着期盼的目光紧盯着他的脸，那时她们就像胆怯的动物，像麋子，像春天的野兔——娇弱、温顺、胆小，但同时也是聪明绝顶的，善于忽东忽西地闪避，善于逃跑或躲藏。有时他甚至想，做个女人就离不开某种假面具，一出生便戴上了它，为了永远不向任何人暴露自己，直到生命的尽头，为了在迷彩的伪装中度过一生。他想，她们没有问那些该问的事情。

他将占卜赚到的钱（数量不少）换成了美元。他想去印度，可从未去成，因为印度，像所有的东西一样，已不再存在。

但他最初曾多次察看过别人的未来，在他看来，它跟共同的、总体的未来是融为一体的。他知道，要不了多久，世界的末日就会到来，这只是一个需要加以预测的问题。

他看到了谷地，谷地上方悬着低矮的橘红色的天空。这个世界所有的线条都不清晰，连阴影也是模糊的，投射在这一切上面的是某种陌生的异化的光。谷地里没有任何房屋，没有任何人的踪迹，没有生长一簇荨麻，没有一丛野生的黑醋栗灌木，也没有一条小溪——而原本曾是小溪流过的地方看上去就像一道伤疤。在这个地方既没有白天，也没有任何一个夜晚到来，橘红色的天空在所有时间里都闪耀着同样的光——既不热，也不冷，完全是静止和冷漠的。山丘上依然覆满了森林，但当他仔细观察它的时候，便看到森林是死的。在一个瞬间变成了木化石，凝固了，僵化了。云杉上挂着球果，树枝仍然盖满了发白的针叶，因为没有风可将它们吹得七零八落。他有一种可怕的预感——一旦在这自然景观里出现任何一点运动，这森林就会轰然崩塌，化为齑粉。

他看到世界末日必然是这副模样：它不是洪水，不是雨，不是火，不是奥斯威辛，不是彗星。一旦上帝——不管他是谁——离开这个世界，这个世界就会是这般模样。无人居住的房屋，覆盖一切的宇宙尘，闷浊，寂静。所有的活物都在凝固，都由于光照的问题而发霉，这种光不知脉动为何物，所以是死的。在这种幽灵般的光照射下，一切都瓦解溃散成尘粉。

这个每天看到世界末日的人，活得平静而悠闲，他时不时去克拉科夫弄书，透过火车的窗口一路欣赏沿途的景物，其中主要是上西里西亚连同它的工业神殿，然后是奥波莱地区绵延至地平线的田野和整齐播种的油菜，这些油菜每年五月十日开花。他那粗帆布背包里装着各种各样用打字机打出过数百遍（最后的抄本也已几乎看不清，但仍然蕴含着庄重的情调）的启示录抄本、幽灵对文明衰弱的见解、圣母显灵的故事、诺查丹马斯[①]的深奥难解的诗歌。

须臾之间平川已然过去，山脉开始映入眼帘。火车驶入云杉林，沿着怪石嶙峋的峡谷全力推进，在谷地里兜圈子，直到突然出现在瓦乌布日赫的中心区，人们在市区车站纷纷下车，但狮子仍继续往前走，要到总站才下车，因为他要在那儿转车到克沃兹科去。

瓦乌布日赫总站是个空寂无人、黑乎乎的车站，只有一个售货亭，下夜班的矿工们在那里购买香烟和保险套。酒吧里出售浇了猪油的饺子和潮湿无味的茶水——那是用温水难以泡开的茶叶浸泡出来的。经过新鲁达去克沃兹科的火车经常是空的。狮子为了便于眺望窗外的景物，在上层找了个座位，因为火车

① 诺查丹马斯（Nostradamus，1503—1566），法国犹太裔预言家，著有预言诗集。

走的是一条迄今最美的路线。列车沿着高耸的高架铁路通过辽阔的谷地，通过村庄和溪流上方的山坡。随着每个弯道都敞开一片令人激动得透不过气来的新的景色。群山柔美的线条，丝绸一样的天空，碧绿的草地。下方，人们在路上走动，赶着乳牛，狗在奔跑，有个农民突然发出一阵笑声，羊脖子上挂的铃铛丁零丁零地直响，刺激得人的皮肤发麻发痒。高一点的地方，有个背背包的人在行走，不时招招手。烟囱里的炊烟袅袅升上天空，鸟儿无动于衷地朝西方飞去。坐在这样的列车里无法阅读，只好瞪大眼睛朝外看。

狮子开始写书，他给书起了个书名，就从书名《末日必将来临》开始。书中讲的是世界末日。他在书中对天空进行了深刻的分析。世界将于一九九五年四月二日开始完结，那时天王星将进入水瓶座，而在一九九九年八月，世界将永远结束，那时太阳、火星、土星和天王星将在天上排成一个大十字。而他是在一九八〇年冬天开始写这本书的，那时任何事情肯定都还不清楚，然而当时掀起了罢工运动，而在弗罗茨瓦夫，罢工的有轨电车排成了巨大的十字，大得覆盖了整座城市。狮子承认，在自己敏锐的观察中，在读出星历表中细小的数目字时，他也许犯了错误，世界末日会来得更快。实际上他已等得不耐烦了。他就在这样的等待中生活。他穿破了旧皮鞋，内衣接缝的地方磨薄了，裤衩的橡皮筋扯断了，短袜磨穿了洞，在脚后跟上出现了薄薄的尼龙丝网，透过它看得见变硬变粗糙的皮肤。没有任何储备的东西，没有任何“留到以后”再做的事。装过蛋黄酱的空玻璃瓶需要装满果酱、蜜饯过冬，装满糖煮水果以备突然住进医院之用，但是冬天可能不会到来，可能不会有下一个夏季。面包需要吃完，吃到最后一点点碎屑，肥皂也要擦成薄片儿，然后再用来洗衣服。

他预见一九九三年夏天将会发洪水。北方的冰将突然融化，大洋里的水将上涨，荷兰将会消失在水下。茹瓦韦同样在劫难逃。说不定情况会更糟——除了高原和山脉以外将没有任何东西留在水面以上。新鲁达作为地势较高的地方，会保全下来。然后近东将爆发战争，它在一年之内就会变成世界大战。军队将重新开过湿漉漉的洼地。弗罗茨瓦夫的大教堂将变成清真寺。然后，在一九九四年初，核爆炸后的几天内天空将变得昏暗。人们将开始生病。感谢上帝，在新鲁达将什么事也不会发生。

在一九九〇年，那时已取消纸张定量配给的规定，狮子用占卜赚的钱自费出版了这本书。他等待世界末日的最初表现等了三年，可是尽管玻璃瓶空无一物，尽管面包吃到了干巴的面包头，世界末日的种种迹象却没有出现。一九九三年夏天酷热，他把这种可怖的酷热当作末日的开头，但酷热很快就过去了，孩子们都去上学，人们在烤李子馅饼，从地里收马铃薯。狮子的厨房里煤气小锅炉坏了，由于天已变冷，他需要热水，就不得不把它修好。他在鼓捣热水器内部零件的时候，有种像严寒一样钻心的徒劳感。当世界末日近在咫尺之时，所有活动都成为一种病态的表现形式。

对于狮子来说，世界已于一九九三年十一月结束，那时天王星和海王星在摩羯宫十八度大会合。他在某天夜里明白了这一点，当时他正坐在浴盆里——这是使整个身体迅速暖和起来的最有效方法。这一天电视里说，在乌拉圭有个什么教派正在等待世界末日的到来，接着是教宗的右手打着绷带，用左手向世界表示祝福，而在气象预报中又发出了有关暴风雪的警告，最后还出现了一个疲惫的播音员给观众道晚安，蓦然她用一种挖苦的口吻补充说："尽管乌拉圭某教派做出了悲观的预报，但世界仍继续存在。"那时狮子在想，到这一天结束还剩下四十五分钟，这是学校一节课的时间。想到这里，便走进浴室洗澡去了。

当狮子坐进了浴缸，盥洗室里的灯便熄灭了，电视机寂静无声，从水龙头里流到浴缸的水变得冰凉。他吓得呆若木鸡，甚至没有尝试在黑暗中寻求帮助。星历表中一列列数目字和朦胧、无声的太阳系图表在他的头脑里飞驶而过。盥洗室里的水管轰鸣着，犹如最后审判时吹响的号声，而狮子赤裸的身躯则开始颤抖起来。那时他想起了所有的亲人——虽说都是远亲，因为他没有别的亲戚——想到了城市里所有的动物，狗、猫、豚鼠、仓鼠，想到它们此时正在干什么，它们是不是也感到害怕，动物能不能继续跟我们做伴。是不是在每栋房子里都将出现火一般的剑，甚至想到在摩天大楼的第十二层，那里将出现地面开裂，尽管那儿没有停车的处所。在这盥洗室的黑暗中，在他眼前突然出现一幅画。当他还在孩提时期，这幅画曾使他浑身战栗：许多死人从地里走出来，全部是赤身裸体，睡意蒙眬，全部眨巴着眼睛，把手举到脸上——因为光亮使他们目眩；墓地里的石质十字架摇晃着，墓碑纷纷从原地挪开。一个天使立在地平线上方，他那美丽的面貌由于憎恶和愤怒而扭曲着，他脑袋周围飓风呼啸。这时在狮子眼前和脑海里出现的就是这样的景象。

盥洗室依旧是漆黑一片。

墙壁由于水管轰鸣而轻微颤抖。狮子的上下颚也开始打战，最后他听见了自己牙齿相互磕碰的声音。但这不是由于恐惧。他有过的唯一情感是——失望。起先是小小的失望，就像是当年圣诞树下妈妈放的不是他渴望已久的摇摆木马，而是买给他的睡衣。后来失望情绪越来越大，终于变得不可忍受。原来世界末日就是这般模样，只是黑暗和砌在墙壁里的水管在吼叫！

预见世界末日的人，喏，他或许只是弄错了确切的日期，归根结底他是个乐观主义者。他想成为末日一切表现的见证人，仿佛这一切都是他亲自招来的，他甚至想到某种罕见的海王星和天王星会合，想到它们嘎啦嘎啦地彼此擦身而过，想到它们散发出的能量怎样相互撞击而发出噼里啪啦的声响。

现在他所渴望的唯有看着天空，看天是不是已黯然无光，行星是不是已停止做轨道运行，被驱散的银河系是不是相互碰撞，启示录中的宇宙尘在绝对温标零度时是否已凝固。他咬紧了瑟瑟颤抖的牙关，从变凉了的水里站了起来。

那时——那是狮子有生以来一个最难于理解的时刻，光秃秃的电灯泡忽然一闪，亮了，水龙头哗哗叫着喷出了滚水，从房间里传来了电视机的声音，似乎电视机连同它的百万张面孔正是唯一从死亡里复活的生命形式。遭到事态意想不到的转折的突然袭击的狮子，一只脚搭在浴缸边上愣住了，他眯缝着眼睛适应突然出现的亮光。一团团云雾般的水蒸气凝聚在破镜子上，洗褪了色的毛巾一动不动地挂在挂钩上，扁形玻璃瓶上贴的牌子“华尔斯”跟先前一样缺乏热情。

狮子出了浴缸，打开了通向走廊的门并竖起耳朵谛听。有人在楼梯间走动，两脚蹭着地面发出沙沙的响声。从楼上邻居的家里传出单调、机械的乐曲。狮子走过房间，打开了通向阳台的门。他那亢奋的身体没有注意到寒冷。他看到自己面前的城市跟昨天一模一样，跟一个钟头以前毫无区别。谷地里灯光闪烁，不时传来隐约的喧闹声。然而狮子觉得，没有一样东西跟先前一样。他在这种安全、熟悉的景象中预感到虚假。他嗅了嗅空气，似乎期望能找到焦煳味。过了几分钟他悟出，在这几分钟内他的躯体冻僵了，失去了感觉——其实世界已经完结了，虽说还保持着以往的表象。真正的世界末日就是这个样子。

由于某种原因人们不善于想象事物发展的结局，不仅是重大事件的结局，甚至连最微不足道的小事的结局也不能去想象。这或许是由于对任何事物的想象本身怎么也得耗尽现实；或许是由于现实不愿在人的头脑里被想象，也可能是由于它要自由，像个叛逆的少年，因此现实与人们所能想象的总是不一样。

从第二天开始，狮子便生活在一个已经不存在的世界，这个世界完全是一种错觉，是由直觉、本能产生的梦境，是感官的习惯。

生活在这个世界一点也不难，比在那个世界道貌岸然地生活要容易得多。现在他出门上街，就像走进迷雾，走进舞台布景。他冲人们装模作样地挤眉弄眼，当人们惊诧地望着他的时候，他就纵声大笑。他甚至允许自己在美食店顺手牵羊地拿走点什么，但不多，而且都是小玩意儿，因为事后他多少会感到有些不自在。他不再关心自己的服装，只记住不要挨冻就好。他会穿上两只不一样的皮鞋，而当他不留神把秋大衣浇上了植物油，他就把秋大衣换成了毛毯——他在毛毯上剪上个洞，当成穗饰披巾套在身上。由于他将自己的星历表和推算工作统统扔到了墙角，他有许多空闲的时间。他常常坐在河边的公园里，观察每一块石头，每一面墙壁。他处处留心，观察什么地方能见到有关瓦解方面的信号。他终于见到了这种信号：河水几乎每天都在改变颜色。它曾经是棕色的，像咖啡一样又深又浓；另一次看到的则变成玫瑰色，像香槟酒。石头开始起皱，河上的小桥正在开裂。他急不可待地等着，什么时候人的幻象将掉进不现实的水中。他常在蔬菜水果市场的货摊之间闲逛，顺手从筐里拿走最成熟的水果。有些人冲他吼叫，另一些人则满不在乎。他在大门洞里纠缠年轻姑娘——更多只是为了开玩笑，或者是为了压服自己对穿紧身短裙的有魅力的女性的畏惧。其实他并没有任何兴致跟某个不存在的人打交道。

他也常仰望天空。天空激起了他的思念。天空看上去每天也有所不同，有如那条多彩的河，这是由于星星的活动方式有些乱杂无章，不可预料。他会花上几个钟头寻找火星，因为它不在它应该存在的地方。银河变得几乎看不见。在安娜山的上方有时会升起某种明亮的光，但他不知道那可能是什么。有时他见到人，人的幻象，见到他们也仰望天空，但他们并不忧心忡忡。他们在月下接吻，虽说自打那天以后，已经难以预期月相的出现周期。他已做了想做的事。

狮子睡觉去了，他梦见自己没有睡下，只是在小城里来回走动，从货摊上捞点水果，观察小河。

有时他也这样做：把一根手指塞进墙里，挖它那温热、风化的内部。沙石在他的指尖下退让，碎裂，避开指头的挤压。留下的孔洞就再也不能弥合。他曾见过河畔的一幢房子如何一天天凋残，看样子似乎是干枯了，变得松脆了，已经毫无防卫能力。它终于被自身的重量压垮了，静静地躺在地上。只留下一面墙，靠它支撑着邻家的房屋。人—幻象大概没有觉察到这一点。现在他们走过这块空地，仿佛那儿从来就不曾有过任何东西，或者在他们眼中，这个地方似乎伤口已经弥合，可以盖上房子。

在这些郁闷的令人感到诧异的瞬间，他考虑到自己——是存在还是不存在。他触摸自己的手和脸，但他不能克制自己不要去触摸自己的肚子。他害怕受到诱惑的手指会在那里钻洞，而事实上狮子就是以这种方式自己把自己洞穿的，而且这个孔洞就再也不能愈合，他也就只好永远带着它。

他也遇见过一些面孔似曾相识的人。但是这种机会已越来越少。一张模糊不清、更像花椰菜而不像人的新面孔顶替了蔬菜店原有的女售货员。他也没见到中学校长，那位住在二层的邻居。他有个印象，如今在那套宽敞的住宅里住着另外一个什么人，一个八面玲珑、圆滑讨厌的家伙，此人带着一副太阳舔过的面孔，每天早上刮得光溜。他总是电话听筒不离手，冲着它慢条斯理而含混不清地卖弄自己的书本知识，还赢得了所有的广播竞赛。两个彼此相像得就像雨滴水的女孩也见不到了，她们原本夏天常在车库的屋顶上玩耍。如今每逢天气暖和的时候，总有两个年轻的瘦女人懒散地躺在那里，腆出无遮无拦的肚子朝着灰蒙蒙的阳光。其实太阳已不像当年那样晒黑皮肤，却把皮肤晒成了灰色，使它变得灰不溜丢的，如同洗旧了的黄麻麻袋。

那些熟悉的面孔是：一个妇女，他以为此人早已故去，因为他大概还是在战时认识她的；一个年轻人，长着披肩长发的外省的“嬉皮”——他几乎每天清晨都在桥上，在风化了的内波穆克的圣约翰[①]雕像旁边见到此人从桥上走过并且往河里吐痰。此人有可能是去上班，因为他或许在河那边的某个地方有什么工作。比方说，狮子听见过布拉霍贝特山那边怎样轰隆轰隆地响，而在某些夜晚还见到过从那里射出肮脏的黄色的火光。

“哭吧！”他对自己说，因为他觉得哭似乎是合适的，虽说

---

① 内波穆克的圣约翰（Saint John of Nepomuk，约1345—1393），捷克的一位民族圣人，被波希米亚国王瓦茨拉夫四世在伏尔塔瓦河中淹死，被认为是天主教会第一位因告解保密而殉道者。因此他成为了反诽谤的主保圣人，以及抵御洪水的主保圣人。

他并不真正感到伤心。有时他就办到了这一点。他曾站在皮亚斯特街与游击战街的交叉路口哭开了，可怕的小汽车一辆接一辆从他身边擦身而过，但未给他任何伤害。

占卜种种

我在网络上找到许多稀奇古怪的东西，例子之一就是有各种的占卜实作。

气象占卜：用空气预测。

时间占卜：用公鸡预测。

性别占卜：用女人和男人的内脏预测。

食品占卜：凭人肚子里发出隐约的声音预测。

偶像占卜：用雕像、画像和塑像预测。

金相占卜：用金属制成的器皿预测。

命运变迁占卜：借助对数预测。

战事占卜：用刀剑预测。

婚嫁占卜：用葡萄酒预测。

内情占卜：借助肚脐眼预测。

吉凶占卜：凭影子预测。

前景占卜：根据各种要素预测未来。

行踪占卜：用野生动物预测。

祸福占卜：用灰烬预测。

就业占卜：根据切干酪的方式预测。

二手人

新鲁达广播电台九月开始播出一部新的长篇小说，一部英国或美国的小说《二手人》。作者我已不记得了，他的姓氏发音跟别人的姓氏相仿。写的是有关一个男人生活的故事，阴郁、冗长而烦琐的故事。这个男人有一种难以消除的心病，即总是感觉到自己是个派生的、非第一手的东西，整个就是某种已有的东西的仿制品。确实地说，是某种原创物、某种新东西的临时凑合的代用品。例如，他认为自己是从孤儿院领养的，就是说他有过生身父母，但不知是谁，也不知他们是怎样的人。有人亲生的儿子死了，就到孤儿院领养了他。因此他是代替某个人，也就是说，他本身并非人家正经八百的儿子，而是让他成为另一个死了的孩子的替身。前三段情节描述他的青年时代。他在这样的一种信念中长大，即总是认为自己是某种别的、更好的东西残剩的糟粕。在第四段情节中他上了大学，并开始对柏拉图入迷。他完全理解那位哲学家在写理念和理念的影子时的想法，认为理念是独立于个别事物和人类意识之外的实体。永远不变的理念是个别事物的“范型”；个别事物是完善的理念的不完善的“影子”或摹本。存在着某种真实的、唯一的、不可重复的、因其单一性而完美的东西。还有某些模糊得多的模仿的东西，如同每种摹本一样，它是不连贯的、充满了不完美的光的折射的东西，因此也是虚假的、与“范型”隔了八丈远的东西。这一段有点枯燥乏味。家里的收音机放在阳台上，因为我在给门上油漆，工人们在屋顶上干活，也在听那些有关范型和摹本及其导致的绝望的故事。书中的主人翁爱上了哲学。他步柏拉图的某个追随者的研究的后尘，写出了自己的硕士论文。我不记得那个追随者姓甚名谁，古希腊类似的姓氏多的是。最终发现，原来他的那篇论文竟然是一种无心的剽窃——他所写的内容跟另一个人早前写过的东西基本上一样。 接下来的几段情节中，他娶了一个离婚的女人——他是她的第二任丈夫。他的妻子从未停止过爱那位前夫。书中出现了这样的场面——我是在阁楼打扫时听到的——男主角在她的房子（因为房子是她的）的盥洗室的小楼内发现了那个人的盥洗用品，摆放得就像博物馆的陈列品。最终他开始用那个人的牙刷刷牙，喷洒那个人的刮脸水，穿上那个人的长睡衣，而他的妻子又力劝他以与那个人相同的方式跟她做爱。这一切立刻使我想起了波兰斯基的《怪房客》，甚至不是想起电影本身，只是想起了我第一次看这部电影时如何记住了房客。从墙上的洞里扒出的一颗牙齿——意味着一种征兆：他想干什么。然后是这位房客多次尝试自杀、跳窗，又费力地爬上楼去。没有结果的死亡没完没了。再往后，在这本书中说明了主人翁原本是个继父，第二任父亲。他不能有自己的孩子，影子人是不能繁衍后代的。他这样想。他在某家出版社当编辑，修改别人的书。他想要写出自己的书，却总是在别人的那些书中找到自己的思想。那些书已经写出来了，他想做的事已被别人做过了。在电话簿中几十个不同的人拥有同样的姓氏，多半是由于这个原因，警察常常找他的麻烦，只因他的姓名跟某个婚姻骗子的姓名一模一样，这就使他不得安宁。除此之外，他跟某个不太受观迎的政治家长得很相像，所有的人都把他跟那个人搞混。他的照片曾被贴在中学布告栏上，事后又被取了下来，由于弄错，又用另一个人的照片代替了他。

由于要去瓦乌布日赫运木板，我漏听了最后两段的情节。不知这个二手人的故事如何结束。但可以肯定，他最终必定会死去，像每个人一样。也许弄错了尸体，用另一个人的姓名埋葬了他。也许在下葬时旁边也在举行另一个比他更重要的人物的葬礼，铜管乐队的音乐掩盖了给他用录音带播放的神父例行公事倒背如流的讲话。

白　色

他们乘一辆白色小汽车来了。R 走到他们跟前，帮他们把手提包从行李箱拉了出来。他们在汽车旁边站了片刻——R 总是赞叹客人的小汽车，询问车跑了多少年、烧了多少油。两条母狗围绕他们快活地跳舞，而后杨卡下车，她像往常一样舒舒服服地坐在司机的位子上。

他们的小汽车是白色的，全白的。我走到台阶上，向他们招手。她眼望着脚下陡峭的小路朝我的方向走来。小汽车的白色成了她苗条身材的陪衬。她从白色的荧幕里浮现出来，宛如电影里走出来的形象，并一步步消失在观众席的幽暗之中。我就是那观众。

我望着她并露出满脸笑容，我意识到所有的白色都是违反自然的。大自然中没有白色。甚至雪也不是白的，而是灰色的，是闪着金光的黄色的，也可能是蓝色的，像天空，或者是黑色的，像石墨。因此白色的台布和被单会造反，因此它们会一个劲地变黄，仿佛想使自己摆脱这种不真实的化装。通常的洗衣粉对此毫无办法，如同人类的许多发明一样，它们只是反射光线，加倍制造错觉。

七月的满月

玛尔塔看到我们把椅子搬到阳台上，一张接一张排成两三排。我们端着装满玻璃杯或酒杯的托盘从门里挤过去，瓷杯里晃动的小茶匙发出清脆的响声，挪动凳子摩擦阳台的地面也沙沙地响。我们中有些人已经就座，正用一种低沉、单调的音调悄声交谈，那声音就跟充斥着剧院观众席的声音一个样。谈的是什么，啥也听不清。只能勉强听得见其中的只言片语。人们自以为在发表见解，却像撒下的蒲公英籽那样扰动着空气。随后我们从瑟瑟作响的小包里抽出白色的香烟。

有人越过另一些人的头顶递给其中的某个人一只有耳的小杯或一个碟子，有人回到门廊拿毛衣。R 拿来两瓶葡萄酒，放在花园里的小桌子上。他脖子上挂着一个双筒望远镜。一个妇女靠在木栏杆上，检查照相机的焦距。一个蓄络腮胡子的年轻人在看手表，突然所有的人也都开始查看时间。门廊里的电灯蓦地熄灭了，房子像往常一样一片漆黑。只有星星点点的香烟的红色火光有如显出老态的萤火虫那样忽上忽下地移动，在黑暗中划出人们的手漫游到嘴巴的线路。

玛尔塔扣上了毛衣的纽扣，因为一阵阵寒冷的气浪已从森林的方向袭来。夜已深沉，万籁俱寂，蟋蟀尚未出现。

此时玛尔塔突然听见阳台上出现的一阵哄然。我们发出狂喜的叹息，一个女人的声音叫嚷道：

“有了！”

玛尔塔调过头来，看到的景象跟我们看到的一样——地平线上方一条稀薄但很强烈的血红色光带，就在两棵云杉的正中央。照相机咔嚓一声按动了快门，双筒望远镜碰着衬衫的塑料纽扣发出轻微的声响。红色的光带开始增长，变成了一个圆屋顶——地平线上迅速长出一个其大无比、光华灿烂的大蘑菇。它在人们的眼前不断长大，变成了半圆，然后就已看得非常清楚：从世界的边缘升起了一轮明月。两棵云杉将它像婴儿一样捧在中间。照相机有分寸地一次又一次发出咔嚓的声音，直到最后月亮把自己从地里解脱出来，弹出了地平线的黑线，摇摇晃晃，冉冉升上高空。那时它很大，很大。

我们当中有人开始一本正经地鼓掌，其他人的手也纷纷加入鼓掌的行列。月亮一旦离开两棵云杉之间的安全空间，它的颜色便逐渐发生变化——起先是黄色，然后是白色，再后略呈绿色。它高悬于树梢之上，此时已能清晰地看到它颜面的轮廓。

但玛尔塔看到的是阳台上的人。那里觥筹交错，推杯换盏，香槟酒开瓶时砰的一声把她吓得一阵哆嗦。过了片刻人们开始交谈，起先是悄声说话，后来声音越来越高，直到一切都恢复了常态。

听

由于家里来了许多人，睡觉的地方不够用，于是我就睡到果园里那张红色的铁床上，往日我有时白天就坐在那上面读书。我在铁床上铺了干净的白被褥。夜里看上去它成了闪闪发光的灰色。

我从外面看到这幢房子：亮光从盥洗室的窗口倾泻出来，向池塘投射一道长长的明亮的光束。后来抽水机轰隆隆地开动了，一分钟后它静了下来，房子变得漆黑并从我的眼中消失。现在天空看起来似乎变得亮些。

夜并非像人们所说的那样是黑暗的。夜本身具有较为柔和的光亮，这光亮从天空向山脉和谷地流散。土地也发光，它放射出一种凉丝丝而略带灰色的微弱的磷光，如同赤裸的骨头和粉尘腐屑发出的光。白天看不见这种微光，在明亮的月光辉耀的夜晚，在灯火辉煌的城市和农村也都看不见这种微光。只有在真正的黑暗中大地之光才成为可见的。

除此之外还有星星和月亮。因此夜是明亮的。

我仔细观察从床上看到的每一片空间，每一棵树木，每一丛青草，地平线上的每一个弯曲处。所有的一切仿佛都薄薄盖上了一层灰，撒上了一层粉。夜晚的光抹去了物体锋利的棱角，使对立物彼此变得很相近。两者之间的界线也变得模糊起来了。多种物品看起来似乎只是某一种物品的多次重复。这些彼此相同的图像必定在某种程度上禁锢了我的视力，催我昏昏入睡。我醒来后，从梦中挣脱出来的眼睛看到的只是一片黑暗——月亮已经下去了。但是我的听觉却被唤醒了，完全控制了我的身体，现在是听觉拉着我跟它走。它沿着房屋的墙壁匍匐前进，谛听着。渐渐从表面上的寂静中隐隐约约传来睡在房子里的人们的呼吸声，起先是轻微的摩擦声、沙沙声在我的耳中喧闹，直到我觉得自己整个人都成了听觉器官，却被自己听到的声音装满了，成了一只肉碗，一只喝干了的玻璃酒杯，成了给挤压到耳壁上的湿润的、丝绸般柔和的耳咽管。我开始平生第一次什么事都不干，只是自始至终地听。在房屋的四堵墙内熟睡的人们的呼吸成了一片嗡嗡然的噪音、呼哨声，这声音落到人的身体上，让那些死了似的僵尸般的结构有了生气；他们的眼睑不安地吧嗒着，他们的心脉怦怦地跳着，发出比空气沉重的响声。随着睡梦的节奏，床铺均匀地嘎吱嘎吱响。后来我听见房屋墙壁里的老鼠大都会好不热闹，它们在那些窄小的十字路口、在那些亲切相会的地方、在那些装满食物的贮藏室发出喧闹声。我甚至听见小蠹虫啃噬松木桌脚的声音，听见厨房里的电冰箱震耳欲聋地开始夜间的制冷运行，接着我又听见飞蛾在寒冷的夜空逗乐，从厨房水管滴落下来的水滴滴滴答答的单调伴音终于将所有这一切声调全搅乱了，弄成了一团。耳朵被震得发聋的我，翻身仰面躺着，眼望着天空。天空应该像往常一样静悄悄，但并非如此。我听见掉落的流星的嘶嘶声和令人血液凝结的彗星的呼啸。

谁写出了圣女传，他是从哪儿知道这一切的

某个年轻的天主教神学院学生从帕斯哈利斯手里拿走了所有的文件，吩咐他傍晚再来。他再来时，那人又一声不吭就把他引到了一个房间，要他待在那里等候神父会议的决定。这个房间昏暗、潮湿，从窗口他能看到一条河，以及沿河岸边的一些贫寒、低矮的小房舍。在某些方面这个房间使他想起了修道院的修室——一张狭窄的床，床对面一张桌子和一把椅子，而代替绵羊皮小毛毯的是拜垫。他立即跪到了拜垫上试图做祷告，但库梅尔尼斯不愿来到拜垫跟前。帕斯哈利斯心里想的与其说是圣女，不如说是家具光滑的装饰细节，最后他试着跪到石头地板上。可他仍然无法集中思想全神贯注地祈祷。窗外传来河里潺潺的流水声、街道上的嘈杂声、车轮转动的辘辘声和人的喊叫声。格拉兹不是个对祈祷有帮助的地方。他多年来第一次没做祷告就去睡觉了。

第二天依然是那个神学院学生前来通知他，说主教正在阅读他的文件，因此他的谒见定在明天进行。过了一天，来人对他说的是同样的一番话。又过了一天，仍旧如此。于是帕斯哈利斯就在主教的府邸住了下来，也就有时间参观这座城市。

他见到数量庞大的人。他觉得简直难以置信，这么多人怎

能生活在一个地方。使他感到惊愕的是，并非所有的人都彼此相识。他们在街上冷漠地擦肩而过，相互都不看一眼。他在这座奇怪的城市从清晨走到傍晚，直到他那双木屐的皮带磨伤了他脚上的皮肤。他在市场上见到许多做买卖的人，他们的售货摊摆满了各种货物。简直难以记住这些东西都有些什么用途。他见到孩子们无人照料地在街上玩耍，见到被噪音和酷热弄得精疲力竭的动物，见到教堂里彩绘鲜明的塑像，这些塑像的样子使人产生一种误以为是真人的错觉。

然而最令他心醉神迷的是妇女。这儿，在城市里她们显得更加亮丽、具体和真实，伸手即可能触摸到。他在教堂祈祷的时候，凭衣裙的窸窣和鞋后跟柔和的敲地声，就能判别出她们在场。于是他便偷偷观察她们服装的每一个细节，暗中打量她们一缕缕头发和辫子的编织式样、她们肩膀的线条、她们在胸前画十字时手的流畅动作。没有人看到的时候，他就自个儿重复这些动作，仿佛是在练习复杂的魔术符咒。

在沿河的一条街上他发现了一幢房子，房前经常站立着一些年轻的姑娘，她们身上的连衣裙经常撩到膝盖以上。她们衬衫领口的束带仿佛无意地松开了，裸露出瘦得皮包骨的胸口。帕斯哈利斯一天要从那里走过好几遍。其实他甚至并不知道这是怎么一回事。在他陷入沉思默想的时候，他的双脚会自动地把他带到那里，带进了河岸上那些潮湿、发臭的小弄堂，那些永远浸透了水的湿漉漉的街区。姑娘们不断轮换，并非总是相同的那些人，但最终他学会了辨认她们所有的人。她们也认出了他，像对待一个老相识那样冲他微笑。有一天，就在他从她们身边快步走过的时候，她们中的一个悄声对他说：“来吧，小兄弟，我给你看点你从来没有见过的东西！”这句悄悄话对于他不啻是猛然一击。帕斯哈利斯瞬间停止了呼吸，热血涌上了他的面颊。但他甚至没有停住脚步。在这同一天，他在货摊上见到一些木制的小十字架，上面带有库梅尔尼斯的雕像。“这是个忧伤的圣女，”摊贩说，“她是一切事变的守护神。”帕斯哈利斯用从女修道院院长那儿得到的钱给自己买了一个这样的小十字架。

终于他被召唤去见主教。

“这一切都是很有教育意义和很振奋精神的。你把这位不平凡的女子的生活故事描绘得很优美，但是在她的文字中有许多东西令我们感到不安。”身着黑白双色修士服的人这样说。然后他将文件在自己面前铺开，目光沿着那些文字凝视了良久。主教转过身去，背冲着他们眼望着窗外。

“例如，这样一些话意味着什么呢？‘我看到了这一点。这是无穷无尽的也是强大无比的，但并非到处都是一样。有些地方离他近一点，有些地方离他远一点。在郊区的地方，它就冻结了，凝固了，像铁水一般。’”

“这是在讲上帝。”帕斯哈利斯说，但主教没有作出任何反应。着黑白双色修士服的修士却说：

“我明白，这可能是诗化的隐喻。但你得承认，小伙子，这样的隐喻有点冒失。女修道院院长理应更加谨慎、更加敏锐，更有辨别力。这不是精心之作，我的儿子……再看这儿，‘无论我做什么，都是出于对你的爱，而在爱你的同时，我也必须爱自己，因为在我的心中，所有充满生机的力量、所有爱的力量——都是你。’这听起来几乎是异端邪说……‘无论我做什么’……我简直就像听到了某个叛教者说的话。或者，请阁下听听……”

写满了帕斯哈利斯工整手稿的纸张飘落到地板上。

“‘我知道，你就在我心中。我在自己心中看到你——你在我内心以一切我能信赖的形式向我显现，你显现为节律、涨落和盛衰。我属于太阳和月亮，因为我属于你；我属于动植物世界，因为我属于你。当月亮每个月将我体内的血液搅动一次，我知道，我是你的，知道是你邀我坐上你的餐桌，好让我尝尝人生的味道。每到秋天我的身体就丰满起来，重量增加，我变得像只大雁，像头狍子，它们的身体对世界天性的了解比任何一个最聪明的人都多得多。你赋予了我巨大的力量，让我能熬过黑夜。’”

“太阳和月亮！”主教蓦然重复了一遍，这是他此次接见时说过的唯一的一句话。

不知怎么地，帕斯哈利斯理解为一切都完了，都丢尽了，彻底无望了。于是他从衣袋里掏出自己最后理由的凭据——木制的小十字架，上面是个有副基督面孔的女子半裸的身子。“这十字架到处都能买到。”他说，“为了得到她的祝福，善男信女们到阿尔本多尔夫朝拜。”

他把小十字架放在写满文字的纸张上。主教和修士都俯身去看。

“这算个什么乏味的古怪东西！”修士做了个鬼脸，“人们不知自己都在干些什么。”

他带着明显的厌恶情绪用两根手指夹着小十字架交还给了帕斯哈利斯。

“我们赏识你在写这个女子生平时付出的艰苦劳动。我们也衷心信赖阿涅拉嬷嬷，但是尽管有良好的意愿，我们不理解这个故事对于善男信女们究竟有何意义。你也看到，我们生活在动乱的时代。人们丧失了对上帝的敬畏，他们以为，他们自己能向上帝提出条件，把信仰拉进自己浊世的、偶然发生的不幸之中。我无须对你一一列举我们这个大地上众多的各种叛教者。我们的任务是捍卫信仰的纯洁性。我们有许多得到承认的女圣徒，她们坚守纯正的信仰，为此她们不惜自我牺牲，勇于殉难。圣阿加莎拒绝了异教徒西西里岛国王的求婚……被割掉了乳房。亚历山大的圣凯瑟琳受到五马分尸和斩首的酷刑。或者，阿波罗尼娅，她在宗教迫害时期曾是信仰的支柱。有人把她绑在柱子上，一颗接着一颗拔掉了她所有的牙齿。又或者是圣菲娜，她瘫痪了，却自己强化自身的痛苦，睡在石头床上，直到最后给大老鼠吃掉了……”

主教霍地抬起头，朝修士投去责备的一瞥。沉寂笼罩了接见室。

“所有这些实例都来自生活。”修士又开始说了起来，但声音要轻得多。他开始小心地从桌子上收起文件。“谁捍卫信仰并且诚实地为信仰殉难，他的痛苦就有意义，他所受的折磨虽说令人震撼和触目惊心，却包含在正当、健全、赢得广泛赞同的范围之内。可这里都有某种不健康的东西，我想说的是，十字架上这个赤裸的身躯有一种亵渎神圣的大不敬的东西。十字架使人想起救世主耶稣基督。而这里是赤裸的乳房，我们的主的面孔安放在赤裸的乳房上方……你受到这幅模拟像的诱惑，阿涅拉嬷嬷也受到了哄骗……这件事得经过详细研究，然后才能作出最后的决定。你的工作还没有完结。”

修士把传记和小十字架递给了帕斯哈利斯。

帕斯哈利斯让自己沉没在城市里，到傍晚时分他几乎走遍了所有的街道。他的双脚还一直期盼着去罗马旅行，而且已经准备上路了，因此他必须不停地走，走，让脚习惯于长途跋涉。在返回女修道院之前，这天夜晚他还能去主教的府邸，那里会给他提供住宿和晚餐。但他不想去。

“狗屁！”他平生第一次对自己说这样的话。就在这时，他发现自己来到了一条滨河的街道。从河上飘来阵阵寒气和水的气味。帕斯哈利斯站在一家小酒店前面，人们进进出出，关门开门，那时一阵阵憋闷、令人窒息的、发酸的人体热气向他扑面而来。

有人触了触帕斯哈利斯的衣袖，他环顾四周，见到一个姑娘正站在自己身旁。她是那些姑娘中的一个，她们的红嘴唇与红脸颊白天在灰色的石头墙壁的衬托下显得分外鲜艳。她望着他的眼睛，她的红嘴唇逐渐抻出一丝笑意。她扯了扯自己的胸衣，转瞬之间两个洁白的乳房朝着帕斯哈利斯的脸膛跃将出来。它们给他的印象是完美的，是应该有的那种样子。姑娘拽着他走进邻近的一幢房子。他们经过一个发臭的、低矮的门廊，爬上几级木头阶梯进入一个类似房间的地方，那地方很暗，但他感觉得出很小。

“你有钱吗？”她问他，同时点燃了蜡烛。

他抖了抖系在修士服下面的小钱袋，硬币叮当作响。屋子实在太小了，一张用干草填充的床垫搁在墙脚的地板上。帕斯哈利斯将自己装文件的褡裢放在门边，而姑娘则躺到了床垫上，把裙子撩到了下颏。他站立在她的上方，凝视着她伸开的两条穿着满是破洞的长袜的腿，看到两腿之间的一片黑乎乎的暗影，却不知该怎么办。

“喂，小兄弟，你还等什么？”姑娘笑着说。

“我想趴到你身上去。”他从紧缩的嗓子眼儿里挤出这么一句话。

“真没见到过这等人！什么叫你想趴到我身上！”姑娘叫嚷着，佯装惊诧。

帕斯哈利斯跪了下来，轻柔地趴倒在她身上。他就这么趴了片刻，连大气都不敢喘一下。

“喏，接下来怎么办？”姑娘问。

他拿起她的双手，将其朝两边分得很开。他的手指触到她的手心——又硬，又粗糙。他的脸触到她的头发，嗅到了一股煎过的肥肉的气味。姑娘一动不动地躺在他下边，他感觉到了她均匀的呼吸。

“这里也许不太暖和，不过你最好把衣服脱掉。”她忽然说道，语气平静。

他考虑了一下，然后爬了起来，动手脱衣服。她迅速脱掉了连衣裙。现在他们相互接触到赤裸的皮肤。他专心倾听她的呼吸。他能感觉出她用粗硬的毛逗得他腹部的皮肤发痒。

“你这个人有点不太对劲。”她套着他的耳朵悄声说，同时有节奏地颠动她的臀部。他没有回应，一动不动。她抓住了他的手，轻柔地将其引到自己的两腿之间。他摸索着通向她身体深部的洞，但一切都与他经常想象的情况大不相同。

“对了，就是这样。”姑娘说。

突然他的指尖受到了惊吓，他赶紧把手缩回，试着爬起来，但她用双脚又把他钩住，把他钩向了自己。

“你是这么美，你有一头秀发，像个女人！”

那时他伸手去拿她扔在一旁的连衣裙，站了起来。她惊诧地望着他怎样一本正经地把连衣裙穿到自己身上。她跪了起来，帮他束紧紧身胸衣的束带。

“长袜。”他说。

她从脚上脱下袜子，递给了他。长袜勉强达到他的膝盖。他闭上了眼睛，双手抚摸自己的胸部和臀部。他的身体动了动，连衣裙也随之飘动起来。

“你像先前一样躺下，伸开两手，那时我就睁开眼睛。”他说。

她按照他的吩咐做了。他站立在她的上方，久久地望着她，然后提起裙子的皱褶，跪倒在她两腿之间。他慢慢倾身到了她的身上。毫无错差地蠕动着，仿佛实习过几百遍似的，然后就缓慢而有条不紊地将她钉到了地上。

梦

我收到了一封信。它跟所有其他信件一起躺在我的书桌上。那些信件是我们不在家的时候送来的，堆成了一堆，需要一封一封地阅读，读时兴味索然，不可挽回地丧失了从信箱里取出由个别的人写的单封书信并带着一种虔敬的心情聚精会神地阅读带来的乐趣。那封信躺在许多选举宣传单及大超市和外语学校的广告中间，跟它混在一起的还有银行结单、电话费账单，用盖章代替寄信人姓名的函件、官方传票和带有简短的问候、提示、讯息、通知的明信片。那封信确切地说也不是书信，似乎书信这种邮件已在不知不觉之中灭绝了。它更像一份广告，像一张糟糕的照相复制品，上面的字迹模糊而失真——这样的东西甚至让人不忍卒睹。它夹在某些党派的传单之间。说它不算是书信还有一个理由，因为它本身又是信封，像许多通常的正式函件一样——将一张纸折成四折带个贴边，用糨糊沾上，写上地址，贴上邮票。

它开头几个字是这样写的："你醒醒吧！"接下来的内容我没有看，或者我已忘记它接下来写的是什么了。可能是："你醒醒吧！波兰已处在悬崖的边缘。你就按照我们开列的名单投票吧！"或者是："你醒醒吧，切莫错过良机，凡消费超过三百兹罗提者，我们将赠送一套不同品种的水仙花鳞茎。”或者是：“你醒醒吧，要善于学习外语。我们的教学法能保证你只花三个礼拜的时间在睡眠中掌握一门语言。”我只记得，我用裁纸刀裁开了信封，像拆开所有的书信一样。而现在每一把刀子都让我联想到那个“你醒醒吧”，恐怕今后也会永远如此。或者可以说，一见到刀，就会想到用它切开的折叠纸张的扁平躯体，给一只纸的动物开膛破肚，为的是从中取出充满意图和预告的内脏。

酸奶油拌令人发愁的牛肝菌

从瓦乌布日赫来了几个熟人，我拿蘑菇招待他们。在最后一刻他们询问这是什么品种的蘑菇，我告诉他们蘑菇的名称后——他们没有吃。似乎吃或者不吃某种东西能在死亡面前挽救我们大家的生命。其实无论吃这种还是那种东西，无论做这件事还是那件事，无论这样想还是那样想，人都会死。死似乎是一种比生更自然的事。有这么一种桩菇，在被一些现代饮食手册列为有毒之前，曾是一种美味可口的蘑菇。多少代人都吃过它，因为它到处都能生长。在我孩提时期，人们将它采下来盛在专门的篮筐里，然后煮很长的时间，再把水倒掉。现在却有人说，桩菇是在缓慢杀人，说它侵害人的肾脏，说它积聚在内脏的某个地方，损害人体器官。因此在吃桩菇的时候，人是同时处于既可活也可死的瞬间。按百分比计算，在某种程度上是可能活着的，在某种程度上又是可能死去的。很难说何时会由前者转化为后者。不知何故人们会如此重视这样一个短促的时间。

用葡萄酒和酸奶油烹调令人发愁的牛肝菌的方法：

一公斤左右令人发愁的牛肝菌

四匙量的奶油

四分之一玻璃杯的干白葡萄酒（最好是贴有向日葵标签的那种捷克干白葡萄酒）

一撮胡椒粉和一撮很辣的辣椒粉

食盐

一玻璃杯酸奶油

半玻璃杯搅过的塔特拉山民的羊奶干酪

蘑菇用奶油煎炒五分钟。倒进葡萄酒再焖三分钟。然后加胡椒粉、辣椒粉和食盐，浇上酸奶油，撒上干酪，搅拌均匀。放在烤面包片上或是跟马铃薯一起端上桌。

热　浪

在炎热的天气里玛尔塔整个中午顶着太阳坐在房子前面，从自己的小长凳上观察我们的房子。她身上总是穿着那同一件旧毛衣，毛衣覆盖下的皮肤肯定热得大汗淋漓。

在隘口，边防军的摩托车躺在接骨木丛下。车旁站着边防军，他正举着双筒望远镜代替眼睛望着玛尔塔，也望着我们。在宁静的高处，在晴朗无云的静止的天空盘旋着一只雄鹰，我们把它称为“圣灵”，因为它以圣灵应有的方式活动，毫不费劲、无所不知地自由翱翔。它望着边防军，边防军望着玛尔塔，玛尔塔望着我们。在整整一个烈日炎炎、热浪滚滚的月份中，玛尔塔看到的也是同样的事物。

我们整天坐在木头阳台上。太阳刚从苹果林后面冒出来，我们就把衣服脱得几乎赤身裸体，向天空展示白色的身躯。我们给皮肤涂上防晒霜，两条腿搭在特地搬来的小椅子上，脸朝太阳。靠近中午的时候，我们躲进门廊待上片刻。喝咖啡，然后又重新躺到斑驳的阳光里。

感谢上帝，天空出现了云彩，能给他们的皮肤哪怕是短暂的喘息机会。玛尔塔多半会这样想。

下午我们的皮肤已经发红，因此像往常一样去新鲁达经过这里的如此这般不知已是第几次向我们建议用酸牛奶擦皮肤。

玛尔塔见到我们的嘴巴在动，因为我们虽然躺着却一直说个不停，甚至彼此都不看一眼。太阳把我们晒得懒洋洋，使我们说出的话都走了调。既然在你的眼皮底下形成一个火球，你又能说些什么呢？我们的嘴巴在动，有时风把我们的只言片语送到了玛尔塔的耳中。她知道我们在忍受折磨。她看到我们之中不时有人站了起来，穿过门廊凉快一点的地方走到房子的另一边，那里还有一条带状的阴凉去处。我们孤零零地单独站在那里，而我们不习惯于沉默的嘴巴却无所事事地张着；我们闲下来的颚骨晃荡着，有如弃置的秋千。我们后面的阳台是个候客室，是休息的地方，在那儿可以不用思考也不用说话。我们晒热的皮肤冷却下来之后，我们昏花的视力得以复原，时间也重新变得有节奏。就这样逗留了片刻，我们又重新回到了阳光照到的地方。

词　语

整个傍晚我们一边喝着带有向日葵标签的捷克葡萄酒，一边讨论有关名称的问题。那个耗费了许多个夜晚把德国地名变成了波兰地名的家伙究竟是谁？有时他显示出一种诗歌天赋的闪光，有时却又显示出可怕的构词上的迷乱乏味。他从头开始命名，创造了这个崎岖不平的多山的世界。他将福格尔斯贝格变成了个什么涅罗达，用具有爱国含意的名字波兰山为哥德斯琴贝格重新命名，把含意忧郁的弗卢希特变成了平庸的任齐纳，又把马格达尔·费尔森变成了意为上帝恩赐的布格达乌。至于为什么把基尔希贝格变成了策雷克维查，埃克斯多夫变成了博日库夫，这一点我们却永远也猜不透。

但毕竟词语和事物构成共生关系，这就像蘑菇和白桦树。词语只有和事物共生在一起才具有成熟的意义，准备好随时给说出来。词语只有在景物中生长，那时才可以拿它们耍弄，像玩弄一颗成熟的苹果，闻它们，尝它们的味道，舔它们的表皮，然后咔嚓一声将其掰成两半，细看它们羞怯、多汁的果肉。这样的词语永远不会死，因为它生长在世界的一边，善于启动自身更多的含意，除非整个语言都死亡了。

在这一点上人也像词语一样。人离开一定的位置就不能生存。因此人就是词语，只有在那时人才能成为现实的人。

也许这正是玛尔塔所想的，她曾讲过一句令我震撼的话：“如果你找到自己的位置——你将永生。”

埃戈·苏姆[①]

埃戈·苏姆吃过人肉。这件事发生在一九四三年早春时节，在沃尔库塔和克拉斯诺耶小火车站之间的某个地方。他们五个人被留在铁路道轨旁边的一间简陋的小木屋里，因为他们要给接下来的几列火车卸货，但是火车还没有来。夜里下了一整夜的雪，比已经积在那里的雪更大，也更白。他们从雪下挖出嫩枝、残剩的青草，他们就吃这种东西。他们从棚屋的木板上刮下老苔藓，也吃掉了。幸好周围是森林，他们有木柴，可烧火烤热他们的身体，因为已经没有任何东西可以从体内给他们些许温暖了。

埃戈不记得伙伴们的名字；他得以忘记他们的姓名，但他没法忘记那个冻死了的人的面孔，他吃了那个人的尸体。那个人很可能是夜里冻死的，因为早上他蜷缩着躺在火堆旁边，一只长筒皮靴有点烧焦，似乎是他在将死的时候把一只脚伸进了火里，想以此提醒自己“还活着”。但也可能是他死后那只脚才落进火堆的。他已开始谢顶，蓄了一脸红褐色的络腮胡。埃戈

---

① 埃戈·苏姆，原文作 Ergo Sum，是笛卡尔的哲学命题“我思故我在”（Cogito ergo sum）的后半句。

记得，他苍白的双唇露出因患坏血病而糜烂的牙龈。

埃戈·苏姆的父亲是个乡村教师，住在博雷斯瓦夫附近。他的姓名非常普通，叫文岑蒂·苏姆，但在他情绪好的时候，突然心血来潮给儿子起了个埃戈的名字。他觉得，似乎埃戈·苏姆这个名字听起来很值得自豪。不久他又后悔没有给儿子起两个名字，要是给儿子起双名也许就会显得更为高贵和文明，也许就会成为一种标记，说明他的家族以及跟他的家族一起的文岑蒂·苏姆和他的孩子们，全都是属于西方的。

埃戈·苏姆在利沃夫上大学，攻读历史和古典文学。他被流放西伯利亚，时年二十四岁。

那个冻死的人蜷缩成一团躺在地上，盖着破旧的粗毛毡，从毛毡下边伸出一只烤焦的皮靴。他那带帽耳的帽子从头上滑落，露出了他的秃顶。他的脸具有人的线条，但已不是人的面孔。伙伴们无言地将他抬到了小木屋外边，放到了雪堆上。雪花像沙子从天空撒落下来——细小、锋利、富有攻击性。几个钟头之后就覆盖了所有的痕迹。但埃戈·苏姆却一直想着这个冻死了的人，眼前总是看到那只略微烤焦了的皮靴。他试着回忆那人说过些什么，做过些什么，有过怎样的嗓门儿，但他什么都不记得了。他忘记了一切，彻底忘到了九霄云外，仿佛那个穿着一只略微烤焦的皮靴的人从来不曾在这里跟他一起待过。他们喝着烧热了的融化的雪水，彼此不说一句话。暴风雪肆虐，周围一切都在怒吼，呼啸，发出噼噼啪啪的响声。雪从墙上的裂缝灌进了小屋，堆成了一个个规则的圆锥体，仿佛是一个个活人前来拜访作客，仿佛是星际空间的居民选中到地球来度过这一夜。早晨所有的人都还活着，他们有个人走到屋外，但立刻又返回来。“已经把他盖住了，什么也看不见，现在我们再也找不到他了。”他绝望地说。

他们都从座位上跳将起来，出门走进雪中，去寻找那具尸体。那具尸体突然变得极其珍贵，变成个受欢迎的值得弄到手的东西。埃戈就是这样想的——他需要他，渴望他，并不介意死者本人头脑里在想些什么，因为死者确实也在那里想些什么，比方说，在他的头脑里回荡着从维吉尔或塔西佗那里援引来的某些拉丁文句子，他无法确定究竟是从谁那里援引来的拉丁文诗句：Cum ergo videas habere te omnia quaemundus habet, dubitarenon debes quod etiam animalia, quae offeruntur in hostiis,habeas intra te.[①]他们用棍棒在巨大的白色雪堆上到处戳，什么也没有找到，于是又开始用手把雪扒开，在雪堆上挖出了几个洞，直到最后埃戈见到了一只略微烤焦了的皮靴，他欢喜若狂地大嚷大叫说：

“我找到了他！我找到他了！”

他们把尸体拖到了墙边，用几块木板和树枝把它盖得严严实实。然后他们回到屋内，重新喝起了温热的雪水，因为他们也冻得半死。再晚一点他们中有个人走了出去，拿来一些小块

① 拉丁语，意为：一旦你看到你拥有世界所有的一切，你就不应怀疑你同时也拥有作为额外祭品而奉献给祭坛的生灵。

冻肉，扔进了水中。此人不是埃戈·苏姆，不是。这一点他确确实实记得很清楚。第一次干这件事的是另一个人。那些肉块在水里解冻，又在沸水中煮了一段不长的时间。或者更确切地说，是在水锅里慢悠悠地漂浮过一阵子。那是些苍白的薄薄的小块儿，闻不出任何气味，只有水蒸气在锅的上方升腾。他们中有一个人拒绝吃，但此人也不是埃戈。埃戈把肉含在嘴里，硬邦邦的，半生半熟，他无法吞咽下去。他必须借助意志力去吞咽这些硬块。他暗自想："你就把它想象成普通的肉，煲汤的肉。"直到这时他才狠一狠心将其吞了下去，却又坐着发呆，一动不动，仿佛吞下了一枚定时炸弹。傍晚，那个没有吃的人对他们说，他们可能会得过敏症，因为他们的免疫系统不适应消化这种蛋白质。此人从前是一个生物学家之类的什么人。

"闭嘴！"他们对他说。

火车仍旧没有来。其实指望能有火车来本身就是一件荒唐可笑的事。铁轨早已消失在雪下。同样，小灌木丛和棚屋也正缓慢地消失。他们每天都必须远征稀疏的白桦林弄一些木柴。他们用手掰断白桦树枝，拖到棚屋旁边。夜里他们常常听见狼嚎，声音悠远而恐怖。埃戈·苏姆的头脑里出现了一个想法，像火一样温暖着他："这没什么了不起，用不着发愁。"这想法有如一堵坚实的墙，不断扩大，增长，它驱赶别的想法，一再反复较量，重复上千次，直到它完全占满整个意识。"一切正常，一切都好。"当轮到他出去拿肉的时候他也是这样想。他走到小木屋前，暗自重复这些话，一遍又一遍，抑扬顿挫地重复着，像念经似的。这些话把他的思想梳理成笔直的、与任何事物都不相连的一缕思绪。因此他再也看不到人，他看到的是一个扭曲的外形，有棱有角，撒上了一层雪。他用刀割下一块块的肉，一直割到骨头。这是个艰难的工作，因为他只有一把钝刀，而肉却是冰冻的，硬得像石头。后来，他脑子里闪过一个念头，想到自己割的是大腿。想到他们已割完一条腿上的肉。生物学家是如此虚弱，当别人给他一点热汤和几块肉的时候他已不再拒绝，虽说他们根本就不在乎他是否能活下去。现在他跟他们完全一样了。

这样持续了一个礼拜，或许是两个礼拜。埃戈还在不停地拿肉，现在用刀从骨头上刮不出多少肉了，还得砍下一些小骨头，因为到后来骨头也得充分利用。多亏雪和其他的一切，不久便难以辨认他们储备物资的来源是什么。与其说是别的什么，不如说是一堆骨头，一种不规则的结了冰的形体。生物学家也只呕吐过一次，那是在他们吃内脏的时候。

定是有个什么神灵在保佑他们，埃戈·苏姆这样想，因为就在狼群向他们进攻的那一天，他们在白桦林发现了人的踪迹。他们循踪走了一段路，可以看出那个人用雪橇拉木头，而雪橇是用一匹马牵引的。他们返回木屋时兴奋不已。他们祈求上苍不要下雪，不要掩盖这些来自外部世界的踪迹。这天夜里，起先他们听见远处什么地方有狼嚎声，后来这声音越来越近，最终听见就在棚屋的外面有一种喧叫声和相互扭打、混战的声音。狼群先是嗥叫着撕裂、吃掉了他们剩下的储备物资，为争夺一点少得可怜的食物而相互搏斗，而后又因搏斗而激起狂暴的野性，它们开始拼命挤压小屋的门，啃啮小屋的墙。屋内，他们尽量把火堆烧到最大程度，以致烤焦了顶棚。假若黑夜再持续一个钟头，小木屋就会保不住，他们就会成为狼群嘴里的食物。

太阳刚刚升起，狼群就已经离去。他们朝白桦林的方向走，去寻找人、雪橇和马匹的踪迹。他们三个人走在一起，因为一早就发现生物学家已经死了。埃戈·苏姆心想，发生这样的事倒也不错，又是有什么神灵在保佑他们，因为他们实在没有办法把奄奄一息的生物学家带走。而他们前面的路又很长，很遥远，甚至不知有多么遥远，不知前方到底有没有目标。

他们走了一整天，穿过森林，然后沿着森林的边缘走。到了傍晚（其实天在几个钟头之前就已经黑了），他们看到远方有灯光。在这儿还能听见他们身后某处有狼群在嗥叫。

埃戈·苏姆就这样得救了，还有他的两个伙伴也得救了——他甚至都没有记住他们的姓名。他们走到一个勉强算得上是居留点的小村庄，那儿总共只有五栋房屋。那里有人让他们取暖，有人给他们食物，有人治好了他们冻伤的脚、手掌和手。埃戈在那儿加入了波兰军队，走过从列宁诺到柏林的整个路程，最后又来到新鲁达落脚，在一所老中学当了一名历史教师。在那所中学的大厅里，立着歌德的大理石半身雕塑像。

悲伤和比悲伤更糟的感觉

这类感觉总是在圣诞节过后就立刻出现，而且逐渐强化，到了二月份更进入了绝望状态。每年埃戈·苏姆休完假回到学校就像换了个人。他变得睡眼惺忪，精疲力竭，眼睛和脑袋都痛。肮脏的雪景令他如此厌恶，直至痛心疾首。埃戈眯缝着眼睛，感觉自己仿佛是被禁锢在一个无能、僵硬、笨拙的躯体之内，而这个躯体又被封闭在一个无能、僵硬、笨拙的世界上。孩子们上学读书在他看来同样没有意义——他不遗余力教导他们，跟他们天生的轻浮、无聊的举动做无谓的较量，因修改他们的课堂作业而视力减退，因他们的尖声喊叫而耳朵发聋，因无所不在的粉笔灰而头发变白，待他们日后长大成人，他们又投入下一场战争，再次互相屠杀，或者在和平时期酗酒成瘾，繁殖一些跟他们一样的后代。可他却教他们维吉尔，明知他们对学过的内容一窍不通。他往他们的脑子里强塞硬灌简单的拉丁语词句，可到了他们嘴里就成了莫名其妙的外语单词。含意从那些词句中散落了，恍如从破袋子里撒落的罂粟籽一样，掉进了执拗地流经城市的臭气熏天、五颜六色的河水中。在方圆一百公里的范围内没有人懂得维吉尔，没有人思念他。他成了一个百无一用的人。周围生活着与书本无缘的人们，他们经常面对成堆的书籍，其中包括柏拉图、埃斯库罗斯和康德的著作，而他们却能奇迹般地找到《采蘑菇者指南》或《马铃薯料理的百种作法》。

在这座丧失了智慧的城市的街道上，能听到的唯一有节奏的声音是孩子们在他住宅的窗外咿咿呀呀地唱着的一支悦耳的小调："前辈维吉尔教自己的孩子们读书，他的孩子总共一百四十三，有男也有女。"

此后他很快就觉得拉丁语过于深沉庄重，缺乏奔放的想象力，还掺杂了许多宗教的联想。除此之外它也完全不适合这个令他感到陌生的小城市。跟拉丁语相宜的恐怕只有广场上的市政厅和某些以装饰性的尖顶冒充哥特式建筑的高大楼房以及那些彩色玻璃拼成的图案已被砸得七零八落的窗户。与之相宜的还有街上那些具有野蛮人面孔的行人。这是个第四生态纪的世界，一个等候着恢复黄金时代的男孩诞生的世界。

因此他更喜欢希腊语。他怀念希腊语，因为在中学里他只能教拉丁语。

每当他修改课堂作业不顺手的时候，每当他陷入绝望之时，他便拿起了柏拉图，他总是希望将其翻译得比维德维茨基[①]的译本更好一些。他甚至觉得那是他真正的语言——那些美丽的、发音响亮的希腊词语，使他想起和谐的几何图形。他将它们转换

① 瓦迪斯瓦夫·维德维茨基（Władysław Witwicki，1878—1948），波兰心理学家、哲学家、翻译家。

成波兰文，就不是那样匀称、美观，由于一词多义，由于词形充满了前缀，可能会出乎意料地改变整个意思。上帝如果存在的话，必定也说希腊语。

他喜欢想象柏拉图那样的生活。他看到他们四五个男人斜靠在石头床上怎样进行对话。裸露的肩膀，皮肤——虽说可能已不年轻，但仍旧光滑、健康、黄金般耀眼，阳光从扣紧扣子的束腰外衣上反射出来，一只握住酒杯的手轻微地向上举着，斑白的头发短短地剪齐鬓角。这是他所想象的那位年纪较长的男人。两个比较年轻的可能是黑头发、黑眼睛、丰满的嘴唇。埃戈·苏姆心想，他们中的一个当是斐德罗。第四个男人抬起了身子，坐着说话，还用手在空中为他的陈述敲出某种节奏。一个年轻小伙子在斟葡萄酒，几个大盘子盛满葡萄和橄榄，虽然埃戈·苏姆对橄榄是什么模样并不十分有把握。但根据字面判断，它们应是光滑、有弹性的，而一旦牙齿咬破了它们的表皮，它们丰沛的果汁就会流到嘴角唇边。太阳晒热了石砌的小路，蒸发了每一滴偶然掉在上面的水珠。那儿不存在形容雾的词，雪潜藏在有关夜晚的神话故事中，但谁也不相信它。水只是作为俄刻阿诺斯[①]或葡萄酒出现。天空是众神的一条大彩虹。

埃戈·苏姆窗外有个阴暗的院子，它三个方向都有房屋挡住光线，而第四个方向则被长满了树木的山坡遮挡。为了见到

① 俄刻阿诺斯（Oceanus）是希腊神话中的大洋神。按照荷马时代的观念，是万神的始祖。

天空，必须走到窗前，把脸贴到窗玻璃上，还要垂直往上看。天空经常是珍珠般的灰色。

他住在河滨的一栋低矮的旧公寓楼里。他的住所有个厨房，有个贴了瓷砖的盥洗室、两个房间和一个玻璃阳台。他不知这个阳台有何用处。冬天他便封死了阳台，还用破布塞住了门缝。夏天早上，在到学校上课之前，他在那里做早操，同时听广播电台的清晨节目。阳台上放着一块烫衣板，他的女管家用它来烫平他洁白的衬衫。那里还有一架旧的德国缝纫机。他曾想在阳台上养点盆花，就像他在别人的阳台上看到的那样。但他不知该养什么花，怎样养。一个老光棍和鲜花！埃戈·苏姆希望总有一天他会结婚，那时这个住所将会正合适，眼下有点嫌大。埃乌吉尼娅太太每个礼拜来打扫一次。她给棕色的地板打蜡，擦得闪闪发光，末了还给教授先生烤一张馅饼——总是同样大小的饼，变换的只是做馅的水果。冬天和秋天用的是苹果，夏天用的是浆果或覆盆子，春天，五月份必须是从商场买来的一束大黄。埃戈·苏姆总是把地板蜡的气味跟新烤出来的点心的气味联系在一起。他给自己沏上一杯茶，然后随便把手往柏拉图书架一伸，这个书架是他家里最重要的东西，他从书架上拿起柏拉图集子中的一本，读了起来。

这是多么奢侈的享受，这是何等惬意的生活——坐在阴凉的房子里，喝着茶，嚼着点心，读着书。他尽情享受阅读的乐趣，反复咀嚼书中的那些长句子，品味它们的含意。在不经意间突然发现它们更深一层的寓意，就为之惊愕不已，一时给僵住了，凝视着长方形的窗玻璃发呆。细瓷茶杯里的茶水逐渐变凉了，茶面上升起的一缕花边状的飘渺轻烟也消失在空气里，留下勉强能捕捉到的香味。白色书页上的一串串黑色字母给他的眼睛、他的思维、他整个人提供了栖息之所，使世界变得开阔和安全。果子馅饼的碎屑撒落在台布上，牙齿碰着瓷器发出轻微的丁零声。他嘴里分泌出大量的唾液，因为智慧像发酵的点心一样诱人、一样开胃，像茶一样提神。

他床边放着第欧根尼·拉尔修的《名哲言行录》，他一向把它作为夜间入睡前的读物，有时就随便将其拿在手中。当那些课堂作业或者广播中单调的唠叨使他感到厌倦疲惫的时候，他就胡乱将其翻开，读着那些有关英雄、伟人、不凡的先哲们的故事。在这些人中有泰勒斯，他是头一个有胆量说出灵魂不死的人，费雷基德斯——毕达哥拉斯的老师，苏格拉底和他那预言他光荣死亡的精灵，伊壁鸠鲁（“人如果不是理智地活着，就不能有愉快的生活”），恩培多克勒（“使四种元素结合的东西是爱”），还有不同凡响的梅塔蓬顿人阿喀马内斯——《事物的两重性》的作者（“每种事物都有自己的两重性”）等，但首先还是柏拉图。

后来发生了一件不可思议的事。他对柏拉图的对话集几乎是烂熟于心，但似乎从未注意到其中的一个片段。他在《理想国》的第八篇中，突然发现了一个句子，这使他大吃一惊。他读到这句话时一下子愣住了，立刻便领悟到它的意义。这个句子是：“谁若是尝过人的内脏，谁就一定会变成狼。”不错，书中正是这样写的。埃戈·苏姆站起身来，走到厨房，从厨房的窗口望着旁边的一栋公寓楼房，心想，他已想出忘记那个奇怪的句子的办法。于是他打开收音机，从那里流溢出陌生、冷漠的音乐，他在抽屉里东找西找，从年历上撕去一页，用一根撕开的火柴棍剔去牙缝里的点心碎屑。但所做的这一切都是徒劳之举。埃戈·苏姆的头脑里出现了首批严寒的结晶体，现在已向四面八方扩大蔓延，冻住了一路所遇到的一切。厨房还是那个厨房，窗外的景物还是原来的样子，茶的幽香还飘浮在空中，苍蝇用它们的口器喜爱地拨弄着水果馅饼的碎屑。然而他脑海中已弥漫着一派永恒严冬的可怖、空虚的风景。到处是白色冰冻的大地，锋利的边缘，寒冷和脚下踩得嘎吱嘎吱响的积雪。

这个句子他每天要核对好几遍，因为他觉得这可能是他的幻觉。人的潜意识往往喜欢玩这些恶作剧。后来他又核对了别的版本，别的抄本，核对了波兰文、俄文和德文译本。到处都有这个句子，是柏拉图写下的。因而是确实无误的。

某些想法是多么奇怪，就像发酵的面点烤熟之前那样不断增长、膨胀（所有这些烹饪的联想说明我跌得多么低——埃戈·苏姆心想）。一个句子和一幅图像填满了埃戈·苏姆的生活。他请了假，虽然正是高中毕业考试时期。他如今是坐在扶手椅上打发光阴。傍晚他开始焦虑、冒汗，而他的皮肤也开始变粗糙，他害怕看自己的双手，一想起那件事就牙齿打战。终于在某个夜晚，在房屋的上方短时间出现一轮满月，埃戈·苏姆发出了一声长嚎。他用手捂住自己的嘴巴，用手指甲掐脸颊。

但这样做毫无用处。他是朝内心嚎叫。奇怪的是，这一叫使他大大减轻了肉体上的痛苦，犹如他一口气憋得太久太久，现在总算吐了出来。

只有当他拼命挣扎，不允许自己变成这只狼的时候他才痛苦，只有当他处于从人到狼的过渡阶段——他已不再是人，不再是有着可笑姓氏的历史学家，但还不是一头野兽的时候——他才忧心如焚。那是一种地狱般的痛苦。他浑身疼痛，每一块细小的骨头和每一片肌肉都痛，除此之外还有极度的恐怖，与之相比对死亡的恐怖不过是温柔的抚摸而已。埃戈·苏姆对这种状态已无法忍受，也是不足为奇的。因此他突然放松了原本痉挛地坚持这种生活状态的一切努力，在刹那间放弃了斗争，让自己一落千丈地跌到底层，他躺在那里，沉重地喘息着。也不知事情是怎样发生的，现在在他身上狼性占了上风。埃戈·苏姆跑进公园，跑进山坡上的青草地，跑进自留地，跑进坟场的小片土地，尽量远离人、远离他们房屋的臭气。他的记忆变得如此模糊不清，以至于翌日清晨他就说不出头天夜晚自己到过什么地方。

栗树开花的时候，埃戈·苏姆去了弗罗茨瓦夫，走遍了那里的图书馆，在那里他找到了一个有关变狼狂——患者幻想自己由人变成狼——的经典实例。他在这座一直受到战争不可思议地破坏的城市行走，会时不时望望自己的两只手，看它们是否已长出灰白色的刚毛。这甚至成了他的一种习惯。每当他陷入沉思，稍微不留神的时候，每当他让自己的头脑进入未来幻象的隧道，也就是跟想象的医生、精神病学家、巫医、甚至跟那个他吃掉的死人对话的时候，他总要下意识地把双手伸到自己前方，这时他才回到现实中来，这双手也才属于他埃戈·苏姆，属于新鲁达一所中学的教师。

他的整个暑假生活都是这么过来的。时间很可能是一九五〇年，因为那个夏天总是阴沉多云而潮湿。青草长得很高，又肥又壮，灌木抽出茁壮的嫩枝，显然潮湿的天气于植物的生长有利。但是人对这样的天气却不满意，他们只好坐在阳台上玩纸牌，时不时喝口烧酒。

这时七月的满月升上了天空，这是埃戈·苏姆经历人变成狼之后的第三个满月。他为此作了一番精心的准备。他在园艺商店买了一根绳子，换掉了门上的锁，甚至为自己——我的上帝，要是有谁知道这件事可就糟糕了——弄到了一点吗啡。一切就像在剧院演出的那样——乌云消散了，月亮显露出来，像一枚炸弹那样悬浮在空中。开头它升到自留地上方，起初还跟那些果树纠缠在一起，然后就径直升向天空，看得见它怎样向上移动并占有了整个世界。被捆绑在椅子上的埃戈·苏姆睡着了。

网络中的两个小梦

1. 我从后面看自己。我看见一层又松又软的厚皮覆盖着我的背部。皮肤上长着一些稀松的、单根的黑色毛发。皮肤摸上去温热、柔滑，略微有点粗糙。我惊诧不已，因为我平生第一次看到自己的后背。然而这不自然的皮肤并没有引起我任何厌恶之情，也没有引起我任何的不快。简而言之，我只是凝视着，惊讶着。使我感到更加出乎意料的是，我在那里看到了肚脐眼。我不知道我背后也有肚脐眼，我从来没有想过人的后背会有肚脐眼。这个肚脐眼仿佛是前面那个肚脐眼的翻转：前面的肚脐眼向内缩，这个肚脐眼往外伸。

2. 我站立在桥上，站在一座低矮的桥上，我把双手泡在洁净的水中。我看到自己的倒影。水里有许多小金鱼，我抓它们。我抓得越多，金鱼来得越多。

剪头发

我和玛尔塔坐在阳台的木头台阶上。R 用家酿的烧酒做辣根酊，我拿这种酊剂给玛尔塔擦手。

玛尔塔年事已高。她手上的皮肤薄而光滑，盖满了棕色的斑点。她的指甲苍白，看起来似乎没有生命，似乎她从来不曾干过活。在这层皮肤下面，我能感觉出脆弱的小骨头，它们在关节的周围肿胀，这是一种体内的寒气，风湿病，它使玛尔塔感到疼痛。也许正是体内的寒气使玛尔塔总觉得冷，甚至在酷热难当的时候也是如此。整个夏天玛尔塔老是穿着那件长袖毛衣，毛衣下面还有一件灰色的连衣裙。连衣裙的领子已经完全磨损了，挨脖子的地方磨成了碎条儿。辣根酊的气味强烈、刺鼻，淹没了花圃里鲜花的芳香。我拿它擦玛尔塔的皮肤，直到它渗入皮下，直到它进入玛尔塔的双手，用它的热来融化侵袭玛尔塔身体的寒冰。

沿着公路驶来一辆装粪的大车。一名男子挨着大车走着，眼望着我们。刹那间辣根的气味跟粪肥的气味混在了一起。

后来我们喝茶，茶的气味也掺和了周围所有的气味。玛尔塔望了望我的头发，问道：

“你是怎么弄的，把头发剪得这么齐？你瞧瞧我的头发。”

她将手指插进完全灰白的头发里。她的头发果真长短不齐，显然她是自己剪的。很可能是她自己用两个小镜子配合起来胡乱对付的，且左边的镜子总是跟右边的镜子弄错，这样对着它们剪头发自然就会参差错落。我站起身，拿来一把飞利浦牌的小电动剪子，那是 R 在圣诞树下得到的礼品。我向她展示该怎样操作，我摆好刀刃，说明它能剪掉的长度。她那双灰色的眼睛从那个电动剪子漫游到我的头上，突然玛尔塔请求给她剪头发。

“好吧。”我说。我把电线拉进门廊，接上电源，摆好刀刃。玛尔塔伸出两根指头用相隔的距离说明她的头发该留多长。很快第一簇头发就掉落了下来，它们又细又白，宛如鸟的绒毛。玛尔塔将它们从毛衣上抖到木地板上。当我结束了修剪，她的脑袋覆盖着一层银色的柔滑的短发。我俩用手在她的头发上顺着摸了一遍，又反过来摸了一遍。玛尔塔猝然爆发出一阵大笑。原来她是喜欢逗乐的。我把这个飞利浦电动剪子递到她的手上，并且伸过去自己的脑袋。玛尔塔先是没有把握，小心翼翼地剪，后来越来越大胆。我的黑头发落到了她的灰白头发旁边。后来我想扔掉从阳台上打扫的头发，玛尔塔把它们团成一个黑色一个灰白的两个小球，埋在了花圃里。我们回到台阶上，又好几次相互抚摸我们剪过的头发。

太阳逐渐从阳台上消失。木板台上的阴影范围每个瞬间都有所不同。阴影不停地移动，终于达到了我们的后背，把我们的身体分成了两半——一半阴暗，一半光亮。然后就难以觉察而毫无痛苦地吞没了我们。

玛尔塔创造了类型学

我和玛尔塔一起去采摘甘菊是为了将它们晒干泡茶。尽管天气炎热，玛尔塔像平常一样穿着她那件用灰色毛线织出来的暖和毛衣。我们摘下黄白两色闪闪发光的甘菊头，把它们扔进篮子里。玛尔塔说，人就像他生长的土地，无论他愿意还是不愿意，无论他知道这一点还是不知道。

什么地方土壤松脆而且含沙量大，那里出生的人个子就都不高，皮肤白皙而且干燥。乍一看他们似乎很不起眼，似乎弱不禁风，缺乏毅力，然而他们就像沙一样——执拗、顽强、善于像在沙土上生长的松树那样守护住自己的生命。这是些轻信而多疑的人，他们不相信在别人看来是稳定和可靠的东西。他们好动，无处不在，不惧怕长途跋涉四处旅行，因此他们经常侨居别的国家，在许多不同的地方都同样感觉良好。他们同样迅速习惯新鲜事物，如同迅速忘记曾经遇到过的事物一样。他们在遭受了不幸、负心和损失之后不会长久痛苦。他们能嗅到未来，他们知道将要发生怎样的事。他们有个缺点，就是不履行诺言，因为他们觉得一切都是那样不持久，那样多变；履行诺言的已经不是曾经作出承诺的同一个人。他们生出了许多矮小、白皙、跟他们一样的孩子。那些孩子迅速长大，毫不伤心地离开双亲，然后就在节日寄来一张张问候的明信片。这些人从来无所牵挂，对他们而言重要的总是要将发生的事。凡是已经发生的事——就是已经死了的、已经消逝了的事。

那些出生在水源丰沛的地方，出生在滨湖地带、大江大河沿岸肥沃土地上的人们，又有所不同。他们的身体娇嫩、柔软、敏感，肤色较黑，带点橄榄油的色调，皮肤下面显露出青灰色的血管，皮肤潮润、冰凉。他们的手和脚都容易冻坏，年轻时他们的额头长满了青春痘，而头发经常是油光发亮的。这些人眷恋过往，因而总是小心翼翼而且不喜欢变化。非常容易得罪他们，一不留神说句无心话冒犯了他们，就会深深落入他们的记忆之中，永远留在那里，郁积成一种不快的感情，而且它存在的时间会跟人的寿命一样长。他们的眼睛天生爱流泪，甚至不仅是因为伤心或是由于某种不痛快的事落泪，由于激动和欢乐他们照样会涕泗涟涟。他们像动物一样轻信，因此他们早早就坠入爱河，然后爱情就迅速变成生死不渝的依恋。他们的肉体相互习惯，他们的灵魂彼此相连像两个水坑，他们心灵相通，无须说话就能相互理解。他们最不喜欢的是任何性质的旅行。他们说，到处都是一样，没有多少变化，最好是待在自己家里；呼吸自己熟悉的空气胜过漂泊在外，甚至胜过到那些最有趣的国家到处漫游。一旦处于战争或动乱时期，他们会失去自己的家园，要不了多久就会死去。他们生出一些麻烦、难缠、爱哭的孩子，夜里得起来把他们抱在手上哄他们睡觉。那些孩子不肯上学读书，不是因为他们愚蠢或者懒惰，而是因为他们害怕噪声和混乱。他们饲养的畜禽也物类其主——安静而又温驯。乳牛给他们大量产奶，绵羊都长着浓浓密密的绒毛，母鸡生的蛋又大又重。他们建造房屋是为了终生居住或者为了几代人居住。房屋的墙壁都很厚，而样子也都很敦实。

也有些人出生在多石的土地上，那里到处是砂岩或花岗岩。他们的皮肤粗糙、坚硬，肌肉和骨骼也是如此。他们的头发和牙齿都很坚韧，而手掌和脚底上的皮肤也都很硬实。从外观看他们粗犷而健壮，因为他们的身体犹如铠甲。他们内部有许多空白的空间，因此他们看到和听到的一切都在他们内部发生共鸣，犹如被罩在一口大钟里面一样。他们从来不会忘却任何东西，他们记得自己度过的几乎所有的日日夜夜，记得自己吃过的每一道菜肴的味道，记得别人对他们说过的每一句话。他们没有别人也能过日子，他们不需要别的人，虽然别人需要他们，因为他们就像路标，或者就像田埂上的界石，能指出某些事物在何处开始，在何处结束，指出道路的走向。

我问玛尔塔，她自己是属于哪一种类型的人，这个自作聪明的老太婆回答说，她不知道。

“这种分类系统只是为别人编造出来的。”过了片刻她补充道。

府　邸

封戈埃特岑一家生活在府邸里，虽说这座府邸不是他们建造的，甚至他们不甚了解整座建筑物哪儿特别明显地需要进行必要的修缮。他们自有记忆以来就一直住在这座府邸，这意味着他们是在这里出生的，可有时他们甚至觉得自己在出生之前就早已生活在这里，因为他们日思夜梦的只是这座府邸，它的那些房间和那些走廊，它的庭院和园林，仿佛他们的灵魂除此之外便不知世间还存在任何别的事物。他们要做的只是竭尽所能，让府邸存在下去，让田地和牧场能带来扩建和美化府邸所需的收益。除此之外，他们总有钱存在这家或那家银行，他们可以提取资金进行聪明的投资，再将收益重新存入银行。他们出国只是为了学到更多有关园艺、田地耕作和养羊的知识，或者为了看看威尼斯的壁画、瑞士装饰屋顶的方法，或是凡尔赛宫的内部装修、法国某些城堡未经粉饰的墙壁上的挂毯以及织锦、洛可可式家具，也是为了将来能确确实实借助轮船、火车，或者甚至只是在想象中，将这些东西搬到自己的府邸之中。

他们中有些人研究哲学或文学，但也只是为了能在这天堂般的地方更充分、更强烈地体验自己的生活，知道自己在做什么和该怎么做，意识到生活的目的或者缺乏目的，认识到生活的意义或者缺乏意义，看清自己能怎样生活。若能做到这些，应是足够了。

他们世世代代出生在府邸里。他们漫不经心地靠奶妈的照料养育孩子，这些来自农村的少妇，对幼小的东西总是乐意赋予难以抑制的强烈感情。他们不记得孩子们中曾经有谁夭折。孩子们都很健康，体形匀称，强壮。他们的指甲是粉红色的，眼睛晶莹、炯炯有神。他们唯一的缺陷就是牙齿，但这弱点在他们的世界里并不那么重要，在那里吃苹果总是要削皮，吃面包只吃面包瓤，肉都煮得很软烂，或者干脆把肉剁碎做成煎肉饼。即使他们自己的牙齿过早变黑，甚至掉落，他们也不用担心，因为府邸里总有个兼作外科医生的理发师或者有个精通做假牙这门艺术的牙医，可专门为他们镶牙，甚至能以各种合宜的手段将完整的全口假牙镶到他们的光板牙床上。假牙理应安在封戈埃特岑家族的盾形纹章上。

他们在自己的花园、园林、玻璃游廊、阳台和满是镜子的盥洗室之中长成。这是个无痛的过程，没有大起大落，没有兴衰变化。他们从不造反对抗自己追求享乐、炊金馔玉的双亲，也不反对生活在府邸。偶尔他们受到某种说不清道不明的力量的引诱向往外部世界，那时他们便会趁收获节或基督圣体圣血节集市的机会去参加村庄的庆典。然而他们在那里只享受到片刻的节日乐趣，而后便大失所望地回家喝午茶。他们逐渐长大，甚至没生粉刺。

然后就到了谈婚论嫁的年龄。最常见的情况是，聪明的母亲们就地给他们物色对象，但有时也会为此目的去拜访住在波莫瑞或黑森的沾亲带故、门当户对的家庭。这时他们的爱情就会平添一层异国的色彩。无论在哪里缔结良缘，最终他们都要把自己的妻子或丈夫带回府邸。那时就须将府邸扩建一翼或是添盖一层，或是将楼顶间改造成适合于居住的处所。这样一来府邸也就跟他们一起成长，向园林的深部扩张，或者向天空伸展。

年轻人的夫妻之爱总是在室内滋长，借助某种形式的茶话会、玩纸牌、小型家庭舞会来发展。光线从窗口柔和地投射进来，它润饰着他们的面庞胜过最高级的香粉。室外一派寂静，徐徐而来的微弱清风不会妨碍他们轻言细语的交谈，也不会吹乱他们精心梳理的卷发。他们通常是一见钟情。

爱情在府邸具有特殊的力量，多数夫妻都是长寿而且幸福的，即使不是生活在狂热的爱情里，也是生活在相互尊重和友谊之中。他们的背叛行为从来都不大具有戏剧性——卷入偷情活动的往往是某个侍女或园丁；他们有过的也就是当他们在别的府邸作客，舞会后在衣帽间的短暂缠绵。只有一次封戈埃特岑家的一位夫人突然离开丈夫出走并一去不返。她消失在外部黑暗世界的某个地方。他痛心疾首，但时间并不长。第二年他就跟一位漂亮的女邻居结了婚，甚至生了一对双胞胎。

然而封戈埃特岑家族的孩子并不多。或许是因为他们不想使府邸人口密度过大。别的夫妇往往只生一个孩子，而生两个孩子的，像这对双胞胎这样实属罕见的现象。在某种程度上孩子们的吵闹声打破了府邸生活的宁静，带来了喧闹，但是只要把他们穿戴得漂漂亮亮，允许他们用新鲜的草莓涂红脸蛋，他们立刻就会成为一幅他们家族兴旺的生动微型画，成为春天的化身，成为韶华青春或天真无邪的隐喻。总之谁愿把他们想象成什么就是什么。

安排在玻璃厅的晚餐一直持续到深夜。花园里亮着电灯，为的是更加突出童话般巨大的欧椴树。不知是封戈埃特岑家族哪一代人在玻璃厅外加盖了一个暖房，称之为“冬天的花园”，那里栽满了常春藤、喜林芋和无花果树。在花园最暖和的部分生长着仙人掌，其中的一棵每年开花一次，总是在同一个夜晚的同一时间里鲜花怒放。在那一天家族总要举行舞会，邀请住在遥远角落的亲戚还有来自别的府邸的邻居，娱乐聚会一直持续到次日清晨。仙人掌的花的外观实际上颇为平淡无奇，看上去就像飞廉的花，它的花朵也不大，但府邸的人还是用绘画而后是用拍照留下它的芳姿，使它永不凋谢。

他们的老年过得安详而健康。他们中从来没有人长年卧病在床，没有人精神失常，没有人患瘫痪、老年痴呆、高血压以及诸如此类折磨府邸以外老年人的疾病。或许只是苍蝇比较经常落到他们身上。不知何故苍蝇似乎总是最了解该轮到谁先死。他们至多是渐渐变得衰弱，起先难以觉察，只是精神一年不如一年，然后是一天不如一天。尽管如此，他们仍有足够的力气，能画出扩建府邸一翼的草图，或是整理旧照片，或是写回忆录，重温自己的往事或是回忆别人的往事，因为他们自己值得花费笔墨的往事并不太多。当他们进入晚年，他们就搬到那些铺了土耳其地毯的房间去，那些房间的窗户径直朝向花圃。他们能将身子探出窗外，絮絮叨叨烦扰园丁，一会儿说：“不是这样修剪玫瑰。”一会儿又说：“杜鹃花长得太高了，大丽花丛里长草了！”一会儿又说：“茉莉花不够香！”府邸的牙医委婉地劝说他们要经常从嘴里取出假牙。因为他们的牙床已变得越来越软，完全就像摇篮时期包上了一层婴儿特有的黏液膜的牙龈。这是死亡临近的一种确切的征兆。

封戈埃特岑家族的人死得既文雅又温和。死亡来造访他们，像缥缈的雾，像电流供应突然中止——他们的目光渐渐变得暗淡，他们的呼吸越来越慢，终于完全停息。站在他临终卧榻一侧的人们只须给死者合上眼睑，就可走开分别去干自己的事：流连于玻璃厅和冬天的花园温热的空气中，待在底层阴凉的走廊里，在有关园艺和艺术的附带插图的书页的沙沙声中，懒洋洋地躺在阳光充足的平台上——在那里他们能听到从村庄随风飘来的人和动物神秘莫测的声音。死者永远离开了那里，留下了照片、花圃、与他人的日记大同小异的日记、塞满了完全腐朽的衣服和废弃的床单被套的衣柜。但在不久之后，就有别的什么人很快住进了他的房间。这样一来他们似乎就永远不死。除此之外，由于他们经常家族内部通婚，他们所有人的长相都彼此相像，因此就更感觉不到缺少了某个具体的人。总有别的什么人把身子探出朝花圃的窗外，用相同的嗓门儿给园丁下指令，说：“不是这样修剪玫瑰”“杜鹃花长得太高，大丽花丛里长草了”“茉莉花不够香”。因此可以说，府邸里从来不曾死过人。

生活是美好的，尽管别人在谈论一些有关它的可怕的事。生活是美好的——这句话或许能成为家族的格言，显示在家族的纹章上。

生活是美好的。鲜亮的晨光射进敞开的窗口，出现在柔软的地毯上。无数面大镜子反照出一片片蔚蓝色的天空，它是那样晶莹清澈，透明得足以洞察宇宙的黑暗。水的存在是为了以温暖的细流注满立在黄铜支架上的瓷浴缸，为他们洗尽身上的污垢。太阳出来只是为了晒热阳台，向暖房的地板投下嬉戏的反光。下雨是为了浇花，也是为了给在沙龙玩纸牌的人们送来片刻的喘息。黑夜降临——显而易见，欢愉中总该有间隙的时间。

封戈埃特岑家的玫瑰在整个西里西亚是最美的。府邸后边有块大台地，台地上边就是玫瑰园。玫瑰丛成行成列地生长，形成一个个花坛。小路上铺了细碎的沙砾，在脚下发出神秘的沙沙声。每到夏天这种响声总是伴随着各种玫瑰内部产生的令人陶醉的馨香。不同品种的玫瑰被精心安排为成团成簇地生长。胭脂红、血红的威廉玫瑰给整个花园围上一道深色的滚边。它们的花朵稠密，花瓣肥厚，闪闪发光；它们的香气不太浓烈——否则就太过劲了。在这血红色的一圈里面是四个花坛，每个花坛上生长着不同品种的玫瑰，它们中有暖粉红色的大花香水玫瑰，紫红色的约翰神父玫瑰，鲜红色和黄色的唇形玫瑰。在它们中间延伸着蜿蜒曲折的走道，两边栽种的是芳香的茶色金茅玫瑰。这些玫瑰香气最浓，它们的香味令人想起外国水果，越过围墙飘到村庄。在晴朗的日子里，这种香气和乳牛、刚刈过草的牧场气味混合在一起，使人透不过气来。它们的花瓣娇嫩，末端尖细。在花坛的正中央有一圈白色的花，这是最罕见、最珍贵的白玫瑰。它没有名称，是封戈埃特岑家族某位夫人培育出来的。但谁也不记得究竟是哪一位夫人培育出了此等绝品。这种玫瑰白得眩眼，宛如白雪，在花瓣最深层处迷宫似的褶皱里，带点勉强能觉察到的微弱蓝光。它们的姣丽具有某种勾魂摄魄的力量，令人为之陶醉，只是它们的气味出了点毛病。当它们的花朵绽开，当它们达到了自己美的巅峰的时候，它们就开始散发出像酸葡萄酒、像腐烂的苹果一样的气味。或许正是由于这个缘故，没有人敢于给它们命名。

进入府邸须经过两行总是在七月初开花的椴树林荫夹道。一条铺了砂岩石板的道路通向府邸宽阔的台阶，还有一个不大的庭院，一幢仆役们居住的建筑物挡住了去路。正面大门上有个封戈埃特岑家族的盾形纹章，上面最引人注目的是匹摇木马，它被安置在开满伦巴第百合花的底子上。这伦巴第百合花是家族与欧洲联系的标记。进门是个巨大的门厅。楼下有个餐厅，从餐厅可以进入玻璃厅，楼下还有个藏书室和两间客房，都有直接通向平台的出口。楼下还有个音乐室，室内有架钢琴和一架拨弦古钢琴，此外还有一间专门为男士（有时也为女士）准备的吸烟室。铺着奶油色梯毯的楼梯通向楼上的两个舞厅，它们的位置是一个挨着一个，还有一个不规则的客厅（那是某个时候加盖的）。在府邸的另一边是家族老一代人居住的房间。第三层是年轻后代居住的房间，所有这些房间上面加了个庞大的顶楼，由于屋顶是倾斜的，顶楼楼层显得很高，并带有一些小窗户朝向世界的四面八方。从这些小窗口可以看见群山和挤在谷地里的房屋，那些房屋有如贵重的刀叉餐具紧挨着躺在盒子里的长毛绒衬底上。云杉林的树梢拭拂着上方的一片恍若游荡的天空。所有这一切都属于封戈埃特岑家族。

没有任何预兆显示他们将不得不离开自己的府邸。这样的想法甚至连存在的权利都没有。想象他们有朝一日不得不离开自己的家园，就如想象贻贝会离开自己的外壳，蜗牛会舍弃自己的硬甲一样荒诞和不可置信。然而封戈埃特岑家的一人却预感到了这一点。他自己也不知道这究竟是怎么回事，但在战争爆发之前他就在巴伐利亚买了一处不大的庄园。其周围的景物惊人地与府邸相似——同样有着由于茂密的云杉而显得发黑的平缓的群山，同样有着石头河床的浅浅的溪流，人似乎也是同样的那些人，他们的教堂、路边的小礼拜堂以及迂回弯曲的小路，也全与府邸周遭的环境非常相像。诚然，巴伐利亚的庄院与府邸相比要小得多，但也正是由于这一点最适合于扩建。他买这座庄园花钱不多，因为它的前任所有者，是一个出奇的沉默寡言的人，已经跑到国外的什么地方去了。实际上他们并未见过面，一切手续都是通过律师解决的。

他没有将此事告诉任何人，意欲给家族一个出乎意料的惊喜。后来他就卷入秋天的狩猎、冬天的舞会、春天的郊游，忙得不亦乐乎，竟把这个庄园忘到了脑后。当他们接到官方通知，说布尔什维克就在这个地区周围，已是近在咫尺的时候，他们一家人都聚集到客厅，并且决定动用储存时间最长的陈年葡萄酒。其中一个妇女弹钢琴，另一个摆牌阵算命。这时那位封戈埃特岑从楼上拿来几张照片，向家人展示了那座新买的庄园。很长一段时间客厅笼罩着一派静默。但是对所有可能的更新和重建的展望却具有巨大的诱惑力。他们喜欢新房子结实的古色古香的外形。已经有人开始制订改造的计划。但是到了傍晚他们又都奇怪地沉默了，一个个垂头丧气，没精打采，他们幽灵似的在大房子里走来走去，用手指尖触摸英国护墙板，把目光投向了壁纸上的图案。

“就不能想点什么办法，让我们留在这里？”妇女中最年长的一位问道。

翌日清晨，她吩咐园丁们挖出了所有的玫瑰。

忧烦焦躁贯串了他们的梦境。就是在巴伐利亚购买了一座庄园的同一个封戈埃特岑，由于受到一种古怪焦虑的促使去了小城，发现城市已陷入一片十足的混乱。人们匆忙将自己的家当、行李装上大车、载重汽车，沿着山峰之间唯一的一条道路执拗地向西涌去。尚见不到任何一个迫害者，但在气氛上已到感觉出他的存在。他已开始以一种陌生的刺耳的噪音——仿佛是隆隆的响声，又像是受到压抑而不清晰的雷鸣充塞了河畔的街道。封戈埃特岑平生第一次感到头痛。他走进一家药店，想要买点头痛药。

“真可怕。”他说。

“我们将留在这里。”药剂师回答说。还表示想把自己的小汽车借给他，那是一辆黑色的轻巧的德国“小奇迹”小汽车，流线型的车体闪闪发亮，方向盘使用次数不多，上面还保留着制造厂包装纸的痕迹。它那皮革蒙面的座椅甚至还没来得及适应车主的体形。

“哦，不，这是辆新汽车，我恐怕不能接受您如此慷慨借车的美意。”

“请别担心，您回来时还给我就是了。”

封戈埃特岑开始在衣袋里搜寻某种抵押品，某种足以说明他们彼此之间进行的是诚实交易的保证，但他身边不曾带有任何贵重的东西。他不无惋惜地朝封戈埃特岑家族的纹章戒指瞥了一眼。这是镶嵌了一颗硕大红宝石的白金戒指，上面刻有家族的纹章，开满伦巴第百合花的底子上一匹摇晃着的摇木马。他从手指上摘下纹章戒指，放在了药房的柜台上。

他返回府邸的时候，从高处的路上看到军队的车辆停在府邸的院子里。他明白，士兵们只要看到小汽车定会从他手里夺走。他们开始时会彬彬有礼、客客气气地请求，然后就会补充说，这是命令。于是他从路上拐向了牧场，而后沿着一条险峻的小路驶进一片山毛榉树林，那条路窄得只能勉强塞进本来就小巧的“小奇迹”的四个轮子，再大一点的小汽车，就开不过去了。他在稠密的矮小云杉林前停下了汽车，明白再远已无法通过。他年轻、光滑的额头上冒出了汗珠。他的舌头在嘴里打转，好不容易才说出了他知道的唯一一个脏字：“他妈的。”然后，封戈埃特岑松开了车子的刹车器，把小汽车推进了矮云杉林。他不曾料到竟然会有这么好的效果。“小奇迹”消失了，融化在摇曳不定的云杉枝丫中间。它的黑色同树皮和森林的枯枝落叶层不可思议地混融在一起。闪光的清漆和玻璃映照出森林，这样一来土地和天空的图像交织而成的伪装物就掩盖了车体。封戈埃特岑高度发达的审美官能使他的热血在血管里奔流。“多么美，”他想，“不管人们如何说它，世界毕竟是美好的。”

他穿过茂密的灌木丛一路下坡跑回家去，在通过灌木丛时，不时被刮坏了身上的英国花呢长裤。

封戈埃特岑一家人这时已经坐在了小汽车和载重汽车上面。他们怀里紧紧抱着自己心爱的贵重的闹钟、八音盒、珠宝首饰箱、如今已没有人生产的船形调味汁瓷壶、相簿、大丽花和银莲花的鳞茎、华托[①]油画的复制品、缎子靠枕。还有一辆载重汽车装的是最贵重的家具、镜子和书籍。士兵从封戈埃特岑家的马厩牵出良种马匹套上挽具去拉他们撤离的大炮。远远望去所有的人看起来就像去进行一次超乎寻常的疯狂远征。在尘雾和排出的废气中车队启动了，一路下坡朝着瓦尔登堡的方向前进。

---

① 让－安托万·华托(Jean-Antoine Watteau，1684—1721)，法国洛可可风格画家，多数作品描绘贵族的闲逸生活。

我的府邸

我也是出生在府邸里。它是由猎宫改造成的学校。在那个时代已不称“宫殿”“府邸”，只说“大厦”。这个词在我的脑海里产生的联想不是建筑物，而是布丁[①]，所以我把我的房子想象成某种能吃的东西。

我大概在什么时候曾经吃掉了我的房子，因为它就在我的体内——我体内有座多层的大厦。然而它的形状既不是持久的，也不是可预见的。这意味着府邸是活的，是跟我一起变化着的。我们相互住在彼此的内部。它住在我的内部，我住在它的内部，虽说我有时感到我住在它里面像个客人，而有时我也知道，我占有了它。在夜里府邸变得更为清晰，透过黑暗显露出来，闪着略呈绿色的光。在阳光里它过于耀眼，因此白天府邸把自己变得难以看清，但我仍然感觉到它就在我的内里。

它的地下室宛如许多迷宫。它们小小的窗户朝向长满荒草的内庭院。在那些用薄墙壁隔开的潮湿的地下房间里，躺着成堆的发了芽的马铃薯，立着一桶桶酸黄瓜。所有的人都忘记了它们的存在，因此它们上面盖上了一层纤细的霉毛。我知道，

① 在波兰语中大厦（budynek）和布丁（budy）的发音近似。

那些地下室在向土地的深处延伸，我甚至觉得，我知道许多通向地下地窖的通道。找到它们是既令人兴奋又危险的一件事。有可能会迷失回来的路。

府邸时而有人居住，时而无人居住。偶尔这里举行某种学术会议，那时便有许多客人来到府邸参加讨论会和出席豪华的晚宴，那时府邸的作用就像旅馆。但它有时是空的，甚至被弃置不顾。里面的家具消失不见了，镶木地板被拆毁了，壁炉遭到破坏，所有的楼梯也都已破损腐烂，走起来摇摇晃晃，会突然在行走的人们脚下断裂，露出意想不到的危险深渊。那时动物就会住进这荒废的府邸。我曾见到过几只狍子在成堆的硬纸箱上睡觉，我曾看到几条狗蜷缩在长沙发上，我曾听见在空荡荡的走廊里猫的肉爪子轻快柔软的踩踏声，我也曾听见大理石台阶上踏得橐橐响的沉重的脚步声——但我始终猜不透这可能是一种什么动物。

底层有个宽敞的门厅，它被装饰华丽的金属隔栅一分为二。父亲在其中的一半放置了几个鱼缸。鱼儿在略呈绿色的水中悠闲而缓慢地游动着，仪态万千，望着它们，时间的流逝似乎也减缓了许多。鱼儿的嘴唇一张一合地翕动着，在说些什么，可是我听不见。那些霓仙金鱼，金鱼世界的玛丽莲·梦露，身后拖曳着薄纱的衣裙，闪烁着鱼群霓虹般的光彩。鱼缸隐没在周围环绕的龙舌兰之中，龙舌兰肥厚的尖爪伸向周围的空间。有人按捺不住一时兴起，在绿色的叶片上涂画出自己姓名的花体大写的首字母或者“我爱爱娃”的表白。龙舌兰养好了那些创伤，却让别人的倾诉永远留在了自己的躯体上。从门厅进入藏书室，里面藏有数百册、也许是数千册用灰色的纸张包了书皮、书脊上写明编号的图书。我读过的第一本书也是这些图书中的某一本。那是一册塞满了密密麻麻的文字的大部头书，里面有许多类似的旅游线路，许多认识各种不同的生活、各种不同的世界的许诺。这本书诱惑过我的眼睛，将我的目光从天空、树梢、池塘的水面和树木之间躲躲闪闪的空间吸引到小小的长方形书页上，这里每时每刻都会有精彩的演出在我的眼前开场。

踏着铺了梯毯的宽阔楼梯上楼。楼上是卧室，还有两间大讲堂。它们或许曾是舞厅？它们的镶木地板对所有种类的舞步都记忆犹新。在第二个大厅里有道门通向平台和园林，那里还有个带镜子的大壁炉。壁炉里一年点一次火，就在万圣节那一天。我能顺着大理石圆柱往上攀爬，站到镜子前面。镜子是那么大，能照见我整个人，还能照见平台、园林和大厅。在我发现有关镜子的真相之前，我就已知道所有这些地方，但它却为我提供了一条可以进入府邸的其他部分、进入所有的人都已忘却了的那个部分的途径。那里有在岩石上凿出的狭窄的过道、回廊和高大的庭院。我在那里找到了胡乱放置的石头雕像。我明白，它们定会被放在这里，处于被放逐的状态。它们的审美观点似乎连最古怪的艺术爱好者也不能接受——这是些粗糙凿成的半人半兽雕像。雨落在它们上面，冲蚀掉雕就的一些细枝末节。

在那又小又闷热的最后一层上面，是个楼顶间。我记得上去的楼梯起先是宽的，带有装饰华丽的栏杆柱和滑溜的扶手，然后蓦地向空中盘旋上升，梯级变得狭窄、朽败。必须靠近墙壁行走，贴到墙壁光滑的表面，否则脚便会突然陷入洞中。

楼顶间很大。木头地板上盖满了尘土。这里所有的物件都盖着一层厚厚的灰尘，最小的物品便成了无法辨认的一堆尘垢——吃剩下的苹果萎缩成毛茸茸的匀称的小皮包，丢弃的扫帚棍躺着的地方便在地板表面形成一道令人惊异的波纹。

在楼顶间容易迷路——它太大，难以记住它的布局。我知道，在某个角落搁着一块旧床垫，那是个早已被忘却的玩游戏的地方，至于是什么人做过那种违禁的游戏，我也记不起来了。但是这里最令人惊奇的东西是呈斜坡状的屋顶上的窗户——它们不大，安置得有点过高，必须踮起脚尖才能从窗口看到外部的世界。但从那儿看到的景物却是不寻常和令人永志难忘的。那时就会发现，府邸竟然是那么庞大，那么雄伟。从楼顶间的窗口看去，一切都显得细小和不真实——就像专门为儿童玩具电动火车构筑的虚假世界，就像用积木搭成的楼房，就像迪士尼动画片中的场景。我从这儿能看到这个世界的许许多多东西——森林、田野、江河、铁路线、许多大城市和港口、沙漠和荒原，还有高速公路。而且——虽说我并不知道这怎么可能——从这里还能看到地球的弯曲部分。这景色令人激动得喘不过气来；过后还会思念它，想要再次鼓起勇气从楼下上去，沿着摇摇晃晃的楼梯走上楼顶间，站在一道道花条纹状的光带里再次踮起脚尖，去眺望窗外的景物。

我曾对玛尔塔说过，我们每个人都有两幢房子——一幢是具体的，被安置在时间和空间里；另一幢是不具体的、没有完工的，没有地址、也没有机会在建筑设计图中被永远保留下来。我们是同时生活在两幢房子里。

屋顶

封戈埃特岑家族中有一位教授，名副其实的教授，他一生中都在读书、研究、旅行，对庭园不感兴趣。他叫乔纳斯·古斯塔夫·沃尔夫冈·特希什威兹·封戈埃特岑。他在自己漫长的一生（一八六二至一九四五）中，写过许多有关宗教史的书，其中最重要的有 *Das Heilige. Über Schlesiens Mystik*[①]（一九一四）以及 *Der Ursprung der Religion*[②]（一九一八）。他生前有两大爱好：宗教和屋顶。他想，在这两个题目之间必定有点什么共同的东西，它们必定以某种方式相互补充。在他还是个年轻小伙子的时候，就对宗教感兴趣。那时在农村教堂举行的一次圣诞节弥撒上，他看到了一幅椭圆形的圣像画，围绕圣母马利亚悬着一些带有他们殉难标记的圣徒。对屋顶的爱好是后来产生的，就在又一次翻盖府邸屋顶的时候，需要把全部旧有的覆盖物换成新式的瓦。乔纳斯·古斯塔夫·沃尔夫冈无论做什么，总要做得精确、细致、认真。因此他阅读了所有关于屋顶、覆盖物、陶瓦和木瓦的书籍。二十世纪初整个时代思

① 德语，意为：至圣的地方——西里西亚人的神秘教。

② 德语，意为：宗教的起源。

潮充满了革命气息，就在革命精神高涨的时候，他决定将称为“柏林瓦”的传统鱼鳞状陶瓦换成更为通用、具有哥特式风格、接近西方建筑艺术特点的浅砖红色“修女瓦”。从此府邸由于屋顶独特的盖瓦而在西里西亚成了珍奇，远近的邻居、神父和建筑师都来参观。府邸看起来就像法国的勃艮第城堡，就像巴伐利亚的修道院。

乔纳斯·古斯塔夫·沃尔夫冈无论去什么地方，他的眼睛搜寻的总是屋顶。他从火车里眺望一路经过的城市，他的目光总是仿佛不经意地沿着每座城市的上方逐一漫游，但实际上看到的是每根烟囱和每个斜面。正是根据看到的屋顶种类，乔纳斯能确定自己置身于欧洲的哪个部分。

他曾在洛桑和日内瓦学习。他在那里知道了弗洛伊德、弗雷泽和涂尔干。鲁道尔夫·奥托[①]，一位德国神学家，给了他强烈的印象。瑞士的屋顶是世界上最美的屋顶之一。那里人们生产陶瓦用的是不同寻常的五彩缤纷的稀有泥土，那里没有颜色相同的屋顶。屋顶的外观不断变幻着色调，以泥土所能呈现的上千种颜色而令人惊诧，看上去就像用各色布片拼缀制成的百衲衣。他在瑞士住旅馆总是要挑选最高层的房间，以便从窗口观看那些销魂夺魄的屋顶。那里的瓦不是像在西里西亚那样铺成类似花边的网状花纹，而是铺成鱼鳞状，因此那些房屋看起来就像从某片难以想象的海洋里捕捞并抛到陆地上的肚子朝上

① 鲁道夫·奥托（Rudolf Otto，1869—1937），德国神学家、哲学家、比较宗教学家。

翻过来的硕大的鱼。

后来，乔纳斯·古斯塔夫·沃尔夫冈在海德堡写了一篇关于生命的博士论文，还写了一部关于传说中的西里西亚一位名为库梅尔尼斯的圣女的著作。他也曾在大学教过书，但他的专长是研究基督教改革运动时期在西里西亚活动的教派，尤其是有关卡斯帕尔·什文克费尔德[①]的信徒和刀具匠教派。他为这些课题写过一些文章。

海德堡的屋顶是典型的德国式——红色和青灰色的。教堂的细高的尖顶具有无烟煤的颜色，对眼睛能起一种镇静作用。乔纳斯课后常溜溜达达信步走到城堡，居高临下地望着傍晚的城市，那时熙熙攘攘的大学生由于喝着廉价的苹果酒，讨论着学术理论而显得异常活跃、喧闹。

在宗教和屋顶之间存在着某种不稳定的肤浅联系。第一种联想是平淡无奇的——认为两者都代表了最高的范畴。从这种联想得不出任何结果。但是另一种联想却具有某种意义。乔纳斯·古斯塔夫·沃尔夫冈有一天从海德堡城堡的阳台上望着城市的时候，就曾产生过这种联想——无论是屋顶还是宗教都是终极的顶点，它在封闭一个空间的同时，也将这个空间跟其余的空间分隔开来，跟天空、跟高度、跟世界咄咄逼人的无边无际分隔开来。幸亏有了宗教，我们才能正常生活，不致给一切无

---

① 卡斯帕尔·什文克费尔德（Caspar Schwenckfeld，1489 或 1490—1561），德国神学家、作家，西里西亚宗教改革最早的倡导者。

穷无尽的困扰弄得心烦意乱，否则真是无法忍受；而多亏了屋顶，我们才能安全地待在房子里躲避风雨和宇宙辐射。这里指的是某种类似阀门的东西，如同撑开一把雨伞，把自己藏在伞里，或是关闭一个小门，把你跟外部世界分隔开，躲进一个安全、熟悉和家具齐全的家庭空间。

刀具匠

他们以唱自己的赞美诗和制作刀具打发时光。他们制作的刀刃在整个西里西亚比任何人制作的刀刃都要锋利得多。他们给刀刃安装上经过仔细雕琢的白蜡树木刀柄，每个人一拿起它都会爱不释手。他们每年出售一次刀具，都是在初秋树上的苹果已经成熟的时候。久而久之便形成了某种展销性质的定期集市，吸引全地区的人前去采购。有人一次便买了几把甚至十几把刀子，然后再将其出售营利。在进行这种集市买卖的时候，人们忘记了刀具匠们是异教徒，信仰的是不同的上帝。假若人们认真起来不肯让步，会很容易提出这方面的证据，把这些刀具匠驱逐到天涯海角去。可那时谁能制作出这么好的刀具呢？

每当他们的孩子出生的时候，他们不是欣欢庆贺，而是号啕痛哭。而当他们中有人死去的时候，他们就会将其脱得精光，然后放进一个地洞里，并围绕敞开的墓穴翩翩起舞。

他们定居的村落位于将两个山脉分隔开来的丘陵地带的末端。这是一座石头建筑物，围绕它的是一些小小的土坯房。没有窗户，没有烟囱，看上去就像一些狗窝。这些屋子里装满了刀具。他们贮存刀子的方式就像熏制干酪一样——刀尖朝下悬挂在木头的顶篷上。穿堂风摇曳着它们，它们相互碰撞，像铃铛似的发出铿锵的响声，人们毫不畏惧地在这满是刀尖的天空下走来走去。钢尖触摸着他们的脑袋，仿佛在虔敬地为他们的死亡举行傅油圣事。

他们对世界的起源具有非常奇特的信仰，他们相信物质是精神的“感情冲动”，认为精神忘记了，停止了自己所完全投入的无边的平静，体验到了某种精神不应体验的东西——感情冲动，不可抗拒的激情。（后来神学家们绞尽脑汁，猜测这可能是一种什么感情。是恐惧？还是对存在和无法逃避这种存在的绝望？但是关于这一点任何地方都没有讲清楚。）

刀具匠们相信，灵魂是插进肉体里的一把刀。它迫使肉体去经受我们称之为生活的持续不断的痛苦。灵魂激发肉体的活力，同时又杀死肉体。因为生活中的每一天都使我们离开上帝远去。假若人没有灵魂，也就不会感受到痛苦；人也就会像阳光里的植物，像放牧在阳光灿烂的牧场上的动物。可是因为人有灵魂，而灵魂在自己存在之初就曾见过上帝的难以形容的光辉，一切在它看来就都似乎是黑暗的。作为从整体上削下来的一小块，却记得这个整体。作为为死而创造出来的生命，却必须活着。已经被杀死的，却依然活着。这就意味着有灵魂。

清晨和傍晚他们反复单调地吟唱自己忧伤的赞美诗——当他们用白蜡木雕刻刀柄的时候，当他们熔化钢坯和锻造刀身的时候，当他们秋天从树上摇下野苹果的时候，当他们照料自己为数不多的孩子——那些不经意间来到世上的不幸生灵——的时候，他们都在忧伤地吟唱着。

他们有着稀奇古怪的习俗，他们的全部生活都是稀奇古怪的。他们交媾的时候，会小心预防精液排泄至女方子宫。他们让精液泄到外面，奉献给他们自己的上帝。他们想象在人的精液里蕴藏着上帝的光辉，通过献祭将其从物质中解放出来，以期使其回归上帝。所以他们很少生孩子。

他们唯一的祈祷形式是大放悲声，他们将此称为唱赞美诗，而唯一的礼仪则是奉献他们的精液。否则他们便不会祈祷。他们认为，上帝是超人的生灵，跟人没有任何共同之处，甚至不明白人的祈祷。

森林轰然崩塌

玛尔塔并不喜欢倾吐内心的秘密。但是有一天她却对我说，她能记住不同的时期，记住许许多多的时期，甚至像瓦姆别日采的还愿画所表现的那些时期她也记得。她辨认时间不是根据当时活着的人的长相——因为人的长相彼此可悲地相像，总是同样的那一些人——而是根据空气的颜色，根据绿色的色调上的细微差别和阳光照射在物体上的不同方式。玛尔塔对这一点确信不疑：她认为时间的特定阶段能通过色彩来辨别；颜色是时间的唯一可识别的特点。也许这跟太阳有某种共通之处；也可能是太阳在搏动的过程中改变了波长，或者空气过滤光线的方式不同，使地上的所有东西每年都有其独一无二的色调。

因此，玛尔塔学会了将她记忆中特定的时间细节同当时世界的色调联系起来的本事。我设想，可能是这样的，比方说，某天她见过运送干草、装满面粉的麻袋，装载建造房屋的黏土或是仓促装运日用器具的大车沿着石头道路滚滚而去，在她的大脑里就会将这类大车的木头轮子的外形同当时天空可能具有的奇特的淡红褐色联系在一起。或者她可能会把束胸的连衣裙式样跟透明的、甚至略带淡绿色的大气以及严寒冬天的天蓝色天空连系起来。

玛尔塔的记忆就是这样运转的。玛尔塔就是这样识别过去的。但是这种试图在时间上寻找顺序和规律性的方式，有时也会引她误入歧途。玛尔塔见过一些她不能理解的画面，这些画面似乎是唯一能在她心中唤起恐惧的东西——因为她已见过这么多的世事，还有什么能使她感到害怕的呢？

她曾见到谷地，谷地上方悬着低矮的橘红色的天空。这个世界所有的线条都不清晰，连阴影也是模糊的，投射在这一切上面的是某种陌生的异化的光。谷地里没有任何房屋，没有任何人的踪迹，没有生长一簇荨麻，没有一丛野生的黑醋栗灌木，也没有一条小溪——而原本曾是小溪流过的地方却早就消失在茂密、坚硬的棕红色荒草之下。小溪流过的地方看上去就像一道伤疤。在这个地方既没有白天，也没有任何一个夜晚到来。橘红色的天空在所有时间里都闪烁着同样的光——既不热，也不冷，完全是静止和冷漠的。山丘上依然被森林覆盖，但当她仔细观察它的时候，便看到森林是死的，在一个瞬间变成了木化石，凝固了，僵化了。云杉上挂着球果，树枝仍然盖满了发白的针叶——因为没有风可将它们吹得七零八落。玛尔塔有个可怕的预感：一旦在这自然景观里出现任何一点运动，这森林就会轰然崩塌，化为齑粉。

带锯子的人

喧闹声总是表明他的来临。刺耳的机械的狂啸，就如看不见的球从谷地的斜坡上弹回并总是在阳台附近停住。我们惴惴不安地抬起头，两条母狗竖起了颈背上的毛，我们拴在树干上的山羊吓得开始围绕那棵树奔跑。稍后，他本人才在我们的视野里出现——一个高大、瘦削的男人从森林里现出身来，他在自己头顶上方挥舞着一把电锯，好像那是一杆威力强大的来复枪，而这个男人的样子似乎根本就不是从白桦林里走出来的，而是直接从战场，从战火纷飞的坦克中间，从炸毁的桥梁瓦砾堆下走出来的。从他的手势上我们看到了胜利的喜悦——挥动着铁片，有时甚至快捷地扣动锯子的启动器，引起锯子发出嘈杂的噪音，将整个谷地震成了裂块。“喂，喂！”他欢快地叫喊着，“我来了！”他顺着斜坡往下走，径直朝我们这儿走来，一边挥舞着手中的锯子，用它的锯齿胡乱地砍削白桦树苗、幼小的枫树、山毛榉和草尖儿。在他的动作中有某种自鸣得意、虚张声势的因素：锯子挥得太高，摆动的幅度太大，就在他昂首阔步前行的时候，连青草都来不及退避，它们缠住了他的脚，使他跌了一跤。我们赶忙闭上了眼睛，生怕看到那外露的长长的锯齿怎样伤着了他自己。可他什么事也没有发生。他站起身，只为自己的跌倒略感惊诧，但立刻就将其忘诸脑后，因为他眼前是坐在阳台上的我们这些人，那么多好奇的眼睛，那么多准备鼓掌的空手。当他走过公路，踏上小径，我们便看清他原来是个醉汉。锯子围绕着他摆动，划出一个个不规则的预示凶象的圈子，仿佛是想逃离自己狂乱的主人，又似乎是受到了他的诱惑和怂恿。“你们有什么需要锯的吗？”他大汗淋漓、面红耳赤、步履蹒跚而冒冒失失地问。

有一次R犯了个错误，吩咐他锯断一棵倒下的樱桃树。锯子震颤着，发出刺耳的尖叫声，锯子紧紧咬住了死树，将它锯成了几段参差不齐的木头。干完了这件事，他仍不满足，接着又把空气切成了几段。这男人的眼睛在我们的几棵椴树和苹果树的树干上转悠，直到R不得不站到它们前面，用自己的血肉之躯遮挡住无力自卫的树木。“这棵白蜡树锯吗？”男人问，“它不遮挡你们的阳光吗？”同时挥舞着自己的武器。R把他送过公路，送回山上，陪着他走了那么长的一段路，直到那人嗅到了别的用锯的机会。

带锯子的男人每隔一段时间就会回来，而我们则惊慌失措地从阳台上收起玻璃杯，关门闭户。我们窥视着他的绝望神情，他从我们房子旁边走过，冲着天空喊叫：“喂，你们有什么需要锯的吗？有要锯的吗？”

埃戈·苏姆

他在阳光里醒来。他躺在高大的植物中间的排水沟里。离他两米之处就是公路，他听见了有节奏的马蹄嗒嗒和大车嘎吱嘎吱的声响。他身上除了一条长裤一无所有，而且裤子也已撕成了破布条。他胸口的皮肤涂满了泥浆，大概还有鲜血。他观察全身，触摸了一遍，查看身上的皮肤是否完整。是完整的，但他宁愿身上哪怕什么地方的皮肤被抓伤或割破。由于血的源头是在他的体内，那样的话他至少能弄清身上的血是否是自己的。

但他没有受伤。他站了起来，感到一阵眩晕。头痛得古怪，仿佛脑袋不是自己的，仿佛脑袋里的血流不畅，真痛得他眼里直冒金星。他最发愁的是现在怎么回家，有什么办法能让自己回到位于市中心的自己的街道，那里在一天中的这个时段所有的人不是出门买面包和牛奶，就是站在窗前看天气，而男人们为了不错过这美好的七月天的哪怕是片刻的时间，常常在阳台上刮胡子。人们甚至不会让他在这种状态下回家，他们会寻根问底，打听教授先生发生了什么事，他们将神色惶惑地望着他外观上的创伤，会去请医生。或者，他们也许已经知道这一切？说不定警察已经在附近一带转悠，因为有人曾经发现了尸体……埃戈·苏姆坐到地上，平静地看了看自己的双手。双手完全正常。他一下子恢复了神志，振作了起来。他决心去警察局，就在当时当地来个竹筒倒豆子彻底坦白，把事情的来龙去脉说个清楚。于是他起身走了，想到终于能向某个人倾吐秘密，把自己交到一双安全的关爱的手上，他顿时勇气大增。“我希望他们迅速对我做出判决。”他想，“谋杀是死罪，让他们立刻审判我，最终把我绞死。阿门。就算为现在所做的一切而作为一个罪犯死去，又何必经受那么多的痛苦？”不过，这已不是他的事，他不知道未来将会怎样，甚至无法猜透。“反正自有某位上帝或是某些经常出席备有橄榄和葡萄的盛宴的天神为此承担责任。祝他们好运。”

他终于弄明白，现在自己是身处圣安娜山的某个地方，离城镇约有六公里。不远处延伸着一条古老的旅游路线，去年他还带着一群年轻学生到过这里。下方流淌着一条小河，河上有道不同寻常的石头拱桥。地图上标出的名称是会计员桥。不错，他知道自己是在什么地方。这个由几栋房子组成的村庄就是皮耶特诺。从那里有条小道直接通向公路，通向城市。他加快了脚步，后来竟然奔跑了起来。

在皮耶特诺，刚过桥，在一块小小的浸水草地上站着一群沉默不语的人。他们见到埃戈·苏姆便向两边挪动了身子，埃戈·苏姆在他们的脚与脚之间看到一头死了的乳牛的庞大尸体。它肚皮破裂地躺在一边，内脏流淌在染满鲜血的青草地上。埃戈·苏姆本能地捂住了嘴巴，但他不能停步，他必须往那里走。人们给他让出了一块地方。所有的人都有阴沉难看的面孔、灰白色的头发和开裂的嘴唇。

“狗咬死了乳牛。”一个有副不匀称面孔的老者说。

“博博尔的狗。”一个抱着婴儿的妇女补充道。

“不是我的狗。我的狗是拴着的。”

此人大概就是博博尔，但一个瘦得像刨花、嘴里叼着香烟的男子立刻就向他扑了过去：

“放屁！你是这会儿才把它拴起来的。”

“博博尔从不看管自己的狗。他甚至不知道自己有几条狗。”老者坚持说，同时朝埃戈·苏姆瞥了一眼。

埃戈·苏姆只觉得一阵头晕，因为他已知道发生了什么事。他甚至想到了他夜里曾有过的某些模糊的回忆，或者那可能只是他的想象。他差点就要呼喊、尖叫、狂嚎，但他紧紧扼住自己的喉咙，制止它发出任何声音来。这个动作是如此奇特，以致人们全都好奇地望着他。这时博博尔从人群中冲了出去，他看起来像个侏儒——矮小、粗壮、胡子拉碴。他毫不犹豫地来到用条短链子拴着的大黑狗跟前。狗发出一声哀鸣，倒在了地上，它多半是靠嗅觉察觉到死神的到来。博博尔举起一块粗大的劈柴，挥动着胳膊，对准狗的脑袋狠狠地砍砸了下去。狗发出的尖叫是如此刺耳，有些妇女吓得瑟瑟发抖，而后它软软地翻滚到一侧，一动不动。鲜血从它的脑袋下边流淌了出来。

那时埃戈·苏姆跪倒在湿淋淋的青草地上，挨着乳牛的尸体，在心灰意懒的人们和脚与脚之间——开始啜泣。人们惊愕地望着他，时而彼此交换一下令人哭笑不得的一瞥。他们那冷峻的眼睛闪闪发光。

“喂，先生还是控制一下自己的感情吧，请莫激动。先生是为乳牛还是为狗哭泣呢？先生不怜惜人吗？”

埃戈·苏姆抬眼望着老者的面颊，在那张脸上寻找同情。也许他甚至以为这个男人会把他搂进怀中，并且用那件肮脏的长袍擦去他脸上的泪水。但是那农民的双眼有如两把刀子。

不久之后他沿着一条主要街道走了，但仍然身处郊区。他走过了这个时辰已经关闭的“利多”餐馆，他那破碎杂乱的思想环绕着柏拉图盘旋，他想到那位聪明而冷静的哲学家，那位像希腊的神一样的哲学家。不！不！这是个不恰当的比喻，因为希腊的众神既不聪明也不冷静。不过，那时的世界是另一种样子，不知是由于谁在发号施令，太阳闪烁着金色和桃红色的光，山坡上生长的橄榄树一派葱绿，人们都有着白皙的肌肤和白色的长袍。他脑海中产生的这种幻象逐渐转移到对死乳牛、被打死的狗和皮耶特诺那些人的面孔的想象上面，直到一个场面跟另一个场面重叠在一起。天晓得这是怎么一回事，但确实如此。一个场面是另一个场面的一部分。内心深处出现的有关柏拉图——他和他那只将一枚橄榄举到他金子般的嘴边的手——的画面，还有那同时出现的皮耶特诺的景象，成了奏响埃戈·苏姆未来的序曲。

人们目送着他，但他并未真正注意到他们——他们表现得很有分寸：皱着眉头，用眼角的余光凝视着他，多半是不想让他感到窘迫。但他好几次听见有人说：“他喝醉了！教授先生喝醉了！”他咬紧了牙关，已经走到了内波穆克的圣约翰大街的十字路口，他突然想到，去警察局之前该洗个澡。于是他机械地拐向自家房子的方向。楼梯间的门在他身后富有同情心地关上了。埃戈·苏姆将肮脏的拳头按到眼睛上，因为他感到自己再也无法忍住泪水使其不流出来。“柏拉图遇到这种处境会怎么做呢？这种情况可能会发生在柏拉图身上吗？倘若他遇到这种情况，他或许会自杀。”埃戈·苏姆自问自答。他也想自杀，像古罗马的风雅裁判官彼得罗纽斯[①]那样切开自己的血管，从容地流血而死；他也想在宴会上做这件事，在朋友中间，在一个明亮的敞开的正厅里，那里有金子般的空气、葡萄酒、橄榄等等。他死时会像苏格拉底一样开着玩笑。

嘀，埃戈·苏姆多么想死啊！他想象在自家的阳台中，他自己吊在绳子上摇摆。

但是埃戈·苏姆既没有上吊自杀，也没有去警察局。厨房的那张椅子，就是他曾如此仔细地把自己捆绑在它上面的那同一张椅子，怜悯地接纳了他那因恐怖的夜晚弄得筋疲力尽的身体。他一动不动地在上面坐到了天明。

早上他只洗了脸，就把几条长裤、几件内衣和一件毛衣装进了硬纸小提箱，锁上了自己的住宅，然后就出城，又回到了皮耶特诺。在那里他成功地说服了侏儒般的博博尔，使他确信，

---

① 彼得罗纽斯（Petronius，约 27—66），生活于罗马皇帝尼禄统治时期的朝臣、讽刺小说家。

每个农民都需要个强壮的长工，即便只是为了掩埋死去的牲畜。博博尔满腹狐疑地望着他，但当他终于弄明白长工不想要工钱，只须有个睡觉的角落，有点什么吃的东西就知足，农民同意了，他那对灰色的眼睛闪烁着狡猾的光，活像只狐狸。

半生在黑暗中度过

确实如此，无论我们知道还是不知道，无论我们喜欢还是不喜欢，无论我们对其同意还是不同意。世上大多数人只是由于失眠才记得漫漫长夜。当一个人酣睡的时候，根本就不知道夜是什么。

埃戈·苏姆成了布罗尼斯瓦夫·苏姆；成了布罗内克先生。他带着轻快的心情欢迎这个正常的新名字。皮耶特诺的人们在这个名字后边加了“先生”二字，这是因为他尚有一双娇嫩的手，而且鬓角也已花白。只有博博尔在需要他干活的时候才简单明了地喊他布罗内克，吩咐他清除牛栏的粪便，给乳牛送水，翻晒干草。在皮耶特诺，由于这个地区难以置信的潮湿，干草永远也不能干透。

布罗内克先生如今不得不黎明即起，挤牛奶。他毫不费力就学会了做这项工作——只要看到乳牛的乳房像装满了液体的鼓胀的肉袋子，便用手指自上而下地轻轻挤压，直到白色的细流在奶桶壁上敲得咚咚响。然后他就喝这牛奶，它是温热的，有股牛粪的气味。这就是他的早餐。接着他把乳牛赶到牧场，还有一匹马——它把脑袋上下摆动，像是点头向他道早安，又像是对他的照料表示感谢。然后他便返回去清除马厩和牛栏的粪便。

多年没有打扫过的牛栏、马厩积累了那么多的牛屎、马粪，踩实了的牛屎马粪慢慢变硬，硬得像石头。布罗内克用铁铲去敲去铲，犹如敲击泥炭一般。随后他将其装进手推车运到屋子前面，堆成一堆。快到正午的时候，他走进屋内，削了马铃薯的皮，煮熟后浇上猪油，跟酸牛奶一起摆上桌。他和博博尔两个人默默无言地吃着。走廊里博博尔的狗望着他俩，有小狗、有大狗、有狗崽儿，也有老狗，它们总是饥肠辘辘。永远也弄不清楚它们究竟有多少条。午饭后，博博尔躺下睡个小觉，布罗内克先生便坐在台阶上，望着波浪一般起伏绵延的地平线、牧场和山中草地被践踏得满是皱纹的区域，然后又是挤奶，过滤，熬制奶酪，把牛奶装罐，翻晒干草，用手推车运粪。晚饭吃的是面包加灌肠或劣质的软香肠；饭后博博尔就去邻居家喝酒。夜晚也就这样开始了。

夜总是在小河周围的什么地方悄悄降临，也就是从这个潮湿、阴冷的地方的天空开始黑下来。每天傍晚布罗内克先生都是这种天色变化的见证人。他坐在屋子正面的台阶上，眺望四野。首先他听见夜鸟有如时钟清脆的嘀嗒声一样有规律的啁啾。待黑暗完全笼罩了大地，他便听到了人的动静，他们酒后的声音——结结巴巴、迟钝、无助、含混不清，散发着仓促酿造的私酒的臭气——在黑暗中慢慢减弱、沉寂。像往常一样，布罗内克先生竭力不去思考，或者至少是尽可能少思考——实在避免不了思考的时候，就想想明天该做什么，是否该去睡觉了，那头黑色乳牛是否有点不正常，或者想想博博尔可能把干草叉放在了什么地方。最后他上楼去睡觉，在那里他浸泡在黑暗、潮湿和粪便的气味中，直到早上。

但也有另一种夜晚，它像水晶一样纯净得透明，晶莹得异常，那时布罗内克先生就不能入睡。在某种似梦非梦的状态下，他热切地渴望喝杯茶，他嘴里涌出了唾液，感到嗓子眼儿发紧。他躺在床上辗转反侧不能成眠，越来越心烦意乱，他的脚发痒，好像是想要奔下楼梯，跑过院子，向前冲。“我再也不能忍受了！”他想，因为这种渴望迅速摆脱困扰的心态犹如痛苦的排尿需求，犹如积聚得太满的东西要求宣泄的机会一样，意志起不到任何作用。他哭了好几次，却是以一种奇特的方式哭，只是泪飞如雨，而内心却是平静的——有如长满了青草的牧场。

那时他走进了森林，在树木之间转悠，用脚踢树干，将手紧紧握成拳头——他用力用得那么大，竟使指甲掐进了掌上的皮肤。他还记得森林的边缘和小礼拜堂，它守护着进入森林的入口，就如运动场旁边的售票亭。它的灰泥已经剥落，石头已经破裂，里面隐约可见的是钉在十字架上的双脚已经断裂的塑像。他厌恶地绕过小礼拜堂，上山，朝着边界的方向走去。此刻在他那昏昏沉沉的脑海里出现的唯一想法是盼望听见一声枪响，而且这声枪响是冲着他来的，是瞄准了他的身体的，他盼望这一枪带着可怕的呼啸射穿他的脑袋。在这之前什么事情也不要发生。

但却发生了跟往常同样的事情——首先他感到浑身疼痛和对这种疼痛的极端憎恶，然后是恶心想呕吐，而当他感到胃里翻江倒海正要呕吐的时候，他的思想之光熄灭了，他惊恐万分地看到的最后东西是一双长了尖爪子的手，还有一簇簇蓬乱的灰色的软毛。然后他就已整个受到渴望的控制，但他并未受到这种渴望的奴役，反而感到自由。

有时他的雇主雅谢克·博博尔想要聊聊天。他从上衣口袋里掏出一包皱巴巴的体育牌香烟，在说出第一句话之前就已抽掉了两支。他们坐在门口的石头台阶上，穿堂风吹着他们的后背，冰凉的石头使他们的屁股冷得无法忍耐。雅谢克·博博尔知道的只是坏消息。他说，广播里讲到一个妇女，她住在贝斯基德的大森林中。她能预言未来。曾经有三个旅行者到了那里，无论是自愿还是被迫，最终都得在她的茅舍宿夜。她给他们牛奶，而后对他们说："我能给你们预言未来，不过你们得给我买双皮鞋。"于是他们派了一个年纪最轻的旅行者下山，在村庄里给她买了一双网球鞋。老妇穿上了鞋，让旅行者看三具棺材。第一具棺材里装的是粮食，第二具棺材里装的是糠秕，而第三具棺材里却装满了鲜血。"未来三年将是这样的年份。"她说，"究竟是哪几年？"旅行者想弄清楚。但她不肯泄漏天机，只是说："第一年是大丰收。接下来的一年从田地里将只能收到糠秕，而第三年则会血流成河。""谁的鲜血？"她没有回答。所以现在博博尔大伤脑筋，琢磨今年是什么年——丰收年、糠秕年还是流血年？但是在皮耶特诺，未来看起来总是阴暗、不祥的。青草总是生满了鼻涕虫，小河里的水总是浑浊不清，人总是浮肿——不是得了酒后不适症候群就是有病；母羊在神秘的情况下倒毙，貂吃光了整窝雏鸡，雷劈死了乳牛，全窝的狗崽儿会在暴风雨时被淹死。这里下雨的时间总是最长，每样金属制成的东西都锈得发出嘎嘎的响声，牛粪上面则长满了白色的霉菌，因为它们永远不会被分解，不能为土地所吸收。

布罗内克总是那个将动物的尸体埋在小河边的人。每当博博尔的那些永远饥饿的狗从森林里拖回一只被咬得残缺不全的狍子，博博尔总是不允许它们将其吃掉。他那双给酒精弄得泪汪汪的眼睛出乎意料地罩上一缕温情，那时他就吩咐布罗布克把狍子埋掉。布罗内克几乎就能成死去动物的合格掘墓人了。可他在掩埋狍子的尸体的时候却遇到了难题：需要挖很深的坑穴，因为狍子有四只又长又僵硬的腿，任何旧式墓穴都容纳不下它。为了不让狗将它再次从地里刨出来，必须用铁锹砍断狍子细长的胫骨。布罗内克正是这样做的，尽管狍子已是毫无疑问地死了，但砍断它的腿仍然是件残酷可怕的事。

他想起第一次乘坐公共汽车到克沃兹科去献血的事。献血的念头也是在某天夜里突然出现在他的脑海之中的，当时他浑身疼痛得那么厉害，以致他想发出狂嚎。这个念头的出现有可能是受到当时正好在宣传义务献血的地方广播电台的启发，也可能是一张报道此事的报纸的图片偶然落到了他的手中。他当时已把自己彻底变成了布罗内克，他对捐血这个想法并没有深思。他只是觉得把他的鲜血献给某个人是件美妙和公平正义的事，血不过是他体内的某种东西而已，这东西从未见过世界，从未感受过阳光，却能使他活着。怀着有人会乐意接受它们的信念，从自身开启那些内在的河流，让那些令人厌恶的黏稠和温热的东西流出来，毕竟是件美好的事。相信那些乐意接受它们的人也会接受它们对已是模糊不清的苍白的西伯利亚景色的全部记忆——那是一派由于恐怖而变得酸楚，由于无能为力而恶化了的风光。

一个有双白嫩的手的女人按摩他手上的血管，接着把一根针刺进血管，用塑料吸管抽出布罗内克的血，留待分发给别的人。事后布罗内克感觉到的唯有轻松。他得到一杯咖啡和一块戈普沃牌巧克力，他立即就吃了下去，甚至没有尝到甜味。当他爬上高踏板的公共汽车时感到有点虚弱，汽车把他送回山麓的村庄。

从此他每月献两三次血，超过了可以献血的量。但他经常可以撒谎，因为义务捐血中心站的日常文书工作相当混乱，手指白嫩的女护士不断变换，而且脑子里想的也是别的事情。他甚至等不到正规献血的时间就又跑去献血——让针刺入自己的血管，血液像小河淌水似的流出。他为这种失血后的头晕感到飘飘欲仙，这是他唯一可以享受的乐趣。他必须躺一会儿，休息片刻。他就在这时想象跟女人做爱。他学会了看懂护士的量血器刻度。一百毫升，两百毫升的血，他的身体顽强地生产这种红色的体液。有一天的夜晚，他一边听着喝醉的邻居们吵闹，一边计算。他总共献出了足有两桶的鲜血，却仍旧没有死。

蘑 菇

八月是从采蘑菇开始的，也就是说，像一向应有的那样。艳阳高照，把土地都晒干了，但我们的草地依旧积满了水；草地上长着茂盛的青草，绿得令人目眩。

第一株蘑菇是我偶然发现的，它生长在去玛尔塔家的小径上。一株小小的红色的哥萨克蘑菇看上去就像根粗大的火柴，而它头顶上方的天空就像涂上了红磷的火柴盒。这可能是火灾的预警，火灾可烧掉青草，把天空烧成橘红色。

整个早上我什么也没想，只想蘑菇。夜里我觉得似乎听到了蘑菇在生长。森林里噼啪作响，这是一种勉强听得见的声音，或者与其说是听到的不如说是感觉到的声音。故而我晚上经常睡不着觉。头一年黑森林里的蘑菇多得简直把我吓坏了。我带了满满几篮子蘑菇回家，把它们铺在报纸上。我久久地望着这份收获，真是百看不厌，直到不得不拿起刀去切它们柔软的、稚嫩的躯干。我割下了它们的菌盖，穿在黑刺李的刺上，让它们晒干。满是针刺的树枝连同戳在上面的菌盖，整个秋天都紧靠在我家房子的墙上。房子的墙壁吸足了干燥的鳞皮牛肝菌和哥萨克蘑菇的芳香。头一年就是这样的，当时什么都多，苹果、李子，甚至那棵老樱桃树也发疯似的结果子，喂饱了周围一带所有的椋鸟。然后是所有的东西全部越来越少。今年我只发现了几个苹果。我给它们点了数，守护着它们，随时准备放出两只母狗去赶走偷苹果的贼。

尽管潮湿的草地上没有伞菇——虽说这正是伞菇生长的时节——每逢八月来临，森林边缘地带就会冒出许许多多白色的帽子。

伞菇是那种没有青春的蘑菇。当它以头戴白色羊皮尖顶帽的形象刚从地里冒出来的时候，就已是老态龙钟了。它有副上了年纪的身子，老妇人的身子，这常常使我想起玛尔塔。青筋突起的瘦腿在地面上支起娇嫩的菌盖，触摸它的时候似乎总有点温热的感觉。在咔嚓一声掐断那条脆弱的瘦腿带回家去之前，常会跪下去闻闻它的气味。大家都知道怎样烹调伞菇——需要把它浸泡在牛奶里，而后滚上鸡蛋和捣碎的面包干，再用油将其煎成像煎肉排那样的金黄色，当下就得把它吃掉。以同样的方法可以烹调松球形的毒蝇菌，它有股核桃的气味。不过人们都不采集毒蝇菌。人们将蘑菇分为有毒的和可食用的，有关食用蘑菇的手册详细论述了将前者和后者区分开来的所有特征。手册上介绍了好蘑菇和坏蘑菇。任何一本有关蘑菇的书都不把蘑菇分为美丽的和丑陋的，香的和臭的，触摸时是令人感到愉悦的和不可忍受的、恶心的，也不将它们区分为哪种是可诱人出错的和哪种是可获得开脱、解救的。人们看到的是那种他们想看到的东西。这样的分类一清二楚，但却是人为的、不真实的。而实际上在蘑菇世界里没有任何绝对可靠的东西。

自打八月开始，几乎每天都有些患酒后症候群的男人在拂晓时分磕磕绊绊地走遍小白桦林，而后给我送来好几袋蘑菇放在台阶上。他们想拿这些蘑菇换一瓶家酿的葡萄酒。

“请进屋吧。”我最常说的就是这句话，但我往往大失所望——他们只采哥萨克蘑菇和白蘑。

然而我吃过所有品种的蘑菇。当我发现什么我不认识的蘑菇时，我总要先掰下一小块，放在舌头上试一试。我用涎液将蘑菇弄湿，再用舌头摩擦上颚，品尝味道，咽下。我从来没有给毒死过，也从来没有发生过因蘑菇中毒而被弄得死去活来的事。有可能会由于别的东西中毒而死，但绝不是由于蘑菇。我就这样学会了吃铜绿色的红菇，这种蘑菇谁也不采集，它们在秋天把整座森林染成了棕黄色。我也学会了吃鹿花菌，这种蘑菇形状相当奇特，简直可以作为完美结构的范例为建筑师效劳。还有毒蝇菌，神奇的毒蝇菌——我把它们的菌盖用油煎炒，又撒上了香芹菜。它的味道是如此鲜美，怎么可能有毒？我等待了一整夜，甚至等待了两三个长夜，因为中毒的症状有可能出现得很迟。拂晓时我凝视着窗户玻璃上的反光，那是一片比墙壁更亮、中间带个十字形的不协调的空白。小轿车的钥匙就放在桌子上。蘑菇不肯把我毒死。R 平静地说，假若出现中毒症状，肯定已经来不及抢救了。即使洗胃、打点滴输液也全都是徒劳！如果中毒，早已进入了血液。

“为什么有的东西会想要置我于死地呢？”我问他，“难道我竟是个如此重要的人物，以致什么东西会想到杀死我？”

我小的时候曾吃过嫩马勃菌。它们看起来是那么漂亮，在乱草丛中显得那么完美。我激动得吞下了它们，我始终记得它们那种香粉的气味。我带了一点马勃菌回家，妈妈命我把它们扔掉。我没有告诉她我肚子里装的比这还多。从此以后我学会了吃这种蘑菇，把它放在奶油里稍微煎一下，撒上糖。

我把采到的第一批马勃菌送给了玛尔塔。我俩立刻就拿这种蘑菇做成了饭后甜点，把它们全都吃掉了。

用马勃菌制作甜点

白色的嫩马勃菌
用来煎它的奶油
细白糖

把马勃菌切成硬币厚度的小片。无须削去蘑菇的皮，只要去掉上面毛茸茸的赘瘤就可以了。用平底锅把奶油烧热，把马勃菌煎成金黄色。撒上细白糖，上茶时一起端出来。

谁写出了圣女传，他是从哪儿知道这一切的

穿连衣裙就像穿修士服一样。连衣裙不同于修士服的地方是更加贴腰，开始穿它时甚至有点不舒服，因为太紧了，还有领口需用什么东西掩盖起来。卡特卡找来一条洗褪了色的羊毛围巾，将它围在帕斯哈利斯苗条的双肩上。

他几天没有走出房门，卡特卡给他送食物，主要是面包和牛奶。她说："喝牛奶吧，这会帮你长乳房。"于是他就喝了。早上，确切地说，在快到正午的时候，他们起床，她给他做精巧的发型，在他的头顶上编了许多小辫子，将发梢用手指卷成鬈发。她用挣得的钱给他买了一条胭脂红的丝带。她对他讲话使用的语言里塞满了捷克语词汇，这使他并非总能全部听懂。整个下午和傍晚她都不露面，而他从褡裢里拿出圣女的著作，认真地读了起来，一字一字地读着，寻找自己在此前的阅读中可能遗漏了的东西。

库梅尔尼斯写了一些自相矛盾的东西，这使帕斯哈利斯感到特别泄气。"上帝乃茫茫的造物，这造物是纯粹的呼吸，纯粹的消化，纯粹的衰老和纯粹的死亡。所有的一切都包含在上帝的身上，但这一切却是不断被增多、不断被强化的，因而既是完美的，同时又是有缺陷的。"在别的地方她又写道："上帝是

完美的黑暗。”或者：“上帝是个不间断生育的妇女。生命从她那里不断输送出来。在这种无止境的生殖中没有喘息的时间。这就是上帝的本质。”

“那么上帝最终是谁？”当帕斯哈利斯把这些内容读给卡特卡听的时候，她昏昏欲睡地问道。

他不知如何回答她。

“你是否曾经考虑过，在你的身体内部完全是黑暗的？”有一次，当他们俩相互依偎着躺在床垫上的时候，他问她，“任何光线都不能穿过你的皮肤照到那里。男人进入你体内的那个地方，也一定是黑暗的。你的心脏在黑暗里工作，跟你所有的器官完全一样。”

这不过是个普通问题，但他们俩都为此而感到极为害怕。

“黑暗超越我们的肉体。我们是从黑暗中形成的，我们跟黑暗一起来到世界上，一生中黑暗都伴随着我们一起成长，一起死亡。当我们的肉体瓦解、化为乌有的时候，它就渗入地下的黑暗里。”库梅尔尼斯写道。

卡特卡更紧地偎依着他。他说：

“我真想做个聪明、有学问的人。我真想知道一切，那时我俩就不用躺在这里担惊受怕了。遗憾的是，我们对活在我们前头以及活在我们以后的人一无所知。也许一切都是周而复始地自我重复着。”

夏天结束了，暖和的赤褐色的秋天的序幕已悄然降临。帕斯哈利斯开始忐忑不安起来，开始思念那不受街道墙壁所阻隔的空间。他理解到待在格拉兹已毫无意义，无论是为圣女，还是为自己，为卡特卡，抑或是为上帝，待在这儿已什么事都做不成。他的旅行没有教会他任何东西；他没能更清晰地看清楚任何事物。他思念自己的女修道院，但他期望的是某个更大的女修道院，期望它像山一样大，修道院的庭院能由山中的牧场所取代，那儿能容纳下所有的东西。他期望阿涅拉嬷嬷能成为他的母亲，而他自己也能成为另外一个什么人，成为某个酷似库梅尔尼斯，或者就像卡特卡那样的人，或者成为某个连他自己也想象不出的人。他认识到，他必须重新塑造自己，这一次是从零塑造的，因为迄今为止他是生活在极大疑虑的基础上的，他担心自己不是以正当的方式创造出来的，或者甚至是以如此苟且的方式临时创造出来的，以致他不得不毁掉自己，重新以崭新的面目出现。

他不知道现在该做什么，不知从何下手摧毁和重塑自己的工作。一天下午，卡特卡离开他的时候，他收拾自己的行李，离开了城市。

帕斯哈利斯遇到刀具匠人的时候，他们把他称为“兄弟一姐妹一火”。雨点鞭子似的抽打在他的身上，踩踏出的一条小路上流淌着红色的水流。他想找个藏身之所躲雨。

他们无论对他的服装，还是对他的卷发全都不感到惊讶。他们让他睡在一个小房子里，帕斯哈利斯在里面感觉到就像在自己昔日窄小的修室里一样。然而他仍旧在思念。他几乎是赤身裸体地躺在被褥上，而他的行李正在石头房子里的炉火旁边烘烤着。他什么也看不见，这儿是如此之黑暗，以至于他觉得在城里度过的所有那些白天都更为明亮，也更长，夜晚也更为暖和，就连下雨也跟这里不同，硕大的雨点庄重地降落，它使燥热的皮肤清凉，使人精神振作；就连牛奶也有更加微妙的幽香。城市从远处看起来似乎更加引人入胜，通向罗马的道路是那么笔直而又方便。

他们让他就这么一天到晚无所事事地躺着，而他们自己却在操劳：男人们都进了打铁房，整整一天直到傍晚，都能听到从那里传来的有节奏的铁锤敲击声和水的嘶嘶声——那是给烧得通红的铁淬火时所发出的声响。所有的妇女全消失在同一栋小房子里，也许在那儿给刀子装手柄，或是在烤馅饼。他们的孩子在默默无言地玩耍着，他们神情郁闷，脸上给鼻涕、泥土弄得脏兮兮，直到黄昏时他们才被人像赶家禽似的赶进屋里。黎明时分，帕斯哈利斯听到刀具匠们如泣如诉的歌唱，他们单调重复的唱法扭曲了歌词。无论他们唱的是什么全都充满了哀怨与悲伤。这是个多么悲惨的地方！他思忖道。他等待着，只要停止下雨，他就能翻过重山到任何别的地方去。

后来终于出现两个晴朗的日子，但寒风刺骨像刀子一般。从山丘上可以看到半个世界。在南边的远方帕斯哈利斯能看到自己的女修道院。

“上帝没有任何特征，没有任何形象。”那些忧郁的男人中的一个对帕斯哈利斯说，当时他正帮助那男人将樱桃树干劈成小块。“他想显现就显现，想何时显现就何时显现。甚至，有时我们觉得他应该显现，但他却根本没有显现——这也是他的一种显圣的形式。”刀具匠沉默了良久，两人审视着被伐倒的原木。过后他又补充说：

“上帝在我们内部，而我们在他的外部。他行事随意，轻率，但他知道自己在做什么。他就像面包——每个人得到自己的一片，每个人都按自己的方式认识它，但任何一片面包都不包含整个面包。”

他们给他面包送他上路。适逢刚下第一场雪，不过由于土地仍旧是暖和的，雪很快便融化了。他往下走进了谷地，渡过了那条自孩提时代起就很熟悉的小河，心里思考的一直是那个思想信念坚韧得就像皮革似的老刀具匠对他所说的话：如果上帝希望我们找到安宁，如果他希望我们退出这个世界，将我们的灵魂提高到精神的、而非物质的层面上，如果他想让我们回归自己，且赋予我们以自然的欲望，赋予我们对他的天生的思念，如果他召唤我们，如果他在我们面前敞开了一扇通向永生的大门，而对这尘世的生活则允许恶骄横恣肆，如果他对自己圣子的死听之任之，并让其从中寻找生活的意义，如果死亡是最完美的宁静，那么死亡实际上就是上帝创造的所有事物中最为神圣的东西。如果是这样，那么人能奉献给上帝的除了自己的死亡之外，就没有任何更能让上帝称心的东西了。

每样东西都是一种标记，但其中某些东西却不能忽视。因此才存在某些严峻的事物。帕斯哈利斯心想。因此森林才长满了有毒的蘑菇，因此草原火灾才会把数以百万计的昆虫躯体变成焦煳的灰堆，因此水灾才会将无数生命从谷地中冲走，因此才有战争，才有电闪雷鸣，才有大灾大难和各种疾病，因此才有衰老，因此在刀具匠人的房子里的顶棚下才挂着数千把刀尖朝下的刀子，而他们自己也在襄助死亡。

上帝如此创造世界，为的是让这个世界指点我们：我们该做些什么，该怎么做。

尾　声

有关帕斯哈利斯故事的结尾存在两种说法。其一是自杀说。它完全是偶然地出现在“Über den selbstmorderischen Tod des Bruders im kloster der regulierten Chorherren Augustiner in Rosenthal”[①]之中的，它是这么说的：

“在举行晨祷的时候，大教堂的教长发现帕斯哈利斯兄弟缺席，而他平时从未在祈祷仪式上迟到过。在唱过头两首赞美诗之后，出事的预感促使教长去了他的修室，想去唤醒他，教长猜想帕斯哈利斯兄弟可能是睡过了头。他打开修室的门，见到帕斯哈利斯的身体悬吊在一根用来挂衣服的横杆子上。尽管迅速地割断了绳子把他放了下来，并试图进行抢救，但帕斯哈利斯兄弟始终没有醒过来。抢救了一段时间，大家明白他已永远离开了。”

第二种说法相当含混不清，从中得不出任何严格意义上的结论。他似乎在欧洲漫游，也可能到世界各地周游列国，宣讲自己的圣女的事迹，掺和着介绍刀具匠人的忧伤。他在空间里活动，多半像在时间里活动一样——每个新的地方都在他心中

① 德语，意为：关于罗森塔尔市教堂唱诗班奥古斯梯纳尔兄弟自杀身亡一事。

敞开了不同的潜在可能性。这个说法在那些受到帕斯哈利斯的生活经历和作品感动的人们中间广泛流传，他们是从碰巧遇到的不经意的外国人嘴里，在形形色色的传言、引证、闲言碎语和别人的记忆之中得知有关他的一切的，确切地说，没有人真正知道这种说法是从哪里听来的。或者相反，有些人就像封戈埃特岑教授那样，在追寻库梅尔尼斯的足迹时，在大学的图书馆里查阅《圣女传》的时候发现了他。他们的阅读有时会因休息抽烟、喝从暖瓶里倒出的咖啡或啃咬手指头上的倒刺而中断。在这种说法里，没有任何有关《圣女传》叙事者死亡的记载，再说，又怎会有这种记载呢？这个人既然是在娓娓动听地讲述圣女的故事，那就必定是个活人，在某种程度上他是永生的。他超越了时间所能包容的范围。

芦 荟

我曾怀疑芦荟是否是长生不老的植物。它总是生机勃勃地立在窗台上，只需从它数十个腋芽里轻轻掐下一枝，便可进行繁殖。久而久之，我便忘记了哪棵植物是它的母本，哪棵是它的子株。我曾将它们分别馈赠城里来的熟人，送给玛尔塔、阿格涅什卡和克雷霞。我用泥制的小花盆、装过酸奶和奶油的盒子盛着腋芽，亲手送给他们，因此可以说，多亏了我它才能挪动，到处漫游。我不知道如何确定芦荟的年龄：是计算那些分开再植的腋芽、枝丫的年头，还是计算那种绿色、多肉的物质的整个生存时间。那些腋芽有自己的时间和空间，它们飞速生长，同时用自己满是锋锐尖刺的边缘刺破空间。可以将腋芽种在花盆里，在花盆上贴个标签，注明是“标本 Y”或“标本 2439”，如此就能观察它的生长变化。它那绿色的物质填满了叶子直至叶子的边缘，有人将那多汁的芳香物质贴在烫伤的手指上，而它竟能将所有的灼热、所有的疼痛都吸入到自己体内，那物质是长生不死的。种在形状各异的花盆里、立在世界上各种窗台上的不同芦荟植株都有同样的物质。多年前立在我父母家的窗台上的芦荟植株，有着同样肥厚的叶片，而此前似乎还曾出现在家具店的橱窗里，在那个时期家具店的橱窗一般还不曾摆放过盆栽植物。更早以前它还曾出现在哪里，有谁知道呢……显然它经历过长途旅行，因为芦荟在我们的气候条件下是不能野生的。定是有过一艘船沿着非洲东海岸航行，挤过苏伊士运河，满载着咖啡豆、奇异的水果、装在笼子里的猴子和发出颤音的鹦鹉。下甲板上定是装有许多盆栽的植物，那便是不受晕船影响的熟睡的芦荟。新大陆满腹狐疑的、犹豫不决的征服者，很快就会成为各种其他种类的植物——桃金娘、天竺葵、芸香和帚石楠的无意识的大敌，窗台上的新住户则会受到呵护并贪婪地捕捉北方忽明忽暗的阳光。

我知道，无论是活的还是死的东西，都在其体内记录下各种图像。因此这芦荟体内也会仍旧保留着它最先生长地的阳光、令人难以置信的亮得炫目的天空和无声地冲蚀着沿海岸低矮的地平线上的硕大雨点。插枝的每个部分都以它内在的这种光辉自豪，并且复制了植物的保护神——太阳的图像，立在我家的窗台上对太阳静静地顶礼膜拜。

傍晚，当我将一株这种既古老又稚嫩的插枝送给玛尔塔的时候，不禁想起，像芦荟这样老是坚持着、老是保持原样继续存在下去，一定是件令人厌恶的事。对植物而言，能拥有的唯一的真正情感也许只是厌烦。玛尔塔同意我的想法，她把芦荟放在窗台上时说道：

“假如死仅仅是件坏事，那么人们大概就会立即停止死亡。”

篝　火

翌日傍晚，邻近的皮耶特诺的农民来跟我们做买卖。大家围着一堆篝火谈生意。他们怀里藏着几瓶像那一出现就会给世界带来欢乐的魔术师的白兔子一样的烧酒。他们把酒瓶放在临时凑合着搭起来的桌子上，眼里饱含着自得的神情。我和玛尔塔切面包，并从玻璃罐里取出腌制得不到时候的小黄瓜。R拿来玻璃杯。

自打去年以来就长发齐肩的博博尔先生说道：

“给女士们准备了果汁鸡尾酒，妇女不喝纯烧酒。”

我们没有异议。我担心的是端上来的切成了四块的番茄会爬着步行虫，这儿到处是这种虫子，每片树叶下面都爬满了。

客人一共是三个人——博博尔先生和他的邻居热茹拉先生，还有布罗内克先生——大家都管他叫“长工”。我们坐在篝火旁的树墩子上；在一派静默中，烧酒从酒瓶子狭窄的喉管源源不断地涌出。男人们一仰脖子，一口就喝掉了半玻璃杯，而我们则一小口一小口地啜饮着带酒精的果汁，玛尔塔喜欢黑醋栗果汁的味道。他们谈起了带锯子的人，说是警察因他从森林里偷伐木材而拘捕了他。我回想起早春和雪，还有手电筒闪烁不定的光照亮的黑暗，锯子不祥的刮擦声和云杉倒下的轰隆声。有人说，永远别去纠缠盗木贼，你最好是装作既没有看见也没有听见他们。所有的树木命中注定是要遭到砍伐的。任何人，谁不知道这一点，就可能脑袋上挨斧头。我们要用多少立方米的木材来安装房间的地板？这里谈的还只是一个房间。

只有布罗内克先生一人没有喝酒。在瞬间出现的寂静里，我们听到了庄重的声音：

“你们可知道我已献了多少血？”

谁也不知道。

“那么就请女士们说说看。”

“十公斤？”我以一种出乎意料的大胆高估回答道。

所有人的脸全都转向了布罗内克先生。他淡淡一笑，动了动嘴唇，仿佛是在咂嘴。

“那究竟是多少，布罗内克？”博博尔催促他告诉我们。

“整整十八桶的血。”

热茹拉先生说了句什么有关猪血灌肠的话，并且点着了一支香烟。“用如此数量的血能做出多少血肠！？”

但是，对所有的人都称之为“长工”的布罗内克先生而言，显然这句话已经没有任何意义，他胆怯地咳嗽了一声，期盼别人的赞叹。然而，只有玛尔塔，富有同情心的玛尔塔，用一根小棍子拨了拨火炭，说道：

“啊哟，这可是非常非常多的。这简直是一个血海！”

博博尔给我们做好了下一份鸡尾酒。直到这时我们才看到，他几乎用了满满一玻璃杯烧酒，一点点水和少量的黑醋栗果汁。我喝得站不起来了。

感谢上帝——波兰人

最让他们感到惊愕的是，一切都组织得如此糟糕。但又有什么是他们能够预期的呢？战争刚刚结束，他们便乘上了火车，进行长达两个月之久的长途旅行，穿越了整个饱受战争蹂躏的国家。他们路过的一些瓦砾堆尚在冒烟。火车在长满青草的铁路小站往往一停就是一两个礼拜，谁也不用问原因。乳牛就只好在铁路道轨之间放牧。那时他们便燃起了篝火，而妇女们则煮上了马铃薯汤。他们中谁也不知道究竟要到什么地方去。诚然火车上有位列车长，但他难得露面，每次出现总是带着神秘的表情反复说："明天我们就开车。"但是到了明天，火车继续停在那里不动。他们不知是否该拉出匆忙打包的锅，重新烧旺篝火，削马铃薯，煮马铃薯汤。有时他说，那边有许多完整的村庄在等待着他们，空出来的石头房子正等着他们去住，房子里的一应家具他们做梦都想象不到。说他们到了那里就会享有一切。"你一进门。所有的东西就全都是你的了。"于是那些奶孩子的年轻妇女便幻想装满丝绸连衣裙的衣柜，幻想高跟皮鞋、带镀金拉锁的手提包、镶花边的餐巾和雪白的桌布。他们带着映入眼帘的种种人间财富的诱人图景沉沉入睡。清晨她们醒来的时候，给露水弄得又冷又湿，因为车厢没有车顶，只有几块木板，她们的丈夫巧妙地将这些木板改装成了顶篷。

有时火车出人意料地突然开走了，那些看得出神，又莫名其妙的人就赶忙去追赶，他们沿着铁路奔跑，手里提着要掉下来的长裤。情人们留在了干草垛里；心不在焉的老人们把脸转向了陌生的地平线，迷失在拥挤的月台上不知所措；孩子们为丢失爱犬哭哭啼啼，那些爱犬正徒劳地在附近的小树下撒尿做记号。必须冲火车司机高声叫喊，让他停一停车。司机或者没有听到喊声，或者忙于赶路，总之没有停车。然后被落下的人就得去寻找开走的火车，请求士兵顺便带他们一段路去追赶火车，到那些临时的遣送机关去打听，在各个火车站的墙上留下讯息。最糟糕的是，那些火车没有目的地，没有任何预定的停靠站和终点。只有一点是肯定的，那就是朝西开。在铁路枢纽站它们一会儿向左拐，一会儿向右拐，但总的来说，有一点基本不变，那就是跟着太阳走，始终在与太阳赛跑。

此处无人主管：没有任何国家，政府刚刚是他们自己梦想中的事，但它却在一天夜里突然出现在小城镇的月台上，在那里命令他们下车。

政府——是个足登军官长筒皮靴的男子，所有的人都管他叫“长官”。他一根接着一根地抽烟，他的嘴唇仿佛给烟雾熏软了。他吩咐他们等着，等了几个钟头，直到听见马蹄嗒嗒、大车轰轰的声响，几乘四轮运货马车从黑暗里隐隐出现：马匹昏昏欲睡，神情沮丧。他们摸黑将行李装上这些运货车，沿着空无人迹的狭窄小街朝城市的下方走去。木头车轮发出的噪声宛如飞来的飞机的轰鸣，商店的招牌由于这种轰隆声而瑟瑟发抖。黑暗中一块玻璃松动了，落到了石头上。大家都打了个哆嗦，而妇女们则抓紧了自己的胸口。那时老博博尔意识到，他总是害怕，不间断地怕了好几年。但这没什么了不起。一辆高斯牌军用越野汽车护送这个车队到了城郊，然后出了城，沿着一条鹅卵石铺就的路向谷地驶去。天已破晓，因而他们能见到两边耸立着的高高的绿树成荫的山丘，山脚下立着一些房屋和粮仓，但所有这一切都不像农村的房子，而只像是农庄——用砖建造的大房子。老博博尔的眼睛既不习惯如此的空间环境，也不习惯这样的房子，于是他在心中暗自祈祷，千万别是这个地方。

他们拐了个弯缓缓上坡，通过了架在水流湍急、河床上满是石头的汹涌澎湃的小河上方的桥梁，爬上绵延起伏的高原。在他们的右边升起了一轮红日。只有从这里方才看得见太阳，而从谷地里是见不到它的。太阳照亮了远方的群山和晨雾缭绕的发霉的天空。眼前的一切都在动，都在起伏着。他们之中的那些较为虚弱者，像妇女和老人都感到恶心难受，觉得要呕吐，尤其是到处都如此空寂，杳无人烟，如此陌生，以致有人甚至抽抽搭搭地啜泣起来。亲切的回忆掠过他们的脑海，难忘自己离开的那片金色和绿色的平原，难忘那安全的、上帝的土地。甚至那些在车轮旁边奔跑的狗也保持着很近的距离而不肯钻进青草和灌木丛中，它们惴惴不安地嗅来嗅去，夹起了尾巴。由于长途跋涉，它们疲惫不堪，身上的毛根根竖立起来，肮脏而凌乱。

终于他们看到几栋村舍小屋散布在下方的谷地上，彼此相隔很远。军用越野汽车停了下来，从车里走出嘴上叼着香烟的长官。他读着名单上的姓名，同时用手指指点点：赫罗巴克，这里；万盖卢克，这里；博博尔——那里。谁也没有争论，谁也没有抗议；长官和他的香烟犹如神力——指到哪里，哪里便有了秩序，无论这秩序是什么样的，肯定要比混乱无序好得多。

博博尔一家来到指定给他们的村舍前面。房子看上去相当坚实，粮仓是加盖到房屋边的，而不是像应有的那样与房屋分开。小小的庭院铺上了宽石板。丁香花正在盛开。他们坐在运货马车上，谁也没有勇气头一个下车。博博尔往地上吐了口唾沫，目不转睛地望着房子的窗口。然后他忐忑不安地寻找水井，但哪儿也见不到一口井，也许水井挖在房子后面。最后越野汽车开来了，停在了他们近旁。

“喏，已经到了。”叼着香烟的人说，“过来吧，这已是你们的啦。”

他雄纠纠地向门口走去，但刚刚走到门前他又显得似乎有点踌躇。他朝门瞥了一眼，敲了敲，又使劲擂了一下。过了片刻门打开了，他走进屋内。他们等待着，直到他重新出现。他不耐烦地催促他们说：

“怎么啦？进去吧。”

他们动手从运货马车上卸下鸭绒被和锅瓢盆罐。博博尔头一个走进门廊。里面昏暗，天花板是半圆的弓形结构，散发着一股熟悉的乳牛的气味。他们在寂静中拖着脚步走进一个大房间，站立在窗户对面，刹那间他们什么都看不见，因为强烈的光线使他们睁不开眼睛。长官点燃了香烟，用德语说了些什么。那时他们才见到两个妇女，一个年纪较大，头发灰白，另一个比较年轻，手上抱着孩子，还有一个小孩偎依在老妇人的身边。

“你们住这边，她们住那边。以后会有人来把她们弄走。”长官还说了这样一番话，然后便绕过他们，消失不见了。他们听见越野汽车发动时的轰隆声。

他们就这么站立着，直到不知从哪里冒出一只猫，它坐在房间中央，开始舔自己的爪子。那老妇头一个移动身子，她从床上卷起被褥，拿进了另一个房间，而年轻的妇女和孩子们也跟在她身后走了。这时博博尔太太乒乒乓乓将锅瓢盆罐送进厨房摆放整齐。

上午剩下的时间他们一直在从运货马车上卸下自己的行李。其实东西并不多——一些衣服、几幅圣画、几床鸭绒被和一些镶了木框的照片。博博尔太太在稀奇古怪的炉灶下点着了火，因为她想熬点汤，可是她找不到水。她拿着锅围着房子转了一圈，找不到水井，于是便想，那些人是不是从溪里取水。最后她鼓起了勇气，去看了看两个德国妇女所在的房间。那年轻女子见到她便跳将起来。

“水。”博博尔太太说，指了指手里的锅。

年轻的女子向厨房走去，但那老妇人冲她咆哮。德国妇女停住了脚步，站立了片刻，仿佛有些犹豫不决。后来她很不情愿地给博博尔太太指了指炉灶旁边墙上的一根制动杆——博博尔已把自己的长裤子挂在了上面。她把锅放在制动杆下边，将制动杆上下移动，水流了出来。

“来做饭吧，炉子已经点着了。”博博尔太太对那妇女说。

那德国妇女拿来装满马铃薯的瓦罐，放在铁板上。博博尔太太向她解释说，他们的文件上清楚印着“临时遣返”的字样，这意味着，他们在这里不会待很长时间，还说，所有的人都在议论下一场战争。而那个德国妇女却突然痛哭失声，那完全是一种无声的啜泣，她将满腹涌出的哽咽声又吞了回去，博博尔太太甚至不知如何安慰她，于是咬着嘴唇，离开了厨房。

整个夏天他们就这样生活在一起。男人们迅速安装好了酿造私酒的设备，从此烧酒就像涓涓细流一般源源不断地流进小酒桶和酒罐里。当时天气酷热难耐，他们不知把自己怎么办，一到下午早早便开始灌黄汤。妇女们在共同的炉灶上一起做午饭，实际上是沉默不语，只是偶尔相互交换几个单词，既不乐意、也不自觉地彼此学习自己并不喜欢的语言，暗中窥探对方的习俗。在波兰人眼中，德国人的吃法好不奇怪：他们早餐吃的是一种牛奶酒，中饭吃的是没有削皮的马铃薯，外加一点奶酪，一点奶油，而到了礼拜天他们便杀兔子或鸽子，用来熬一锅面糁汤。第二道菜是面疙瘩，以及照例必有的罐装糖煮水果。男人们走进粮仓，去看德国人的那些机器，但他们不知道机器如何操作，有什么用途。他们蹲在房屋外边，议论着那些机器，喝干一杯杯私酿的烧酒——这样一直到傍晚。最后有人带来了手风琴，妇女们便聚集到一起，开始跳舞。他们把头一个夏天变成了没完没了的波兰节日。他们中有些人从来就不曾清醒过。他们唯一能做的事便是盲目高兴，庆幸自己劫后余生，庆幸自己终于在某个地方——一个无论怎样的地方！——安下身来。最好是不去考虑未来，因为未来是反复无常的，靠不住的；最好是唱二重唱，翩翩起舞，跑进灌木丛，忘乎所以地尽情做爱，不去看留在这里的那些德国人的面孔，因为一切都是由于他们的过错，是他们发动了这场战争；正是由于他们的过错，一个世界结束了，同示巴女王[①]的预言中所说的一模一样。有时波兰人情绪激动，步履蹒跚，摇摇摆摆地回到家里，扯下他们家里那些德国人的圣像画，把它们抛到橱柜后边，乃至把柜上的玻璃都震裂了。他们还是用原先那些钉子挂上了自己的、非常相像的、或许甚至是一模一样的基督圣像画和带着一颗流血的心的圣母圣像画。

秋天，他们由于天天过节而精疲力竭，又由于政府彻底忘记了他们的存在而大失所望，他们串通一气，钉了个十字架，将它树立在道路的分岔口，并且在上面写上：“感谢上帝——波兰人。”

那个夏天波兰人没有工作——只要德国人还待在那里，他们就无须工作。他们把德国人应得的东西给了德国人。毕竟他们这些波兰人不是由于自己的过错来到这里的，也不是出于自己

① 典出《圣经·列王纪上》10：1—13，示巴女王觐见所罗门。

的奇思异想而把自己辽阔的田地撂在了东部并颠沛流离了两个月之久到这里谋生；他们根本就不曾希冀过这些陌生的石头房子。德国妇女挤牛奶，清除牛粪，然后去地里干活，或者打扫卫生；她们战战兢兢，弯腰弓背，沉默不语。只有在礼拜天才让她们歇息。她们穿上节日的服装，甚至戴上洁白的手套，上教堂拯救他们有罪的德国人的灵魂。

秋天，政府来了人，这一次是找德国妇女的，叫她们收拾行李准备上路。年轻的德国女子情绪激动，开始打起了包裹，老年妇女坐在床上一言不发。翌日清晨她们站立在房子前面等待着。博博尔太太送她们一点猪油路上吃，一面暗自高兴从此又多了一个房间。终于来了个什么人，用德国话命令她们朝着小镇的方向走去。年轻女子拉着一辆小板车，跟别的德国人的车队会合，那些人就站立在小桥上，但老年妇女不肯走。她返回厨房，抓起一只瓷碗，已经喝得稍带醉意的博博尔试图从她手里夺下器皿。两人相互拉扯、争夺了片刻，直到那老妇女满头白发根根竖立。突然间，她几个月来第一次出人意料地大喊大叫起来。她跑到房子前面，吼叫着，将紧握的拳头举向了天空。

“她说什么？她吼叫什么？”博博尔一再追问，但政府官员不肯告诉他。

直到德国人消失在山丘后面，政府官员返回来，为的是通知他们，说他们的村庄已经不叫艾因西德勒，而是有了个新的波兰名称，从现在起叫作皮耶特诺。同时博博尔也获知，那德国老妇人是在诅咒他。

“她咒骂你，对你说了一大堆蠢话，她说：‘但愿你的土地颗粒无收，但愿你孤独一生，但愿你一直疾病缠身，但愿你的牲畜纷纷倒毙，但愿你的果树不结果子，但愿你的牧场连遭火灾，烧得寸草不留，田地给洪水淹没。’她就是这么吼叫的。”政府官员说着，一根接一根地抽着香烟，“不过，只有蠢货才会把这些话放在心上。”

锡盘子

玛尔塔有许多残缺不全的东西：单只的瓷茶杯，带有模糊边饰的茶碟子——它的图案上还能勉强猜想到是叶子的镀金波形纹路，临时凑合装配上铁丝把手的镀锡铁皮大杯子，带有搪瓷剥落的锈迹斑斑的铆接的锅。她有一把刻着德国纳粹党党徽“卐”字饰的大餐叉和几把餐刀，那些玩意儿由于磨过上千次而变得又薄又细，使人一见便会联想到串肉签。我疑心她是每年春天在菜园里耕作的时候偶尔挖到了这些东西，把它们从地里扒了出来，然后清洗干净，再用灰烬将其擦得晶亮，觉得满意了才放到抽屉里的。假如真的是这样，那就意味着，玛尔塔在厨房用具方面能够做到自给自足。要知道土地也曾给我们提供过这类极其丑陋、千奇百怪的物品，只是我们没有以足够的尊重对待它们，而是把它们全然不当一回事。我们，像所有的人一样，希望拥有的是崭新的、闪闪发光的东西，带有价格标签的黏胶痕迹的东西，还要求附有一份保险单，能确保其经久耐用，永远光泽可鉴、表面平滑完美无瑕，并要留有远方工厂的金属气味。

我不曾欣羡过玛尔塔的餐具，也不曾觊觎过她那些沉重的枕头——在那些枕头里，羽毛在夜间跟人体角力时总要从一个角落游荡到另一个角落——更不曾希冀过她那些洗褪了色的小块装饰花毯，它们上面常用德语绣有令人宽慰的成语，诸如绣有“Wo Mutters Hände liebend walten，da bleibt das Glück im Haus erhalten”或“Eigner Herd ist Goldes wert”[①]之类。

只有一件东西唤起过我的钟爱之情，那就是一只锡盘子。它沉重、粗糙、边缘上装饰着浮雕的几何图形，它由于手指长年的触摸已经磨损，许多地方图案淡出，与背景融为一体。尽管如此，触摸这些图案还是给人带来一种愉快的感觉，无须看，一摸就能感觉出图案上的标识。那些装饰图案似乎是希腊风格的，或者采用了装饰艺术的手法。它那一再重复交替出现的圆形和正方形中间用十字形连接起来，这些十字形像加法符号一样，使图形显得更丰满，不过那些彼此相加的各个组成部分倒还保持原来的模样。有许多地方无光泽的金色涂层已经脱落，露出赤裸的灰色金属。

夏天玛尔塔在盘子里摆上水果，秋天用它盛核桃。盘子在她那铺了漆布的桌子正中央俯视一切。在玛尔塔的全部有缺陷的财富里，唯有这种东西能吸引我的注意力。其余的一切就都只能唤起同情。

---

① 德语，意为：“只要是母亲慈爱的手掌管的地方就充满着幸福”或“自家的炉灶胜黄金”。

保 姆

我曾有个德国保姆。她名叫杰特鲁达·尼采。她小巧玲珑，活泼好动，活像只啮齿动物。她戴的眼镜镜片很厚，在不同的时间里反射着从电灯泡到太阳的所有不同光源。波兰语她只知道几个词，主要是用来跟我母亲交谈的，对我，她是怎么想就怎么说，也就是说德语。我至今清晰地记得她的面孔，她那粗鲁而又不乏温情的动作，她的毛衣的触碰，还有她身上的可可香味。但我不记得她说过的话。当时我尚未掌握任何语言，在语言上我还处于未开化的阶段，我还不需要任何词汇，无论是波兰语还是德语，抑或是其他任何语言的词汇，我都不需要。她有自己的语言，周围所有的人都觉得这语言陌生，甚至怀有敌意（终究是战争结束后刚过二十年）。她用这种语言对我讲话，唱歌，还用它来大声斥责我。她曾把我放进木头小推车里，推着我经过池塘的堤坝去看望她自己唯一长期居住在本地的亲戚卡姆普一家。到了那儿，在他们塞满了小摆设、小玩意儿的房屋里，我们一起参与了没完没了的交谈。我自然是沉默无言。

在他们谈话期间，我坐在铺了床罩的床上，被枕头支撑得稳稳当当的，而杰特鲁达就坐在桌边，跟卡姆普太太一起叮叮当当地碰杯。后来她把我抱在手上，我那时定会映照在她的眼镜玻璃里。但我不记得这件事，因为那时我还意识不到眼前就是我的影子，我还不关心镜片照到的是不是我。

由于杰特鲁达的原因，我一直希望自己能懂得德语，希望德语能隐藏在我的内心深处，上面盖满了我用波兰语进行的所有交谈的灰尘，盖满了我所读过的成堆的书籍，隐藏在我所学过的一切初级读本之下，即使不是掌握整个语言，至少也懂得许多最重要的词汇，足够我能应付一般需要的词汇。我期待着这样的时刻：这种语言能在我身上展现出来，无须借助读本，也无须借助枯燥乏味的课业，蓦地，无缘无故、莫名其妙地我就能听懂德语，或者甚至还能说德语，虽然还有些困难——因为无论是我的嘴唇还是我的舌头还都不习惯于说外语。我敢肯定，假如有人——例如杰特鲁达，俯身到我的上方，爱抚我，喂我食物，我定能听懂她所说的德国话。假如有人抱着我站立在窗口，向我指着园林，对我提出那些成年人对孩子们提的不聪明的问题："这是什么？""谁在那儿走路？""妈妈在哪里？"我也定能听懂他所说的德语。假如有人亲切地让我用手触摸他面部的独一无二的轮廓，假如这个人成为我入睡以前见到的最后一个形象、醒来后见到的第一个形象，那么这个人所说的德语我肯定也能听懂。

在卡姆普夫妇那里我平生第一次看到并且记住了自己。那时我大概有一岁左右，因为我已经会坐了。定是来了一位巡回照相师，就是几年后我上小学一年级时给我照相的同一个人。定是他天花乱坠地说得我的保姆开心，因为是她把我脱得一丝不挂，让我坐在一块白色毛皮上，这白色毛皮想必是卡姆普先生匆忙间扔给她的。定是我曾叫喊着表示抗议，因为有人拿了个锅盖给我玩。正当这锅盖触到了我肚子上的皮肤，支架上明亮的灯光和照相机的光圈瞄准了我，所有的人的注意力全都集中到我的身上，使我有生以来第一次出现在我自己的外边，那时我还是个笨拙无能、站立不稳、无所适从的小人儿。用这个镜头的光圈观察我自己，用另一种目光，不完全是我自己的目光，用一种冷漠的、遥远的、无动于衷的目光观察我自己。这种目光今后将会同样冷静地记录下我的手的动作、我的眼睑的颤动、我的房间里的闷热和我的思想——记录下所有的、甚至不成熟、未定型的一切。这种目光、我从我外部观察一切的那个观察点将会越来越经常地出现，最终将开始改变我自己，我将变得缺乏自信，不知我是个什么人，不知我的中心点——其他的一切都围绕它运转的中心点——在哪里？同样的事物在我每次看来都将是另一种样子。首先我将迷失在所有这一切之中。我感到恐怖。我将绝望地寻找稳定。最终我将认识到，稳定诚然存在，但离我十分遥远，而我就像一条溪流，就像新鲁达那条不断改变颜色的小河；而关于我自己，我唯一能说的是，我偶然发现自己是从空间和时间上的一个点流过，我除了是这个点和时间的特性的总和之外，什么也不是。

从这里得到的唯一教益是，从不同观察点看到的世界是各种不同的世界。因此，我能从不同的观察点看到多少种世界，我就能生活在多少种世界里。

刀具匠们的赞美诗

遍及大地的是徒劳无益
不妊的子宫受到祝福
被奉为圣洁的是所有的不育
神圣的颓丧渴望的是死亡
奇妙的是冬天颗粒无收
坚果无果肉的空外壳
烧焦的木柴仍旧保持着木头的形状
撒落到石头上的种子
用钝了的刀子
干涸的溪流
嗜食其他动物后代的野兽
靠其他的鸟蛋养活的猛禽
和平总是肇始于战争
饥饿往往是过饱的开头

神圣的老年，死亡的黎明
从肉体上攫取的时光
突然的死亡，意外的死亡

死亡——像草丛中踩出的小道
劳而无动
推而不动
拼而无变
行而不达
言而无声

寻　宝

随着时间的推移，那些德国人住过的房子越来越乐于将里面蕴藏的东西交给新的波兰主人，其中有：大大小小的锅，盘子，带把的大杯子，被褥甚至衣服，有些还是十分讲究的、几乎是簇新的服装。有时他们找到一些简单的木头玩具，立刻就交给了自己的孩子——在经历了长年的战乱之后，这是真正的财宝。地下室塞满了大大小小的玻璃罐，装有果酱、水果蔬菜泥、苹果酒，或是汁液稠浓得有如墨水、稍不小心就会染红手指的蜜饯浆果，用醋腌渍的黄色甜瓜块——他们不喜欢这种醋渍瓜的味道，还有加了英国香草药的醋渍蘑菇。老博博尔越来越阴郁了，他在地下室找到了一具崭新的、刚完工的棺木。

德国人在餐具柜里留下了调味品，盐罐，瓶底剩余的食油，盛有荞面糁、糖和粮食做的代用咖啡的粗瓷容器，他们把窗帘留在了窗户上，将熨斗留在了厨房炉灶的铁板上，图画留在了墙壁上。抽屉里弃置着旧账单、租赁合同、买卖契约、洗礼时拍摄的照片和信件。在某些房间里留有书籍，但它们已经失去了说服人的本能——它们周围的世界已改成使用另一种语言。

房子的顶楼上立着各式的婴儿车，躺着成堆的发黄的旧报纸和装有点缀圣诞树用的五颜六色的玻璃球的破裂的小提箱。

在厨房里、卧室里始终保留着外人陌生的气味。从衣柜和五斗橱内衣抽屉里散发出的气味尤其强烈。妇女们畏畏缩缩地打开它们，从里面一件接着一件地拿出一些衣服，同时惊诧地看到，每件都是外国货，都是式样滑稽可笑、稀奇古怪的。终于她们壮起了胆子，试穿那些连衣裙和西服上衣。她们常常甚至连缝制这些衣服的料子的名称都不知道。她们穿着这些外国衣服站立在镜子跟前，本能地把手插进了衣服的口袋里，意外地摸到了揉皱了的小手帕、包糖果的包装纸、已经废除了的硬币。妇女们往往有一种特殊的才能，她们能发现任何人都没注意到的小杂物间、疏忽了的抽屉、用迷彩伪装起来的装过皮鞋的盒子——从中有时会突然撒落出儿童的乳牙或剪下的一缕缕头发。后来她们用手指抚摸盘子上的花纹图案，对它们独特的天蓝色的对称美啧啧称奇。她们既不知挂在墙上的带小曲柄的设备有何用途，也不知餐具柜里小小的搪瓷抽屉上书写的文字是何意义。

有时会发生这样的事，那就是某个人在整理地下室或翻耕菜园的时候，会发现某种特别的东西。可能是一只盛满了瓷器的木箱，或是一玻璃罐的硬币，或是用漆布包裹的成套的泛银光的刀叉餐具。消息不胫而走，转瞬间就传遍了整个村庄，甚至整个地区。不久之后，每个人都浮想联翩，期盼自己也能找到德国人留下的财宝。这股寻宝热具有梦幻的性质，仿佛是在搜索某种有朝一日还有可能再度蓬勃生长、并再次抢走他们拥有的一切、重新把他们驱赶得颠沛流离、无家可归的危险的外国植物的根苗似的。

一些人出乎意料地福星高照，礼品不期而至，虽然并非纯粹出自偶然。不妨相信他们所讲的故事，说是某一天他们在房子附近挖掘的时候，冷不防他们的铁锹尖猛然当啷一声碰到一个金属箱子。但也可以是拿起铁锹和鹤嘴锄走进旷野，在大树下边，在孤独的圣坛附近挖掘，或在建筑物的废墟里搬开石头寻找，或是深入古井探寻。

因此头一年在皮耶特诺没有一个男人到自己的田地里播种——所有的人都寻宝去了。只有妇女在菜园子里为种大白菜和小红萝卜而劳心费神。

于是，每天清晨，天刚蒙蒙亮，男人们便出门探宝。看起来，他们就像是去田间劳动，因为他们都带着铁锹、鹤嘴锄、肩膀上斜挂着一卷绳子。有时他们结成对子，或者组成一个小组下到井里。那儿可能有各种各样的东西。他们中有人在井壁上找到了金属箱子，内装上百把刀子，尽管都是刀身，因为木头刀柄已经腐朽，化成灰色的尘土了。他们开始探查地里所有可能找到的孔洞。此后，那些最为深谋远虑的人便已教会自己的儿子们寻宝，因为这是个不错的、甚至是最好的职业。

多年后他们的孙子仍然在寻宝。他们在市场上从乌克兰人手里买到了金属探测器，从齐腰高的青草地里艰难地走过，仿佛是在用巨大的放大镜探查这片土地。他们为消磨午后的时间，常常蹲在商店的前面，手里端着一瓶温热的啤酒，议论着，说的是又有一辆德国旅游汽车停在路边，有些德国人在教堂后边的灌木丛中游荡。有人还看到了他们夜里拿手电筒照亮，用神秘又兴奋的窃窃低语，悄悄地相互召唤。清晨在这个地方就留下了一个刚刚挖掘出来的大洞。

老波普沃赫是最大的寻宝者。他寻找财宝就像别人寻找蘑菇，而做这两件事都需要有个灵敏的鼻子。

波普沃赫家里所有像样的物品都是来自寻宝——一些黄铜锅、壶、盘子、瓷器，其中包括一套小巧玲珑的瓷杯，它们的工艺是如此精细，以致无人知道可用它们来喝什么。所有坚实的东西全都来自寻宝；只有那些容易腐烂、损坏的东西仍然需要添购。

波普沃赫似乎习惯于漫不经心地在田野和幼树林中闲逛，看起来似乎是在仰望天空，嗅嗅空气的湿度，探究明日的天气情况。但他会冷不防走到一块躺在田埂上的石头跟前，围绕它走一圈，触摸它，就像抚摸怀孕的绵羊，接着便匆匆跑回家去拿来鹤嘴锄和铁锹，然后就在这样的石头下面找到一只装有刀叉餐具的小提箱或是一个装满希特勒军队徽章的罐子。波普沃赫在自己的一生中还曾有两三次找到了武器。他把武器拿回家，擦拭干净，吩咐妻子和女儿要严守秘密，要给嘴巴上道锁，把武器藏到了顶楼上。他感到头顶上方存放着武器会更安全一些。他也曾找到一只装满集邮簿的手提箱，有时他去瓦乌布日赫出售一点德国邮票。他常去一家古董店出售一些看似无用的旧物——例如一副金属丝镶边的眼镜。

然而当波普沃赫找到真正的财宝的时候，他却浑然不知那是什么东西。因为谁能想到一只裹了金属包头的大木箱里装的竟是一整套轻金属餐具？其中绝大部分盖上了一层铜绿，或者变得灰暗无光。所有的餐具都是二十四件，包括：各式各样的盘子、有柄的大杯子、餐叉、餐刀、汤匙和小得可怜的茶匙，此外还有长柄有盖的深平底锅以及带木把手的锅。波普沃赫太太用这些锅煮牛奶——它们确实很不错，从来不会把牛奶烧糊。他们把所有这些餐具整齐地摆放在房间的餐具柜里，它们就这样在无声无息中默默度过了漫长的年代，直到军事管制时期，来了一位过路的旧家具商人，碰巧注意到那只煮牛奶的深平底锅。他在锅底寻找某种标识，但他们不知他是否找到了想找的东西。当波普沃赫将装满其余餐具的餐具柜指给他看的时候，商人沉默了片刻，然后自己主动开出庞大数额的价钱，于是他们也免去了讨价还价的麻烦就出了手，只是他们的女儿舍不得跟那些银光璀璨的器皿分手——它们每天晚间就像电视机发出的荧光一样光辉闪烁，充满了整个房间。但最终她还是用这笔钱在新鲁达为自己购买了一套单人住房，剩下的钱还足够去罗马做一次为期三天的业务旅游，因为克雷霞·波普沃赫的平生夙愿就是见到教宗，幻想能在死之前见他一面。只是她没有说，是在谁死之前——是她还是教宗。

假如人的眼里有 X 光射线，能像 X 光射线透射人体那样透视大地，那么，人又能在那里看到什么呢？岩石的骨骼，土地内部器官的黏土梗节，花岗岩的肝脏，砂岩的心脏，地下河的肠子。埋藏在土地里的财宝，便像是外来的异物，诸如是移植物或是炮弹的碎块。

大丽花——天竺牡丹

玛尔塔坐在大丽花——天竺牡丹中间。我看到了她的脑袋。我朝她招了招手，但她没有注意到我。她的手在花的叶子中间拨弄，可能是在把花叶扎起来，或是在弹掉叶子上的蜗牛。她春天栽种大丽花的根茎，关照它们几乎就像在关照她的大黄一样。八月天竺牡丹开花。我真想去数一数它们均匀的花瓣。它们怎么会有如此的对称性和完美的条理性？玛尔塔说，大丽花受到孩子们喜爱总是远远超过成年人。这是为什么？谁也不知道。“成年人更喜欢玫瑰，”玛尔塔说，“因为玫瑰开出什么样的花朵总是不可预见的。”

我真希望自己已经像玛尔塔那样老。老年人看来到处都相像，构成老年人生活内容的无非是漫长的清晨，伴随着一动不动地悬在屋顶上方的黏糊糊的太阳艰难度过的懒洋洋的午后，拖拖拉拉的电视连续剧，被拉上了的窗帘。上街购物，依旧是午餐时桌旁谈论的大事。步入老境意味着盘子洗得特别仔细，而餐桌上的面包屑要收集到塑料袋里，为的是一周两次到公园去给脚旁的鸽子喂食。巴豆在夜里掉了一片叶子，老年人就会去检查它主茎上的伤口。老年人会去抖擞掉木槿那天鹅绒般的叶子上的蚜虫，会去整理餐巾，会去赞叹小菜园里的甜菜在菜畦的尽头竟长得如此之大，会袖着手听广播，而把筛分纽扣的计划推迟到明天，会为昨天送来的用电账单烦恼，目光会注视着邮差从一家走到另一家的弯弯曲曲的路线。老年人会站立在厨房窗口仰望天空，感受太阳漫游的每一个步子；为了使自己确信冰箱里不是空的，会漫不经心地打开冰箱；会小心翼翼地从年历上撕下一页页纸片，并将它们整齐地放进抽屉里。老年人常常会尽心地收藏各种门类的报纸，会往那些由于年代久远而变成了褐色、穿起来或者太窄或者太大的衣服中间放置樟脑球。

后来我想，问题或许并不在于我希望老，不在于追求年龄，而在于追求一种生活状态。这种状态可能只发生在老年。这是一种无为的状态，也就是说不采取行动去争取什么，而如果已经开始干了，那就慢慢干，仿佛关心的不是活动的结果，而是活动本身，是活动的节奏和旋律。一边缓慢进行，一边观察这个时代潮起潮落，再也不会冒险去赶潮流，也不会冒险去反潮流。这意味着忽视了时间，仿佛时间只是别的某种东西，某种真正想望的东西的幼稚广告。什么也不做，只是数房间里闹钟的敲击声，数鸽子的翅膀拍打窗台的响动和自己心脏跳动的次数，并且转眼就把这一切全忘于脑后。没有思念，没有追求。至多只是期盼节日的来临——归根结底正是由于期盼才有节日。咽下唾液，并且感觉那涎液如何顺着食道流到了某个“深部”。用手指尖触摸手心的皮肤，感觉它如何变得像冰河一样的光滑。用舌头剔下牙缝里的沙拉碎块，恍如又吃了一顿午餐那样再咀嚼它一次。耷拉、蜷伏在自己的膝盖上，从头至尾学究式地追忆某些事件的细节，直到头脑由于无聊而打起了瞌睡。

玛尔塔头上灰白色的短发在花朵中间闪着银光。根根竖立的短发纹丝不动。或许玛尔塔以为保持静止状态能战胜近日的炎热天气，或许她正在数花瓣的数目，或许花的美艳使她惊得喘不过气来。蓦地，在短暂的瞬间我知道了她想的是什么。这种思想也曾出现在我的脑海中，在我自己的思想中间扩展着，终于爆炸了，消失了。我大感意外，呆若木鸡，举到了眼睛上的手也一动不动了。

玛尔塔想的是：“最美的是那些给蜗牛咬出了缺口的花瓣。最美的是那些不太完美的东西。”

重复，发现

当暴风雨来临的时候，青草的主茎突然变得锋利，垛里的干草变得粗糙，玫瑰和树莓的刺将阵风扯成薄薄的细长条。田埂上红色的石头的边缘变尖，而在池塘上方的匕首般的芦苇打起了呼哨。世界变得漆黑一片，所有的亮光都匆忙退缩，然后突然尽最后的力量聚为闪电，来了个中心开花猛击着黑暗。那时耙的尖齿变成了凶恶、可怕的东西，挂在木板上的草叉子的尖锥刺破了空气。餐刀从桌子上掉落了下来。

我生活在我对其已略有所知的世界上。日复一日我能识别越来越多的画面、手势、动作的含意和后果，以及空气的颜色和气味。所有这一切我已知晓，我仿佛已永远失去了认识新鲜事物的才能，我仿佛已无须再学习。这种感觉显然在不断增强，起初只是些一闪即逝的预感，啊，不错，一会儿预感到会发生这件事，一会儿又预感到会发生那件事。我知道这一点，虽说我并不明白这究竟是为什么。

世界因此而拉近了，就像贴到了我的皮肤上；我仿佛觉得，世界能感觉到我体内血液的脉动，并以较为细小的树枝在风中的摇曳来模仿这种脉动。世界就是我的皮肤，而我却在竭尽所能地为忘却这一点而努力。

我们坐在阳台上，沐浴着最后和煦的阳光，不知是谁的一只手触到了桃子上，突然间一股浪潮涌过了阳台——在短暂的一瞬间，却又是在各个不同的时刻，所有的手就都出现在水果上，那只是在一刹那间的事，几乎觉察不出来。然后又出现了这个镜头的后续部分——一片什么叶子飘落到青草地上的一枚没有成熟的李子上，但只是抚摩了它一下，又继续飘走了。在懒洋洋、无意识地进行的谈话里，几次出现了“抚摩”这个词，但谁也没有注意到这一点，谁也没有听见，谁也不明白。

那时我就想，我这是在接近某一个极点了。时钟已敲过了十二点，开始了一天的夜间部分。我想我已经开始死亡，而在此事发生之前，我将以同样令人震惊的方式看到一切，也就是从下方，从事件的几何学方面看，那时在深奥莫测的对称性中可看到世界的开头。然而就连这种知识对于我也将没有任何意义，面对这种知识我将变得手足无措，不能以任何方式对它加以利用。我唯一能做的事只是惊诧，迄今我竟然没有看到如此显而易见的排列、秩序，而且这种安排并非——如我所认为的那样——蕴藏在思维、理想、数学公式、概率运算之中，而是蕴藏在事件本身。世界的轴心是无数的瞬间、动作、手势的重复排列，一再地重复出现。并没有任何新鲜的事物产生。

毒蝇菌蛋糕

三个大的新鲜毒蝇菌菌盖

五百克干的毒蝇菌

两个小圆面包

一玻璃杯的牛奶

一小把葡萄干

一个洋葱

香菜叶

一个鸡蛋

一个鸡蛋黄

捣碎的面包干

用于调味的盐和胡椒

将面包浸在牛奶里，将洋葱放在奶油里略炒一下，加入切碎并泡湿的干蘑菇，打碎蛋黄，加入切碎的香菜叶，给馅加好调味品。把滚上鸡蛋和捣碎的面包干的新鲜毒蝇菌菌盖煎成金黄色。在一层煎好的新鲜毒蝇菌菌盖上放一层馅，再放进小烤箱里烤熟。

他和她

战争结束后，他们便作为从东部地区迁徙的人员很快来到了这里。他们彼此相爱了——空荡荡的房子、空荡荡的街道以及空荡荡的心灵，不管对于什么样的爱情都是很有帮助的。严格地说，当时尚不存在任何一样东西，每样事物都刚刚开始进入正常的存在状态。火车没有固定的时刻表，想来便来，时而还有人在夜里开枪，很难弄明白破碎的商店橱窗上方的德文招牌的意思是什么。

她那双小巧修长、精心保养、就连战争也未能毁掉它们的手，在一家用医神阿斯克勒庇俄斯之蛇装饰起来的药房里找到了工作，侍弄一些小药瓶。头几个月里她的工作是盖住德文的标签，写上波兰文的名称。人们称她为“硕士小姐”。在此期间，他穿着闪闪发光的长筒军官皮靴，忙于恢复矿山的生活。他们相识两个月后结为伉俪，并且分配到一幢房子，又从市场旁边的一些弃置的公寓住家里搬运家具——一个装饰着小角塔的红木餐具柜、几幅装在沉重的画框里的巨幅静物画、一张塞满了纸张和照片的书桌——她用这些纸和照片点着了炉火——还搬来了几张带有因用旧而磨光了扶手的皮椅。他们为拥有这幢房子而自得，夫妻俩梦寐以求的就是这样的房子。它那狭窄的楼梯间靠正门上方镶嵌的多色彩绘玻璃照亮，带扶手的结实的楼梯，前厅装满了镜子，这些镜子由于过于巨大而未遭受洗劫，起居室带有阳台和推拉门，一间有冷藏设施的宽大的厨房，墙上贴了瓷砖。瓷砖展示了农村风光——一架风车兀立在用细线条画成的钴蓝色风景画里，散落在池塘上方的村庄、布满了纵横交错的羊肠小道的山脉。同样的题材每隔几块瓷砖便重复一次，给空间以一种有条不紊的秩序。每样东西都必须有自己的专门位置，就连形态如蝎子的大理石镇纸也是放在它该放的地方。否则人们就会觉得别扭，或许就会对其不屑一顾。在这里人们不习惯以另一种方式生活。

从此以后吸引他们的总是那些赏心悦目的东西：漂亮的住宅、引人注目的最新款式的时装——它们是如此讲究，如此精致，如此优雅，真是与军人的制服、战时的破衣烂衫、斜挂在肩上的粗帆布背包形成了尖锐的对比。还有，每到午后他俩常走进花草丛生的园子，挖出那些他们叫不出名字的鲜花。他们将这些鲜花栽种在自己房屋四周，有如环绕着城堡。现在当他们傍晚时分玩惠斯特牌戏的时候，就能闻到馥郁的花香，而后，在重新分发纸牌的中间，他们就会上床，做爱。

他迅速得到晋升，从矿山到城里最大的企业单位——布拉霍贝特纺织厂，她当上了药房经理。他们常去斯维德尼查和弗罗茨瓦夫采购。他们经常出门散步，为的是向城市展示他们自己，也为了城市能向他们展示它本身。

他们穿着颜色鲜艳、款式流行、洁净整齐的服装，在街头悠闲地漫步，这样的行头使他们容光焕发，似乎它给他们的面孔平添了一种天国的异彩，以致瞥见他们的人们都不由自主地要在胸前画个十字，要在人行道上对这样一对夫妇顶礼膜拜。这是一对完美地嵌入一幅照片中的自得其乐的妙人儿，这一幅照片就是——世界。

起初他们都不想要孩子，他们小心翼翼，采取预防措施，甚至感到他们因此而比别的那些夫妇要优越得多，那些夫妇做爱时往往忘乎所以，缺乏必要的控制，很快便落入了困境。他们觉得那些人的生活太平庸了，一结婚就生儿育女，眼看一切都在逐渐发生变化，日常生活转成老套的程式。那些夫妇的厨房里，弥漫着牛奶和尿的气味，盥洗室里晾着尿布，起居室里出现新的永久性的固定设备——烫衣板，连同它那令人难以忍受的难看的金属钩架。那些夫妇不得不去排队买小牛肉，不得不去看医生，为婴儿的乳齿是否已经长齐担心着急。“像我们这样该有多好。”他附着她的耳朵悄声说，而她正偎依在他强壮的胸膛上，他胸口有几处伤痕，她从未问过这些伤痕的来历。她补充说：“我又怎能分割对你的爱呢？”“一旦我们不得不去爱别的什么人，我俩就很难不被拆开；这样的爱难免会夺走我们的时间、注意力和感情。”因此，在他们的床边才胡乱地扔着包装保险套的金属箔，而在盥洗室的小架子上立着冲洗器，这些都是他们控制生育的普通证据。他们因之而拥有充分的自由，成了真正的自由人。他们有自己的小汽车，他们恐怕是全市首先拥有私家小汽车的人之一。他们开着小汽车去克沃兹科，甚至去弗罗茨瓦夫；他们开着小汽车上剧院，在他们需要给自己缝制一套西服或是一套女裙装，抑或是件配有层层重叠有如起了泡沫的长裙的漂亮礼服的时候，他们便开着小汽车找裁缝量身定做。每当另一对痛感自己日益衰老的夫妇向他们问及有关孩子的事，他俩总是异口同声地回答："在如此动荡不安的时代，在这片仍然还不完全属于我们的国土上，何必要生孩子呢？在战时发生那一切之后，在电影院向我们展示了那些集中营题材的电影之后，为何还要生孩子？"

然而他们的躯体根本就不在乎这类问题，也不在乎战争，不管他们主观意识如何，都会在他们体内不断生产出形成孩子的要素。每个月都会在她的卵巢里生成一些不完全的、不充分的生命；在他的下腹内部产生数百万潜在的生命。有时偶然间这些要素会在她的子宫内结合在一起，但她既不想怀它们，也不想哺育它们，更不想照料它们，于是它们便神秘地枯死，最终血的瀑布便将它们冲刷掉了。由此她更加明确地坚信：世界服从于她的意志，她不想要的东西，就不会出现；而一旦她想要——就会有。

因此尽管他们自己对此一无所知，但毕竟还是不断创造了一些无形体的、不充分的、未完成的生命，一些如同蒲公英的种子一样还没植根于土地的生命。而由此可以推及，所有那些不能植根于体内的生命，那些没有任何上帝立足的地方的生命，它们是空虚的。但它们会围绕着它们落脚的地方打转，在神奇花园的空中无所事事地游荡，会透过窗玻璃张望，有可能会随意地躺到玻璃杯里，而当他们在不知不觉中把玻璃杯举到嘴边，它们便会流进他们体内，在那里顽强地寻找地方，自行播种和生长。它们大量存在，无论他们走到哪里，到处都有它们伴随在一起，如同那颤动的不安定的光环。

在那些日子里，时光有一种像水银一样的活动性，不稳定。每天总有一些陌生人来到这座城市，有人立刻就把他们分派往被弃置的住宅。无人居住的城市无法存在下去。这里有工作等待着每一个愿意工作的人：学校需要教师，商店需要售货员，矿山祈盼矿工，市政厅祈盼官员。布拉霍贝特纺织厂也应运而生。这是个大型综合企业，它拥有几个仓库、专用的铁路支线、办公楼、市场两旁的住房、几家生产机器零件的工厂和几家亚麻纺织厂。火车每天吐出大量因长途旅行而疲惫不堪的移民，他们塞满了政府机关的接待室，然后手执文件去找自己的住所，很难判定他们来自何方，尤其是因为他们说的是波兰语的各种方言，或是带着波兹南唱歌似的腔调，或是带着山民的送气音——她觉得这种语调是那么粗俗、土气，有的则带着东部布格河那边轻快有节奏的声调，这种声调总是使他联想起自己的童年。

在开头的时候，有一天，两个妇女被分派到他们的房子里，他愤慨地给政府机关打电话表示不满，那里的人对他说只是“暂时”凑合着住一阵子。两个妇女来自西方，是直接从集中营来的，途中在什么地方跟家人失散了。这对夫妇得知两个妇女在集中营待过，她们回到波兰是为了过正常的生活，于是便请她们吃晚餐，还备有葡萄酒，脸上摆出一副沉重的表情。她穿了一件黑色的连衣裙，竭力避免以任何张扬的方式或色彩过于鲜艳的服饰伤害她们的感情。

但是她们，这一对孪生姐妹，样子看起来是很不错的，只是她们剪得很短的头发，她们消瘦的身躯，还有那满嘴像老年人一样残损不齐的牙齿可能会使人产生一种历尽坎坷的联想。姐妹俩穿的都是由战俘集中营条纹布囚服改成的女裙装，贴身的窄裙子，长度刚过膝盖，与之相配的是件带宽皱褶镶边的女上衣，腰间系根皮带。长筒皮靴擦得明光晶亮，简直可以照见太阳。她们那重新长长的短发涂了发蜡梳成了分头，那模样活像杂技场上穿着针织紧身衣走钢丝的女演员。两个人一模一样。

她们姐妹拎着硬纸板手提箱走进屋子的时候，她居高临下地望着她们，惊叹她们漂亮的风度。她们中的一个名叫莉莉，而另一个的名字与之类似。傍晚时这对夫妇坐着一动不动，心想，他们将不得不听所有那些令人毛骨悚然的恐怖故事，但她们看起来根本就不像受过严重的精神伤害，甚至不曾因受过折磨而垂头丧气。整个晚上她们从未停止过讲笑话，而在她们黝黑的脸上还闪耀着唇膏的红色。她带着厌恶之情认定，两姐妹表现轻佻，仿佛是刚从令人愉快的短途游览归来。她从近处看到，她们在条纹布料子上手工缝出了一些法国式的皱褶，由于她们身体瘦削，这些皱褶竟然显现出某种雅致的效果。

过了一段时间，当她允许姐妹俩使用她的金格牌缝纫机之后，不知是出于感激，还是渴望彼此接近，她们解开了衬衫的扣子，向她呈现她们的皮肤——她们遍体都是伤痕。

“实验，”她们中的一个说，“他们在我们身上做实验。”

“他们认为，我们姐妹会有一个共同的灵魂。”另一个补充说，姐妹二人又全都笑了起来。

她感到窘迫，不知说什么好。

姐妹俩在他们家里住了一个月，人养胖了，几乎可说是容光焕发。她们去政府部门，为自己解决了工作问题。晚上这对夫妇听到姐妹俩交谈的只言片语，就像是孪生姐妹之间常有的那样。她们的谈话语速很快，简洁得像电报的内容。她们中不知是谁常在梦里叫喊，也许是两个人都叫喊，因为姐妹俩的声音很难区分。最后她们俩还是去了华沙，想通过在墙上贴寻人启事或是靠红十字会寻找自己的亲人。

于是他们重新拥有了自己的房子。他们添购了一架旧的德国钢琴，是名牌货，几乎不需要重新调音。只是有一个琴键，一个D音键是无声的，因此每支曲子都难免有点残疾和缺陷，总是在这个空音上破裂，这往往使他有些心烦意乱。而她却依然这么断断续续地弹着，为的是让她那因往药瓶上不断贴标签而弄得疲惫不堪的手指得到些休息。

生活是美好的。只是需要注意，说话不要太大声，不要说得太多；对任何事最好是不要作注解，不要作评价，不要听得太多，也不要看得太认真。要做到这些并不困难，他们彼此已足够对方分心的了，还有这幢房子、这架钢琴和花园里的花。

后来，有这么一天，一切都变得古怪起来。没有一点预警。就在某天早上，一切都变得不真实，变得与现实不一样，变得暗淡了。这种情况总共持续了二十几个小时——一整天和两个浅睡的夜晚。也许是气压降低，也许是太阳黑子爆发，对此只有天文学家和当权的人物知道。

从这个时候开始，夫妇俩经常忘记他们一整天都做了些什么。他们觉得每天的日子跟下一天都彼此相像，宛如一对双胞胎，宛如莉莉和她那一模一样的妹妹。只有从盥洗室里不断增长的脏衣服堆才看得出时间的流逝。工作要求奉献，需要忘记其他所有的一切。现今他必须带代表团去部里，或是去上西里西亚解决某些机器的问题，去解决某些加工无烟煤的工艺，去参加某些没完没了的会议和政治培训班。而她则开始学习药物学，以便最终修正战争搞乱了的药名，懂得赋予每样药品的新的波兰文名称。

而后来在她的卵巢里发现了一个李子大小的疙瘩。他们对她说："太太您必须做钴照射，日后也许还要做手术。我们暂且走着瞧吧。"带着这个肿块，她感到情况是如此糟糕，如此不健全，使她想到了孩子。使她想到，不管怎么说，自己还是想要个孩子。丈夫要出远门的时候，她给丈夫整理行李，给丈夫烫衬衫，咬着嘴唇忍着内心的痛苦。丈夫却毫无所觉。她独自奔波到弗罗茨瓦夫去做检查，然后精疲力竭地回到家。家里永远是那么寒冷，仿佛在那些房间里一直在下雪，虽然大家都在说，斯大林死后出现了解冻。

一天，她坐在敞开的阳台上抽烟，晒太阳。那时她看到这个小伙子沿着街道行走。他的模样看起来仿佛不是来自这个世界——长发披肩，皮外衣几乎长及膝盖，背着军用背包。小伙子定是感觉到她的目光停留在他自己身上，因为他在花园的矮墙边站住了。他们就这样相互对视了片刻，他继续向前走去。她深深地吸了口烟。几分钟后小伙子重又出现在墙边，朝花园的小门走来。

“我可以给太太的园子翻土。”他说。

她忐忑不安地抬起了身子。

“什么？”

“我可以给太太的园子翻土。”他重复了一遍，笑容可掬，看上去活像个姑娘。他大约有十八岁。

她表示同意。指给他铁锹放在什么地方，看着他怎样脱去了外衣，卷起了毛衣的袖子。他井井有条地挖着，翻过了土壤，红色的沃土便在阳光下闪闪发亮。

她走进厨房，给自己泡了杯茶。在月历上翻过了几页。她走到窗前——小伙子坐在花园的矮墙上，抽着烟。他见到她立在窗口，朝她招了招手。她退到厨房的暗处。

他结束了工作，她请他喝汤。她靠在餐具柜上，望着他怎样喝汤。他的面孔光滑，看来他还不需要修面。

“据说他们可能已开放了去捷克斯洛伐克的边界。”他说，“我准备去奥地利，然后去罗马。”

她惊诧地眨巴着眼睛。

“你是从哪里来的？”

他粲然一笑，用一根手指推开了盘子。

“我能请求再添一点吗？我从未喝过这么可口的汤。”

她感到自己的脸红了。她给他添了汤，坐到了桌旁。

“你为什么想要离开？”

“战争搞乱了我的个人经历，”他说，“我没有双亲。我从孤儿院逃了出来，想去一个自由的世界。我听说，他们开放了边界。这就是一切。”

“你叫什么名字？”

她注意到，他踌躇了片刻，于是便确信他准会撒谎。

“阿格尼。”

“古怪的名字。”

“我也是个古怪的人。”

“我该付你多少钱？”

“太太能让我在此住宿一夜吗？”

她瞥了一眼自己着色的指甲，同意了。她给他打开了楼下的房间，就是那对孪生姐妹住过一个月的同一间房。

“晚安。”她说。

每当她独自睡觉的时候，她总是不得不穿得很暖和。她在法兰绒睡衣上面加了一件薄毛衣，而在脚上穿了一双毛线短袜，但即便是这样，她也必须在冰凉的床上躺个把钟头才能睡热被窝。她将一个滚烫的热水袋紧紧抱在腹部，那肿块就扎根在肚子里。她暗自思忖，不知那小伙子是否已经睡着了。她真想悄悄下楼到他那里去，把手伸进他上衣的口袋摸一摸。她会找到什么呢？也许是一把手枪，也许是一叠美钞，也许是个长毛绒玩具熊，也许是一些花籽，也许是一本祈祷书，也许是……赤裸、润滑的皮肤……她的思绪开始朝着不同的方向漫游，变得越来越模糊不清，又逐渐消失。那时她听到某种沙沙的响声，便在床上坐了起来。在敞开的房门朦胧的光线里出现一个人影。

“是我，阿格尼。”她听见那个人影说。

“你想干什么？快出去！”

人影从门口的亮处漂浮过来，站立在她的床边。这女子在惊恐中拧开了床头灯。小伙子穿着皮外衣，肩上挂着背包。

“我是来道别的。最好是在夜里过边界。”

“他们会朝你开枪的。”

他挨着她坐了下来，用手背抚摸着她的脖颈。

“你的丈夫在哪里？”

“在华沙。”

“什么时候回来？”

“礼拜一。”

他穿着皮鞋，穿着衣服，挂着背包，就这个样钻进了她的鸭绒被子里。“不，不，”她说，“我不能，我不能。”

就在他占有了她的时候，她还在反复对自己说：“这是梦，这一切都是我在做梦。”

清晨她从卧室的窗口看到了他。他在园子里翻土。她感到一阵晕眩。她点了香烟，在浴盆里给自己放好了水。她躺在水里集中思考。后来她在厨房见到了他，他在煮咖啡。

“我去上班，而你得从这里消失。”

他亲吻了她的脖颈。

“这根本就不是你真正的想法。你是想，让我在这儿留到礼拜一。”

“是的。”她说着，偎依到他的怀里。

他留下了。她下班回来后，两人吃掉了剩余的汤，一起去了孪生姐妹住过的房间。整个傍晚就都在那儿做爱。然后他们喝了一瓶葡萄酒，就沉沉睡了过去。清晨她问他：

“你是谁？活见鬼。你究竟是什么人？你是从哪里蹦出来的？你想要干什么？”

但他没有回答。直到礼拜天晚上他才离开，而她是如此思念他，一夜无眠熬到天明。她觉得，自己似乎已经认识他多年，自孩提时代，或者，如果可能的话，在出生之前便已认识他了。假如他不曾许诺，说定会再回来，她就活不下去了——她就会躺在孪生姐妹住过的房里，死去。

礼拜一一切都恢复了原样。她的丈夫，就像电影里常有的那样，乘早班火车回来了。此刻他正坐在沙发上，双脚伸在褪了色的地毯上。裤子下边露出一块被短袜的松紧带勒出了印痕的赤裸皮肤。蛇形图案的灰色短袜掩盖着脚丫子的形状。他捧着带金属托的玻璃杯喝茶，在做旅行后的休息。她坐在他身边，突然她的嘴巴一瘪，哭了起来。他惊诧地冲她瞥了一眼，然后把她搂进了解开了的西服上衣的襟口里，那里有股火车和彻夜不眠的气味。她一边啜泣，一边告诉他，说还必须到弗罗茨瓦夫去做检查，仿佛是在解释她哭的原因。他抚摩着她的头发，觉得头发稀疏了许多。在手指下面，他感觉出她的头盖骨的轮廓。他甚至思忖起“头盖骨”这个词来，不禁胆战心惊。

蓦地他渴望给她一点安慰，于是便小心翼翼地站起身，从箱子里拉出一只灰色的纸袋子，袋子里装的是生日礼物。何必还要放它一个月的时间呢？

“瞧瞧，我亲爱的，我给你买了什么。”他说，“这本是给你准备的生日礼物，让你今天就过生日吧。”

他把纸袋抖得沙沙响，她从袋子里掏出一双奶油色的鞋子，而与之相配的还有一只用与皮鞋同样光滑、同样柔软的皮革缝制的小手提包。看到这些东西，她的眼睛不再流泪了。她将一只赤脚伸进鞋子。不大不小正合适。它那略带弧形的高跟，更加突出了踝部的纤细、苗条。她在丈夫由于旅行而胡子拉碴的面颊上亲吻了一下。

“你可以穿上它们上电影院。我俩一起去看个随便什么电影，只要你能穿上这双皮鞋就好。”

他们去睡觉的时候，她对他说月经来潮。夜里她似乎觉得，她感觉到了腹中那个李子大小的肿块。

沉　默

近来我们一连多日彼此不曾说过一句话。R出门去又回来了。他是外出采购、办事的。有时一两天不在家。两条母狗跟在他的小汽车后面奔跑，一直把他送到桥头，然后才疲惫不堪地返回来，眯缝着眼睛。没精打采的升得不高的太阳已经只能使人目眩，却不能给人带来温暖了。

我们有什么好说的呢？人们谈论的只是一些不会真正发生的事。

有时一整天彼此之间只说过这么一句话："该把狗唤回来了。"我们甚至不关心这句话是我们中哪一个说出来的。没有说话的需要，一切似乎都已经显而易见，所有的话似乎都早已一劳永逸地说完了。在没有朋友来登门拜访的时候，每一天看起来都是一模一样的，何必再说三道四来制造混乱，破坏这种水晶般宁静的状态呢？

说话有害，它会煽起混乱，冲淡显而易见的事物。说话会使我内心失去平静。我不认为我一生中说过什么真正重要的话。要说什么最重要的事情总是缺乏词汇。（我做过一份我所缺乏的词汇清单。我最缺乏的是词意上可以放在"我预感到"和"我看到"之间的动词。）

近来，我们沉默到这种程度，以至于有客人来拜访我们的时候，我们也只能以简短的客套话来打招呼，诸如“您好”“欢迎”之类，甚至这样一些客套话我们也尽可能压缩，我们说“好！”省去了“您”，因为加上“您”就会显得太多。我们问客人“喝茶？”而不说“喝茶还是喝咖啡？”让客人没有一点选择的余地。

然后我们坐到桌子不向阳的一边，在阴暗处，脸朝森林。整个谈话期间我们始终保持沉默。即便偶尔从嘴里吐出只言片语，但主要还是沉默。R 的沉默是自然而天真无邪的，光溜得就像他的皮肤。我的沉默就要阴郁得多，它来自腹部的深处，直把我往回拉，让我跌落在它里面并且无可挽回地消失在那里。我们对客人无话可说，彼此之间也无话可说，对周围的一切都无话可说。

我们做爱的时候也沉默不语。没有说过一句话，没有一声叹息，什么也没有。

她和他

她要接受一系列放射线照射，不得不在医院里逗留几天，于是他便独自留在家里。那时他想，他们要是有个女管家该多好！这个女管家最好是个老年妇女，那时她就会为他们做兔肉香肠，会煮好满锅饺子，她说话还带着温和的利沃夫口音，像他母亲一样；她就会点着炉子，用抹布拭去钢琴上的尘土。他对自己作出许诺，一定要解决女管家的问题。有了女管家他们就不必去吃回锅的马铃薯和肉排了。

礼拜三，他下班回家的时候，台阶上坐着一个姑娘。她长发披肩，一脸刚毅的表情。他立刻便注意到这姑娘甚至还长得很标致。她穿着一条工厂女工穿的那种工作裤，看起来有点怪模怪样。他惊愕地站立在她面前。她抬起眼睛望着他。她的眼睛蓝中带绿、晶莹发亮。

“您的太太要我来打扫房子和点炉火，明天请给我留下钥匙。”

他让她走在自己前面进入门厅。姑娘径直去了厨房，随后传来煤斗的一阵响声。显然她对这座住宅早已了然于心。他对这种状况一时还难以习惯，于是便坐在起居室的桌旁，点着了香烟。

“你叫什么名字！”他问，只不过是为了找点话说。

“阿格尼。”她回答。

“我猜想，定是阿格涅什卡的昵称吧。”

她没有否认，只是咧着嘴笑。她有一口少女的漂亮、整齐的牙齿。他听见她怎样在房子里忙碌，屋子里显得暖和了许多，也舒适了许多。她走进盥洗室的时候，他给自己倒了一杯烧酒，一口喝了下去。然后他装作整理办公桌上的文件。她给他送来重新热过的酸菜炖肉和一杯茶。

“明天，如果您愿意，我可以早点来，给您烧点什么菜。我知道怎样做包心菜镶肉。”她笑着说，他吃饭的时候，她挨着他坐到了桌旁。

“她是怎么找到你的？你是从哪里到这儿来的？”他问道，嘴里塞满了食物。

“啊，这纯粹是巧合，很复杂。”

他注意到，她具有光滑的孩子般的肤色，脸上没有一丝皱纹，没有一颗雀斑。他脑海里霎时闪现出她赤裸、苗条的躯体手脚撒开舒张地躺在床上的鲜明图像，不禁吓得打了个哆嗦。他说他累了，这就要上床睡觉。她对他提起了留钥匙的事，然后便消失在厨房里。他听到她清洗昨天留下来的未清洗的器皿的声音，他感到心神不定起来。他拿起黑色的电话听筒，转动小曲柄，吩咐连接弗罗茨瓦夫的医院，但是那里无人回应。“我明天到公司再打电话，明天到公司再打……”他反复对自己说。他听见楼下的大门砰的一声关上了，他站在楼梯上，突然感到所有的重负全都从他肩上落下了。他叹了口气，回到餐室。他打开收音机，给自己倒了一杯烧酒。收音机里在播送着什么广播剧。

“我们不会成为朋友，”收音机里一个男子的声音说，“您自己对这一点是心里明白的。但我们将成为世上最幸福还是最不幸的人——全在您的掌控之中。我只请求您一件事，请求您不要剥夺我的希望，请求您允许我像迄今这样痛苦下去。如果这是不可能的，就请您命令我消失，而我，就一定会永远消失。”

“我不想把您驱赶到任何别的地方去。”收音机里传出一个加强语气的女声。他觉得，这一定是尼娜·安德雷奇。

“只是请您什么也不要改变。请您一切保持现状。还有，就是您的丈夫……”

他关掉了收音机，睡觉去了。多年来他第一次做了个色情的梦。他梦见了那个姑娘。又是处在战争时期。他们为躲避德国人而在某些工厂里东躲西藏。水从破裂的淋浴莲蓬头倾泻到他们身上。他俩都赤身裸体，她偎依在他身上，她的头发有股水的气味。他们似乎做过爱，但奇怪的是，他肉体上根本感觉不到这一点，只是知道那就是爱情。

早上他给医院打电话，跟妻子交谈，但是她的声音听起来无精打采，单调、生硬、刺耳。她叫丈夫礼拜五去接她回家。他迅速计算出，还有三天的时间。她还对他说过什么有关手术的事，可他听不太明白，也不肯去想这件事。他提早一点回家，洗了个澡，然后便穿上洁净的衬衫等待着，不知在等待什么。

接下来发生的一切，似乎都按他的计划进行。她来了，穿着跟昨天同样的裤子，手里拿着一个大大的白菜头。他笨拙而尴尬地跟着她来回走动，她点着炉子的时候，他正站在她身后，自觉荒唐可笑。他嘴里在说着什么，但却更加专注地打量着她的头发和她那双穿着橡胶底帆布鞋的光脚。他简直离不开她。就像在那个梦里一样——他们在躲避一个敌对的世界。但谁是他想象的这个敌对世界的代表，他却不知道。她叫他把刀子递给她，他手里拿着这把刀走到她跟前，冷不防地径直贴到了她瘦削的身体上，而她没事人似的，根本就没有避让、自我防护。她是温柔的，娇小的，反应迟钝的，酷似碎布做成的玩偶。他把她的双手搭在自己的肩上，吻遍了她整个的脸。他预料她会反抗，会说出一个“不”字，但是他仅仅听到她的喘息声，闻到她呼出的气有股新鲜的黄瓜味，有某种绿色的、新鲜的东西的气味。他一生思慕的就是这种气味。他径直把她放倒在沙发床上，扯下了她那可笑的裤子，就这样极普通地跟她做爱，甚至还记得不让她怀上孩子。

“这样的事会发生在所有的人身上。”当她在花坛栽种万寿菊苗的时候，她反复对自己这么说。人会变，会不断发展，以至于老环境再也适应不了他，就如孩子会长大，及至旧衣服穿不下一样。时间流逝并且会改变一切。有大战争和小战争。那些大战争会改变世界，而那些小战争会改变人。事情就是这样。“我不做任何坏事，”她想，“我就这么等待着，等待着。我不伤害任何人，最多伤害的也只是我自己。”

谁也不亏欠谁什么。他们的行为相互抵销，对于未来不再成为威胁。什么事也没有发生。

然而世界看起来似乎是觉醒了，至少对她而言是如此。世界的中心如今已从家里，甚至从园子里，转移到外面的什么地方，不是转移到城里的某个具体的地方，而是，简单地说，转移到外面别的什么地方。因此当她栽种万寿菊的时候，突然感到自己是被禁锢在家中的。她站起身，拍净被泥土弄脏的手。她已不想等待这万寿菊缓慢生长。对她来说鲜花突然成了过于迟缓、像无生命的物体一样过于呆滞、迟钝的东西。于是她走进屋子，坐在起居室的圆桌旁边，开始浏览妇女杂志《视野》，搜寻自己喜爱的时装页。她找到了，但已不能给她留下任何印象，见到一件漂亮的、昙花一现的、到下一个季度就会过时的时髦服装，也并没有使她动心。在过去，看到一件流行式样的服装，就会在她心中引起某种不安和突然的紧迫感——有时她会直接去市场上的绸布店，购买与她在杂志上看到的最相似的衣料，然后就立即找女裁缝量身制作，甚至预先付了款，为的是买个心安，使自己确信定会有这么一件时装，要不然她就会跟时代潮流脱节，从“现在”跌到“当时”，而“当时”那儿永远受着蒙昧和时间流逝的支配。

她看到的只是一些图样和一些新连衣裙的黑白照片，这些连衣裙都是腰部适中、下摆宽阔的式样。她看过之后无动于衷。她把杂志推到一边，起身走进盥洗室洗澡。她审视自己的躯体，不禁为之感到怜惜。这脆弱、柔嫩的可怜躯体同时受到内在和外来的强大力量的摧残，这两股强大的力量有如暴风雪，有如沉重的乌云一样围绕它翻转、滚动。她唯一能做的事就只有等待。

她从一大早就开始焦急不安地等待，手捧着一杯咖啡，穿着晨衣，从一个窗口踱到另一个窗口，眺望着花园柱形栏杆之间的空隙。阿格尼有时就出现在那里，有时就不出现。没有规律。她曾尝试向他提出一系列的问题，问他在做什么，在哪里睡觉，等等，但他只是笑而不答，那笑的模样是如此狂放，富有掠夺性，使她着实感到心里发慌。她斜靠在门上，眯缝着眼睛。她根本就不在乎性爱，不在乎那些匆促的交媾，她曾千遍万遍地想象，就在这种偷情的时刻，如同在喜剧中那样，丈夫拎着公事包突然出现了，并兀立在门口。她感到，阿格尼能治她的病。他温柔的爱抚有如用薄荷制成的冷敷剂，他的亲吻有如饮用格罗格酒[①]；由于他，她的身体有起色，逐渐健壮起来，振作起来，没让自己衰垮下去。这一点很容易看出来。阿格尼笑说她长胖了，随后径直走进厨房，吃光了她锅里的食物，然后便消失不见了，不折不扣地消失了。她甚至不知他住在哪里！这或许是件好事，因为她一旦得知他的住处，她或迟或早总会找到他那里去。而他也有一种直觉，总是知道什么时候就该回来，仿佛知道她的生活安排，知道她丈夫的工作日程，甚至觉察她的思想活动，因为每当她独自在家，并且在想他的时

① 格罗格酒（Grog），一种用朗姆酒、白兰地或白酒加热水和糖等制成的烈酒。

候，他就会出现。他先是一个箭步跨过花园的栏杆，然后快速地跑上台阶，而她也早就在那里等他了。“莫非你能知道我的心思？”她问。“不错，”他回答，“我能教你怎么做到这一点。”她自然不相信他的话。“你必须想象你所爱的人的面孔，要使劲地想，急切而强烈地想，直到你感到你已把这副面孔牢牢地记在心上，仿佛那就是你的面孔，那时你所爱的人的所有思想就都会成为你的思想了。”“你也是这么做的吗？”他点了点头，直视着她的眼睛。她感到他的目光深入到她的五脏六腑。“你不是你所说的那个人。”她说。

这是一种多么怪异的状态——就这么生活在两个世界里，生活在时间的两个部分里，带着自己卵巢里难以治愈的物件等待着那将使自己承受创伤的手术！居住的不是自己的房子，周围是一座自己从来不曾认识清楚的城市，一个在第三次世界大战中将会被彻底从地面上毁灭的地方！而且是轮流跟两个男人生活在一起！

牡丹花盛开，花瓣轻柔地飘落到地上。茉莉花仍在绝望地散发着馨香，但显然这已是尾声。在去医院住院的前几天她上了教堂，但她不敢进入这个幽暗、阴森的哥特式大堂，因为她觉得不合适，于是便去了墓地，在确信没有人会看到她的情况下，跪倒在十字架前，半信半疑、缺乏信心地祈祷着。晚上她偎依着丈夫，但她觉得他的躯体仿佛是动物的皮革做成的，太过柔软了，还浸透了香烟味和机器润滑油的气味。他想做爱，但她说“不”，因为她感到自己已开始死亡。

阿格尼对于她是稳定可靠而又坚实的。他肉体的果敢令她震惊。他的躯体确切地知道需要的是什么，而且径直就奔向目标，仿佛是穿过了她，但不会给她任何伤害。这是一种令人销魂的感觉，美妙的感觉。他的躯体了解她，现在她意识到，她总是希望这样被人了解，她生来就是为了让某个像阿格尼这样的人了解。他的触摸令她心醉，她找不到足以表达这种感觉的字眼，对他不存在一个“不”字。她的丈夫对她能够表现得温情脉脉，能够等待她，会注视着她的眼睛，从她的脸上吸吮乐趣。阿格尼关注的只是他自己，这样一来他就是最真实的了。对他而言，她成了一艘轮船，载着他驶过波涛汹涌的大海。她把自己献给了他，而他就收下了，拿走了。他身材修长，肌肉发达，强壮有力，剽悍粗犷。他晒黑的皮肤在她的手指下嘶嘶地响。后来当她触摸自己丈夫躯体的时候（她曾是那样爱过这个人）却对它的柔软和细嫩惊诧不已。那躯体有如蓬松的羽绒小枕头、柔软的小牛皮手提包、过熟的桃子，有如她自己松软下垂的腹部。她的丈夫就像是她自己；在相互触摸中不会撞击出火花，既不热，也不冷。从这种相似性里能产生的唯一的一个字眼就是“不”。

她陪他还穿过了医院的园林，送到了大门口，走到那里她停住了脚步，仿佛中了魔法，已无法跨过砖砌的门柱之间这条看不见的线。

“你最好不要到我这里来，”她说，“就让埃乌吉尼娅太太去做些家务事，而你公司的餐厅做的饭菜比我做的还要好吃些。”

蓦地她感到疲乏。她干吗要为他的家务和他的午餐操心？他随即就为她开脱，说：

“你就别为我担忧好了！”

他已一千次想要向她打听有关阿格尼的事，但她好像已经忘记了这个人。想起了那个姑娘，使他顿感不安。

“走吧！”

他亲吻了她的面颊，又吻了她的手。但她把目光从他身上调开了。

“事情总该讲个公平合理。他们也应当摘下你的两个小丸子才是。”她说。

他感到她这句无心的话无异于给了他当头一棒。他试着动了动嘴唇，但是话到口边却一个字也说不出来，于是便转身离去。她目送着他那宽肩膀的高大躯体稳妥地包藏在那套讲究的夏季西装里。他定是感受到了她的目光，因为他尴尬地调整了一下礼帽，然后就消失在房屋拐角的后面了。

家里沉寂，阴冷，昏暗。办公室明亮，总是显得太热，总是挤满了人。在办公室，他精力充沛，说话又快又响亮，走路迈着有弹性的步伐，并且知道自己想要干什么。在家里，时间放慢了速度，所有的一切也都随之发生变化。在家里他的肚子塌陷了，他的双脚冻僵了，他的声音也消逝了——没有人跟他交谈，没有人听他发号施令——那些旧家具可以为他做证，它们知道这里的全部的真实情况。家和办公室之间的边界延伸到市场上的某个地方，那儿有一条沿着石板之间形成的界线，他每天有两次要跨过这条界线。每天跨越界线成了某种痛苦的事，因此近来他常推迟这个时刻，走进餐馆喝上一杯烧酒。他起先想走进“利多”酒店，那小酒店对他来说最顺路，但他以为，他要是坐到那永远湿漉漉的合成纤维板桌面的旁边，置身于郊区来的不三不四的男人中间，吸着劣质啤酒和廉价香烟的气味，实在有点对不起自己，也是一件有失体面的事。于是他走进了“塔楼”餐馆，那儿每天这个时辰还没有顾客，渐入老境的女服务员认识他，无须点菜就给他摆上一杯烧酒和一盘浇了酸奶油的生鲱鱼。他坐在那里，透过镶了玻璃的橱窗望着睡意朦胧的小城镇的街道。用不着装傻充愣欺骗自己——他在过路人中间寻找阿格尼。那时他就考虑，她不跟他在一起的时候，都在做些什么呢？她是否真正存在，是否有自己的床，是否有装她那些可笑的裤子的衣橱，是否有放她的牙刷的盥洗间？他甚至还不知道她姓什么！当然，他能调查出来，也能询问出这一切，毕竟城市并不大，所有的人都彼此相识。

“你是个什么人？你是从哪里到这儿来的？你有没有双亲？”晚上当清瘦、光溜有如蜥蜴一般的她偎依在他怀中的时候，他问。

他知道，无论她回答什么都免不了是一番支吾搪塞。她完全是个外人，仿佛她是用另一种泥土捏出来的，可正是这种新异的陌生性深深地吸引了他，让他发狂。

“而你又是什么人呢？”她以问作答，“你是从哪里到这儿来的呢？你的双亲又是在哪里呢？”

他对她比任何人都更乐于讲述有关自己的事。从那些叙述中他也逐渐发现了自己。他曾出人意料地说，他总是这样或那样的奇怪的巧合、意外的遭遇、混乱的运动的牺牲品。后来当他坐在“塔楼”餐馆独自喝着一杯烧酒的时候，思考起了这件事。他们交媾之后精疲力竭地躺在床上的那些谈话，似乎是爱的另一种变种，他甚至要说，是一种更高雅的变种。这种爱无须任何调情，无须玩弄花招，无须谄媚送秋波。只要打开自己的内心的某种闸门、堤防、障碍物，让词语源源流出就够了。而那些词语早就知道它们该做什么，该组成怎样的句子，编成怎样的故事。他感激她就这么躺着，听他讲。或许她根本就没有听？如果是这样的话，他需要的便是她本人在场：她那淹没在一堆枕头里的男孩般的身体、平稳而炽热的呼吸和新摘下的黄瓜的气味。

有一天他用手量了量她的腰身，后来他到弗罗茨瓦夫探视妻子的时候，在百货商店给她买了一条带有宽阔腰带的时髦的打了褶裥的裙子。看得出来，她很高兴，因为她把这条裙子看了许久，查看它那简练剪裁的每个细节。仿佛她是平生第一次见到这样的东西。当她试穿的时候，他把她的头发提到头顶，并且把它做成一个马尾巴发型。后来他从餐馆橱窗后面看到的她，正是这副模样。她沿着街道奔跑，灰色裙子围着她两条修长的腿旋动，仿佛有了生命。在他来得及付账走出餐馆之前，她已消失不见。但他知道，傍晚她会回来，像每天一样。

他见到妻子是在她手术后的一天，她灰白的脸色着实使他心中一震，他当时脑子里掠过的一个念头就是她快要死了。要是她此时，就在备受各种困扰的情况下，在沉默之中死去，那可就太不正常了。想到她会出这样的事，会在这最危险的时刻——这一张皮已经脱落，而新皮尚未长出来的时候——弃他而去，他着实吓了一跳。他拉着她的手，呼唤着她的名字，直到她睁开了眼睛。她惨淡地一笑，这情景把他感动得直想哭。假如病房里只有他们夫妇两人单独相处，他也许就会让自己热泪长流，但在旁边，相隔一公尺的距离，还有几张病床，每张床上都躺着一个衰弱疲软的女人的躯体，一台已经损坏、不能正常工作的用来传宗接代的机器，一条从夜的此岸漂向彼岸的挤满了人的经不起风浪、险象环生的小船！因此他只是咬紧了嘴唇，刹那间泪水把他的幻象蒙上了一层雾，使之变得模糊不清了。

“你能应付得了吗？”她问。

他点了点头，让她放心。

“我觉得他们似乎把我的一切都割掉了。”

他不由自主地朝被子上的一个部位扫了一眼，那个部位的下方就是她的肚子。不知何故他想在那儿会有一个凹陷的坑。他在她那又长又白的手指上亲吻了一下，又在那里坐了片刻，直到医生来查房，有人叫他出去。他说他后天再来看她。

正是这一天他给阿格尼买了那条裙子。

他无法阻止脑海中涌现出的关于未来的万千思绪。他想象有一天妻子死了，他和阿格尼就会抛下这个已经凋落了的家，或者一起去上西里西亚，或者去华沙。他在那里会毫不费力地找到工作，而阿格尼则可以去上大学，比方说学建筑。他会给她买许多漂亮的衣服，礼拜天他们会沿着新世界大街闲逛，而所有年轻的男人也都会对他们行注目礼。

甚至哪怕她不死，最终他也会离开她。简而言之就是跟她分手。

说也奇怪——他们之间虽然存在着一段距离，却有着同样的空幻之想。她也想死。她希望一死了之，这将是解决问题的最好办法。一想起她将不得不回到那幢阴森森的大房子里，大清早得起床去药房上班，下班后还要顺路采购，要种花，要叮叮当当地敲钢琴，要没完没了地翻阅那些杂志的页面，她就感到浑身疼痛。她思念的只有阿格尼。她是否有胆量告诉他那些人在她身上都干了些什么？她是否敢对他说，她体内已是空空如也，像个空壳子？那时他是否还有勇气深入她体内的那个空洞？她腹部的伤口疼痛，缝线的地方不肯愈合，无疑是由于她满脑子装的都是死亡。他也可能死，他的公务小汽车可能撞到树上，他在工厂里也可能出事故。她不因有这种想法而感到内疚，她的良心总是站在她自己一边。一天夜里她梦见了穿着集中营条纹囚服的双胞胎姐妹。她们向她出示腹部的累累伤痕，说道："他们在我们身上做试验，他们割掉了我们体内所有的东西，把心脏、肝脏、肺全都割掉了，但这一点也不妨碍我们活着。"由于这个梦，她开始恢复健康。

当她还在住院的时候，他就在郊区租了一个潮乎乎的小房间，它有一个单独的入口，入口处要经过一个被鸡弄得脏兮兮的庭院。房间里的墙壁是绿色的，用油墨轮涂饰出一些参差不齐的白色花纹。房间里有张铁床，带个污迹斑斑的床垫，一张光秃秃的桌子和两把椅子。墙上挂着站在船上布道的耶稣画像。他跟阿格尼在那里约会，但不能跟她做爱。他不知这是何故。令他感到绝望的是，他不知如何应付所有这一切，他陷入了如此罕见的处境，确实找不到出路。他偎依着姑娘细小的乳房，哭了起来。“我真希望她死。”他猛然高声说，并给自己突发的这一大嗓门儿吓了一跳。阿格尼移开了他的脑袋，为了看到他的面孔。他觉得她那对纯净、充满活力的眼睛似乎变得有些凶残贪婪起来。他似曾在什么地方见过这种眼神。“你说什么？再说一遍。”“我真希望她死。”他顺从地重复了一遍。

阿格尼的躯体是那样不可思议的柔软。这令他想起丝绸围巾，他可以把自己裹在它里面。他可以把自己裹在美艳得惊人的阿格涅什卡里面，裹在阿格尼杏黄色的躯体里。她像水一样，只要她愿意，她总能巧妙地躲过他，他恐怕无论如何也追不上她，捉不到她，守不住她。因此每当其稍一停顿，流到他的身上，那便是奇迹。这时他便将其截住，纵情狂饮，直到呛得透不过气来。

他从未把她跟任何人做过比较，也不可能把她跟任何事物做比较，但有时他会从熟睡中突然惊醒——他觉得自己似乎是躺在妻子身边。他惊慌失措地寻找她的名字，可他已想不起来，把它忘到九霄云外去了。当他发现自己是跟阿格尼在一起时，在深感慰藉的同时，又不能不为她的昙花一现惊叹不已。他的妻子像个硬邦邦的器皿，陶土制成的双耳罐。做爱时他不得不将她翻过来弄过去，把她把在适当的位置上，必须熟练地摆布她。她瘦得像带刺的枯枝。她的躯体给他的是这样一种肉体的乐趣，在这种无趣的底层的某个地方总是使他感到疼痛、费力和别扭。那时他不了解这一点，以为干这事就必然如此——那时他还没有认识阿格尼。

阿格尼是个令人惊奇的人物。

他想留住她，只要他能够将她留住。他们睡觉的时候，他总是轻轻触摸她。每当他们坐在桌旁，他一次又一次地用食指抚弄她的手，仿佛是告诉她：就待在这儿，别动，就留在这里。他爱听她在单间公寓小得可怜的厨房里做事时的响动——他能听见玻璃的叮当声、茶壶在厨房台面的磕碰声和她的脚步声。他喜欢自己身边的什么地方有这样一些声响，因为它们有如一种支撑物，有如一堵支撑他的墙，有如世界的一道安全的边界。但她在自己周围弄出的这种无害的、日常的嘈杂声太少了。她轻盈、小巧，她的赤脚总是无声地在木地板上移动。他们做爱的时候，他总是对她说，你叫喊呀！但是甚至他的精液也不是像应有的那样注满她的子宫。他觉得它似乎只是从她的体内流过并渗进了被褥里。

自打他的妻子从那所医院回来之后，阿格尼就再也不曾出现过。他痛苦得发狂似的。他溜出家门，在小城里毫无目的地逛荡。但他不敢向别人打听阿格尼的行踪。他想到她那里定是发生了什么事，遇到了什么麻烦，或许是出了车祸。他每天必看地方报纸，但那里没有任何有关阿格尼的讯息。他经常坐在“塔楼”餐馆，靠近玻璃橱窗，喝着一杯又一杯的烧酒，注视着窗外走过的所有年轻姑娘。有一次他甚至觉得看到了她。他奔出餐馆，但他那时醉得厉害，以致无法采取任何有效的行动。在家的时候，他常躲在盥洗室里痛哭流涕。那间租赁的住所他还保留了一年，在门上贴了给她的留言，但是纸片给太阳晒得发黄，上面的文字也褪了色，仍杳无她的音信。他觉得他再也挺不住了，他会从内里死亡，觉得他的末日已经到了。他的整个世界，连同他的妻子——这个忧伤的、会动的物体都会死去，甚至时间也会死亡。

“我知道，我成了一个脾气不好、怨天尤人的老妖婆，”他的妻子说，“而之所以如此，是由于我不能生孩子。”但她知道，这不是真正的原因。她不能跟他有孩子。她跟阿格尼有可能有孩子，假如他会回来的话。但阿格尼消失得无影无踪。她带着被掏空的肚子从医院回来后，曾多次穿上皮大衣，撒谎说是去找女裁缝，然后就沿着空荡荡、滴水成冰的小城街道行走，朝人家的窗口张望，朝餐馆、酒肆的内部观瞧，目光凝视着每个男性形象。有时在极度的绝望之际她出城去了郊区，那里已经没有一盏路灯照亮，在黑暗和淫雨中流淌着一条臭气熏天的小河。她把额头靠在一个什么栅栏或是一棵什么树上，嘴里念叨着阿格尼、阿格尼、阿格尼的名字，仿佛她每天都必须把这个词念叨多遍，一遍又一遍地重复着，仿佛不这么做就不能呼吸似的。阿格尼，阿格尼，阿格尼，她念叨着，然后就开始等待，相信这种重复呼唤会有魔力，会征服空间，甚至也会征服时间，最终会把阿格尼给她引导到身旁。她想象这个名字会从她嘴里飞出去，飕飕呼叫着奔向地平线的上方，飞驰到某处，降落到她所爱的人的头上，跟他的头发缠绕在一起，把这个小伙子领到这里来，领到她的面前。有时某些迟归的路人从她身旁走过。他们必定会想，这个女人定是喝醉了酒，正在胡言乱语呢，说的只不过是醉后的疯话罢了。偶尔会有人纠缠她，她就把脸藏进衣领里——终于所有的人对她的表现都习以为常。由于一个毛头小子——一个外来的流浪汉，一个长年不曾理发的年轻男人的倾心，她使自己成为人们的一种笑柄。由于爱而使自己成为笑柄，成为别人说笑的对象。她之所以成了荒唐可笑的女人，是因为她被感情迷住了心窍，这种感情只有从她内心看才有意义，从这样一座坟墓的底层看才有意义——每个人就是这样一座坟墓。她之所以荒唐可笑，是因为外人对她的感情无法理解。她之所以荒唐可笑，是因为她唤起的是别人混合着同情的惊讶。但她安于自己的荒唐可笑，在报纸上刊登寻人启事。她在街上纠缠路人，拉扯他们的衣袖，问："您可曾见过……"她常站立在中学门口、学生宿舍近旁的公共汽车站上傻等着，甚至乞求面色阴沉的警察核对他们掌握的有关所有的人的秘密资料，看其中有没有阿格尼这么一个人。停尸间也是她经常走访的地方。她在公园里常常把一对亲吻的情人拉开，而且总是弄错，不得不对他们赔礼道歉。她拿婴儿用的橄榄油涂抹胸部和腹部，用自己的手温柔地触摸那些部位，还自我欺骗，设想那是阿格尼在抚摸她。她在厨房里洗餐具、切面包的时候，会突然痛哭流涕起来，听到那些为头脑简单的人编写的流行歌曲中的陈词滥调："然后你就突然离去，徐来的清风送来的一片落叶飘落在我的脚上……"也会涕泗滂沱。

她一觉醒来，想到的便是如何自杀。她在悲伤的隧道里想遍了所有的方法：从卧轨到用厨房烤箱的煤气自杀，样样都想到了。但她从未尝试过。有一次，她洗了一束餐刀，正要将它们擦干放进抽屉的时候，餐刀从她手里掉落下来了。她蹲下身子，想观察它们的刀尖，所有的刀尖都彼此交叉着躺在地上。既然每件东西，哪怕是最小的东西都是较大的东西的一部分，而较大的东西又是那些巨大的、强有力的过程的一种因素，那么每件最小的东西，作为整体的一部分，便必然具有某种意义。难道不是这样吗？那么，那些躺在厨房里方砖地面上的交叉着的餐刀刀尖又意味着什么呢？它们为什么要交叉？为什么没有撒落得彼此相隔远一点？为什么没有撒落成大致平行或者彼此保持匀称一些的距离？

自此她每天将一束餐刀扔到地上，将其想象成一种占卜来预测未来。刀尖总是相互吸引，它们在自己不能为人所理解的刀的世界里想要相互拥抱或者彼此对峙、交锋，似乎谁也管不着，非如此不可一般。

过了一段时间之后她的病假结束了，她重新回到药房上班。

只要她有点闲暇时间，她便注视着摆放毒药的架子。几年后她退休了，又回到浏览杂志的习惯上，在女裁缝那里定做了几套钢青色的女裙装，所有的服装都彼此相像，有如制服。

一旦生活里出现了相思，人的满脑子装的全是相思，世界会是一个什么样子？世界看起来就会变得不真实、会在手指之间碎裂、瓦解。每一个动作都在审视自己本身；每一种感情都会有个开头，但永远没有终结，最后甚至连思念的对象也会变得苍白和不真实。唯有相思本身是真实的，它把人弄得晕头转向：让人觉得在某个根本就不存在的地方拥有某种根本就不曾拥有的东西，接触某个根本就不存在的人。这种生存状态具有起伏不定和自相矛盾的特点。它是生活的精髓，而有时又是生活的对立面。它通过皮肤渗透进肌肉和骨头，从此人便开始痛苦地生活。不是说他们身上的疼痛。痛苦地生活——意味着痛是他们生活的基础。因而也就无法逃避这种相思。要做到逃离相思，就必须逃离自己的肉体，甚至逃离自己。喝得酩酊大醉？沉睡几个礼拜？忘乎所以地拼命工作直到发狂？不停顿地祈祷？

所有这一切他们夫妇都做过，但都是各人独自做的。在外表上看，他俩都是正常的人，跟别人一样地生活。可能所有的人都是这样生活的。似水流年改变着一切，除了相思。人们的头发脱落了，纸张变黄了，城乡郊区建起了新的房屋，社会制度发生了变化，富人变成了穷人，穷人变成了富人，衰老、孤独的女邻居纷纷谢世，孩子们的小皮鞋穿起来也嫌小了。

如今他们已完全变成另一种与从前不同的人，他们本该改变自己的姓氏和名字才是——或可到政府机关里走一趟，填个表，声明“我们已不再是过去的我们，我们申请改变我们的个人资料”或做出诸如此类的表白，便成了与过去完全不同的人。可如果人们不断地这样改变着姓名，不断地变成别的某些人，那么人口登记又将怎么办呢？为什么成年人又要具有跟他孩提时同样的名字？为什么一个被爱的女人遭到背叛或抛弃后还要沿用与此前相同的姓氏？为什么那些从战争中回来的男人仍要保留着原有的姓名？为什么一个挨过父亲揍的小伙子，当他已经开始揍自己的孩子的时候仍要愚蠢地采用昔日的名字？

然而从外表看，似乎没有发生过任何变化，无论是在他们之间，还是在他们之外，都没有发生什么变化，仿佛世界在熟睡，只是时不时由于转瞬即逝的噩梦而震颤一下。有一段时间他们还害怕清晨太早或夜里太晚会响起电话铃声、像天气一样多变的邮差会送来信件。他们多半在思想意识边缘的某个地方想着，阿格尼还会突然跟他们联系，没有任何预兆，有如晴天响起的霹雳。时间不敢触犯像阿格尼这样的神圣图像。

后来这对夫妇就再也不曾彼此说过“我爱你”一类的话，因为爱情已成了一种隐蔽的残疾。他们彼此之间除了买点东西和圣诞前夜相互说几句贺节的话之外，再也没有说过什么别的话。他俩都很晚才下班，午后他去打桥牌，她去上教堂，有时夜里他俩还相互偎依在一起，不是出于柔情，而是由于寒冷，因为房子老，很难烧热。但是不知不觉之间在他们的谈话里出现了一个新的习惯语，尤其是每当遇到什么麻烦的时候，他们总是说："让我们再一起坚持。""让我们再一起坚持。"他们这样相互一再重复着，使其听起来就像在念符咒。

后来他们怎么样了？在月蚀之前，R这么问道

他们形成了这样一种生活习惯：清晨一杯淡茶，茶后就按顺序出门拿报纸，做空无内容的祈祷，午后趴在窗口向外观望，猎捕打折商品，到市场购买哪怕便宜几分钱的生菜，晚上上闹钟，一再折磨那个测计时间的无辜装置，仿佛是要让它唤醒他们去做什么真正重要的事情。他们是如此依附于生活，以致不能去死，虽说他们早就该做这件事。

许多年后她终于头一个清醒过来，而且病倒了。起先是一只手骨折，而且是右手，因此她既不能做饭，也不能洗衣，甚至不能将台布上的面包屑收集到一起。他承担起她所担负的义务，就像他把妻子所承担的义务夺了过来。她坐在沙发椅上，面朝窗口，手上打着绷带，那模样看起来就像在抱怨整个世界。她能走路——但她一步不走。她能说话——但她一声不吭。她哼哼唧唧，但她的这种呻吟令他厌烦得发狂。当他坐在小圆桌旁摆牌阵的时候，抬头看到沙发椅靠背上方她头顶的灰白头发，听到这种“唉！唉！”的声调尖细的呻吟，大概会非常憎恶她。

她还在看自己喜爱的电视连续剧，而他早已在别的频道找到了电视竞赛。每天他都会这样提醒她：“二频道有竞赛。”

而她则恼怒地回答道：

“可这个频道有我的玛丽安娜。”

他沉默不语，走进了厨房，把茶壶或是平底锅弄得乒乒乓乓响，因为他想吃些甜点，但他只会做发面煎饼。

有这么一天，他重复了那句“二频道有竞赛”的话，她却突然回答说：“那你就调过去吧。”

他带着不相信的神情小心翼翼地转换了频道，可他最后并没有去看那些参加竞赛的家庭节目，只是偷眼观察着她。她望着彩色荧幕，就像望着窗——漠然，心不在焉。

后来她吩咐将她放到抽水马桶上，他照着做了。他用一只手扶住她，用另一只手去将她的连裤长袜和裤衩脱到膝盖处，还要扶住她的肩膀。他还不得不给她擦屁股！她从不看他一眼，也不说声道谢的话，仿佛这是她应得的效劳。

他俩始终睡在两张相同并接在一起的夫妻卧榻上，但如今他们在被子里已不再相互寻找。甚至相反——尽量离对方远一点，因为他们的身体可以靠自己的体温取暖，无须借助别人的身体温度。有时夜里她呻吟着说她冷，但他想给她穿上毛衣的时候，她又不同意，表示抗议。她那只打了石膏的手在旧床垫上蹭出了一个窟窿。既然她不肯挪动一下，他又如何去帮她。曾经在半睡半醒之中，他拿了一卷木质素棉纸，撕成了小块，用这些白色的棉纸盖住她的领口和肩膀。他也不明白，自己为何要这样做。早上他不得不从被子里把它们——被不安稳、痛苦的梦揉得皱巴巴、吸满了汗水、磨得破破烂烂的棉纸一点点捡出来。

然而，在他们生活的底层最重要的事还是两人共同的日常相处。她脑袋里开始越来越糊涂。她忘记了要说的话，忘记了名字，忘记了刚刚发生的事情。她的时间概念也是颠三倒四的。比方说，她会突然莫名其妙地问他：“我已经给你做了午饭了吗？”他回答说，他如今已是自己做饭。“咳，是这样！”她忧郁地重复了一遍，“因为冰箱里有的是那种短腿的小动物。”他走进了厨房，怀着一种混杂着满足感的恐惧的心情咯咯地笑着，笑她终于变成了这副模样，笑她像个孩子。他打开冷冻室，里面塞满了没有一丝血色的肉鸡尸体。有时她会用那只健康的手突然指着电视机，说：“啊，这个年轻人今天曾到戏棚里去过。”“什么戏棚？”他问。但是这个发现如今已经枯萎了，不再存在了，对于她，对于世界全都没有任何意义。

去年他们夫妻俩双双去世，就如世上最普通的事一样，一个接着一个默不作声地走了。已经没有任何办法可以挽救他们，留住他们了。

月　蚀

九月末，由于清晨半透明的薄雾和傍晚拉长的影子，是个容易产生幻觉的季节。我们在五月播种的大麻已经成熟，但由于发生的事情太多，因此我们错过了最好的收割时机。大麻的雄株将自己的花粉撒遍了一片小块的土地，从而使它的雌株受孕。现在我们得用镊子将种子从干缩的花冠里钳出来。大麻的全部效能都留在这些种子里。满满装上一烟斗，能抽上很长的时间。直到那时才能悟出可以怎样将思想分割开，将其分解为许多枝节话，切成数量多得吓人的不同含意。

有许多客人到我们家来看月蚀。就像夏天我们观看满月升起时那样，草坪上摆满了小轿车。孩子们跑来跑去，玻璃杯和酒杯叮当作响，搬到阳台上的椅子挪动时发出了刺耳的声音。最终电脑使孩子们安静了下来，荧幕闪闪发亮，喋喋不休地向他们讲述着一个无声的故事。

此时月亮已升到玛尔塔房子的上方，这意味着已经是秋天了。有那么片刻时间乌云将月亮遮住，而当它再次浮现出来时，已经不是原先的同一个月亮了——在它那银盘似的面孔上看得出一个半圆形的阴影。起初是狭窄的圆弧，后来阴影越来越大。一切都发生得太快了，弧形的阴影勉强才来得及走过一轮。然后，月亮消失了，身后在天空留下一个被挖出来的褐色的窟窿，一个被烧出来的圆洞。周围是一派令人难以置信的沉寂。沉寂持续的时间很短，几秒钟，十几秒钟，跟黑暗在月亮面孔上停留的时间一样长。在这短暂的瞬间，星星闪耀着明亮的光；天上布满了繁星。在我们看来，星星似乎从来没有如此光辉灿烂过。它们排列成合理的图案，组成了各种数目字、符号、几何图形，甚至路标。你能按照自己所想象的事物，解读出它们的意义。你能在它们的图案中看到许多人的思维已经习惯了的连环画式的故事：普罗米修斯解救安德洛墨达①，贝勒奈西的发辫②在空中飘舞，阿波罗的七弦琴由于渴望人的手指的弹拨而一面发出铿锵的响声，一面在太空中翱翔。你可以把这些星星看成一段用布莱叶盲文③写成的文章，可以看成没有尽头的一排排二进制密电码，或者看成带有含意不明确的图像的电脑荧幕。只

① 在希腊神话中，解救安德洛墨达的应是珀耳修斯。安德洛墨达是埃塞俄比亚国王刻甫斯与王后卡西俄珀亚的女儿，国王将她奉献给海怪，珀耳修斯飞过一座巨岩上空时发现了岩石上锁着安德洛墨达，于是杀死了海怪，解救了她，并娶她为妻。刻甫斯（Cepheus）、卡西俄珀亚（Cassiopeia）、安德洛墨达（Andromeda）、珀耳修斯（Perseus）也是仙王座、仙后座、仙女座和英仙座的名字。

② 贝勒奈西二世（Berenice II，前 267 或前 266—前 221），埃及国王托勒密三世的妻子，传说她将自己的长辫奉献给了司爱情和美的女神阿佛洛狄忒。后来辫子神秘地失踪，宫廷天文学家宣称：风把辫子带上了天，组成由七颗星排列出来的星座，称为“贝勒奈西的发辫”。

③ 由法国人路易·布莱叶（Louis Braille，1809—1852）发明的世界通用的盲人及视觉障碍者使用的文字，通过盲文板、盲文机、盲文打印机等在纸张上制做出不同组合的凸点而组成。

要我们有个大的鼠标，一个超级的鼠标，用它来点击这些图像中的一个，那时就可打开另一些完全意想不到的天国乐园，这些天国乐园令人神魂颠倒，深深吸引着我们，就像电脑游戏之于孩子们。那时我们就能玩这类游戏，就会越来越投入，游戏就会夺走我们的睡眠。在这些游戏的乐园里，我们就会成为另一种人，我们身上就会发生许多既是不可思议的，同时又是十分平常的故事。就像在游戏中那样，我们会死几百次，而我们又总是储蓄着许许多多新的生命，那是漫游于黑暗和光明之间的、悬浮在时间和空间里的一幅幅地图。

后来月亮重新闪烁着显现出来。最初是出现了发光的一小块，天体指甲壳剪下的碎片。我们相互碰杯。弧线重新发亮了，我们鼓起掌来。

后来我穿过潮湿的青草地到玛尔塔那里去。她正蹲在炉灶前边，往里面放木柴生火。她的公鸡在她身边踏着碎步轻快地走着，没有意识到死刑正在临近。它用自己那只紫红色的眼睛疑惑地望着我。它在我眼里就像个披着羽毛的古怪的沉默不语的人。

“你还没睡？”我问。

“一个人如果整个冬天都在睡觉，睡眠也就足够了。”她说，或者就像玛尔塔通常说话那样，我觉得听见她似乎是这么说的。

她开始切面包，切下了几片，切下了大半个面包。我觉得，自春天以来她发胖了。她给切下的面包抹上奶油，还撒了点盐。

她递给我一片面包。我突然感到饥肠辘辘，觉得哪怕吃上一整夜也尝不出味道来。在抽过大麻之后，这可怕的饥饿只有睡眠才能充分缓解。

“你怎么有点怪怪的？”玛尔塔突然说，站起身来，“睡觉去吧！”

“不。让我看看你的地窖。”

“跟你的地窖一模一样。”

“没关系。我想看一看。”

我以为她不会同意，会婉言谢绝，会变换话题。但她从架子上拿起我送给她的手电筒，打开了通向地窖的门。

跟我们家的地窖相似——凹凸不平的石头台阶，上面覆盖了一层薄薄的闪着亮光的水珠，底部有块又平又大的石头作为台阶的尽头。远一点的地方有夯实的泥土地，它比石头软，也比石头温和些。头顶上方挂一个低矮的半圆形的天棚，个子高一点的人走到它下面还得弯腰。墙壁是用红色的岩石砌成的，一块紧挨着一块，严丝合缝。这是房屋的骨架子。玛尔塔让手电筒照亮了对面的墙，我看到那边有个用麦秸塞住的小窗口。窗子下方立着一个临时搭起来的窝铺——因为它甚至说不上是床。那是个敞口的大木头箱子，长度相当于一个成年人的高度，放置在四块石头上，以这种方式与泥土地隔开。玛尔塔在里面铺上了草褥子和一张定是从雅谢克·博博尔那儿弄来的老羊皮。放脚的一头堆着一摞叠得整整齐齐的盖布、床罩和羊毛毯。手电筒的光束移到了一个角落，照出了一堆马铃薯。

“那是度春用的马铃薯。”她说。

人们通常说的是“过冬用的马铃薯”，而玛尔塔说的则是“度春”。

正是那天夜里我梦见玛尔塔的背上长出了一对膜状的翅膀。她从肩上拉下衬衫，让我看那两只翅膀。它们的个儿不大，还跟背上的皮肤连在一起，弄得皱巴巴的，像蝴蝶的翅膀；它们正轻微地颤动着。“原来是这样！”我说，因为我深信，这两只翅膀能说明一切。

后来我和玛尔塔一起去新鲁达上旧货店的时候，我又回想起这个梦。玛尔塔试穿一件跟她已有的那件一模一样的毛衣——灰色，开襟，前边扣扣子，扣眼儿抻得老大。她站立在镜子前面，我伸手试着给她调整一下，触到了她的肩膀。正是这一触摸唤起了我的梦。整个梦境就隐藏在我轻轻的一触里，由于我这一触，它也就摆动着飞走了。玛尔塔瘪起了她那已经凹陷的双颊，在镜子前面扭捏着，装模作样。她外表上有某些地方像个姑娘，像个花样少女。我凝视着她背部轻度的弯曲。

我感到激动，仿佛我发现了一个大秘密，仿佛随着手指触到玛尔塔灰色的毛衣，便有一道陌生的光穿透过我的全身。那是一道强烈而冷峻的光，有如一束激光。激动的我把毛衣挂回原来的地方（“我干吗要买这样的毛衣？我想，恐怕我已经拥有这个世界上所有的毛衣了。”她笑着说。）我帮她坐到车子前边的座位上，帮她系好了安全带。

我们驱车在山腰上蜿蜒盘旋，经过一些阴湿的村庄和向阳的荒地，地里长满了那种高大、芳香的草本植物，它们被新鲁达的本地人称为“宇宙莳萝”。它们巨大的叶片迎风飘舞，酷似翅膀。

“它们是唯一飞到温暖国度过冬的植物。”玛尔塔说，同时大笑起来。

玛尔塔的苏醒

我能猜到玛尔塔是从哪里来的。我也能猜到她为何在冬天就从我们的眼前消失，而每逢早春时节，我们一到这里，并且在由于潮湿而生锈的锁眼里转动钥匙的时候，她便会自行出现。

说不定她在三月份便已苏醒过来了。她先是一动也不动地躺着，甚至不知道自己是否睁开了眼睛——到处是一团漆黑。她甚至不曾试图动一动，因为她知道她那时醒来的只是思想而非肉体。肉体仍然在沉睡；只须刹那间的疏忽，她就会重新滑入先前的蛰伏状态，进入感觉的迂回曲折的迷宫，那是一些色彩丰富的感官的感觉，跟躺在这里的黑暗中感受到的一样现实，或者更为现实，甚至还要现实一百倍。但不知怎么地，玛尔塔知道她已经苏醒，知道自己是处在跟先前不同的地方。

首先她感觉到了地下室的气味——潮湿而无害的气味，蘑菇的气味，发潮的干草的气味，这种气味使她想起了夏天。

她的肉体花了很长的时间才慢慢从睡梦中醒来，直到她终于发现自己的眼睛睁开了——因为此时的黑暗已显露出不同的色调和强度。现在她的目光顺着黑暗的丰富色调滑动，时而向前，时而向后，时而向下，时而向上。直到后来，过了许久之后，她从发亮的斑点中猜到外面白天的亮光。发亮的斑点在她眼中忽明忽暗，朦朦胧胧，模糊不清，那是透过堵塞地下室窗洞的干草的缝隙射进来的。光线消逝了，又再次出现，那时她的脑子便想，定是过了一天。

直到这时她才感觉到有些寒意——来自远处的某个地方，来自肉体周边的寒气。她迎着寒气上去——她动了动脚趾头，至少她觉得是动了动。过了片刻她的脚掌有了反应——脚也感觉到冷了。就这样，她依次一部分一部分地唤醒了她整个肉体，使肉体的各个部分重新恢复了生机。就像对那些阵亡将士逐一点名，她的肉体的各个部分就一部分一部分按顺序地对她做出了回应：有！有！有！

她两次试着站起身子，但肉体两次都躲开了她，使她重又跌落到木板床上；她仿佛觉得自己是坐着的，虽然并没有坐起来。她第三次试图支撑肉体站起来，也真的把身子支持了起来。从那时起，她才感到略微安心。她一步一步地走到门边，花了很长的时间去对付那铁制的门把手。她的手指像春天的马铃薯幼芽一样孱弱。潮湿的石头台阶慢慢地把她引到了走廊上，她从那里透过门上的缝隙看到了真正的亮光。她不得不用手遮住了眼睛。

严寒曾侵蚀过房屋的墙壁，现在它像个生病的人一样大汗淋漓。点缀着斑斑点点的老鼠粪的尘土覆盖在地板上。她在厨房里的一张椅子上坐了下来，那张椅子像周围所有的东西一样正在解冻，不断向她的身体散发出阵阵寒气。玛尔塔从椅子上艰难地站立起来，从餐具柜的抽屉里拿出电热器，她用水泵抽了一点水，旋开水龙头——涌出了一股浑浊的、带土红色的液体，有如掺了水的鲜血一般的液体。她用水洗了脸，又将一只带把的大杯子盛满了水。过了片刻，她便有了一杯沸腾的水可以暖手。她一口一口地呷着这杯开水，感到自己已开始从体内慢慢解冻，感到她的身子在逐渐恢复生机。

这一天玛尔塔出门走到房子前边。大门由于去年结霜依旧是潮乎乎的，像所有的东西一样散发着一种蘑菇和水的气味。在她的小园子里还躺着一片片肮脏的积雪。太阳从各个方面蚕食那些像开始变质、腐坏的煎蛋饼似的积雪。从积雪下面露出湿淋淋的腐烂的枯草，以及曾经的旱金莲、翠菊和夜来香之类的植物。

她不安地仰望天空——天空布满了低垂的快速飘过的云彩，太阳透过云彩照耀在森林上方。就像每年那样，玛尔塔感到惊愕的是，太阳竟能漫游到森林上方，现在又投下了长长的阴影，给积雪以藏身之所。她返回到走廊上，穿上胶鞋，胶鞋也是又湿又冷的。她朝房子后面走去，穿过了小园子。冬天和漫漫长夜给小园子造成了巨大的破坏，如今已是满目疮痍。她俯身去看白菜头，秋天时它们曾是那么漂亮和挺拔，可现在却变成了一堆堆黏糊、腐烂的东西！向日葵早已是什么也没有剩下了，而在夏天，像通常那样，她总觉得没有什么力量可以抑制住它们强劲的主茎和它们那带着一副太阳晒黑的面孔的狮子般的脑袋。靠着向日葵的栅栏也已吸满了无处不在的水东倒西歪。后来她又看了看自己长满老苹果树和李子树的果园。最甜的那棵樱桃树上有一根大枝折断了。她记忆中的那个生机蓬勃、长满高高的青草、掩映在一派葱绿之中的果园，如今也已不复存在。眼前的景色令她想起坟场。光秃秃的树木看起来就像一个个的十字架，而一堆堆倒伏的枯草就如坟墓。一切看起来就是这般模样。一切都吸满了水、潮气和烂蘑菇的臭味。玛尔塔像憎恨冬天和黑暗一样憎恨潮湿。水往往是不诚实的、多变的。玛尔塔觉得，她能坦然面对水，但只是当水就是它自身，而没有装扮、混充别的东西的时候。当洁净得透明的水在山溪中流动的时候，可以把它捧在手上，洒在脸上，甚至可以直接从地里喝它。但水更经常的是装扮成别的什么东西，深深地渗入植物或其他的物体，变成无形的、看不见的东西。那时它落到脸上，落到毛衣上，就会把一切东西都蒙上一层霜，就会扼杀一切，毁掉一切。或者，它会悬浮在云彩尘雾中，如同对那永恒罪孽的一种无尽的惩罚。

玛尔塔走进了房子，因为寒冷重又回到了她的身上。她在台阶上还站立了片刻，想看看谷地里其余的地方。

山峦看起来很单调——一片黛绿色和黑色，它们也有水的颜色。凡是地面由于某种原因而比较阴冷的地方，都仍然覆盖着积雪。在这儿所有的四个烟囱中只有如此这般家的烟囱在冒烟。弗罗斯特的房子前面停着一辆蓝色的小轿车，有两个人在木板阳台上谈话。玛尔塔打了个寒战，回到了厨房，动手生起了炉子。

在顶楼上整理

已是秋风送爽的时节，我整天都在顶楼上整理衣物。我把夏天穿的东西都装进箱子，在衣服中间放了一层层的樟脑丸，在皮鞋里塞上报纸，装进纸袋里。我发现原来有许多连衣裙我根本就不曾穿过，也没有机会穿。它们一直挂在衣柜里的挂衣杆上。尽管如此，它们经过六月、七月、八月这些月份仍在不断变旧。我看到它们在怎样损坏，在接缝的地方如何脱线、变软、自行老化，在这些过程中都没有我的介入。而这是某种美，某种成熟的退化，某种没有任何人的帮忙而自行出现的美，这种美是时间最上相的面孔。棕黄色凉鞋的皮革变黑了，变软了，变松了，鞋襻磨损了，搭扣生锈了，心爱的女衬衫褪色或男衬衫的袖口磨破了。我看到纸张随着时间的推移也发生了变化——变硬、发黄，仿佛是干枯了，完全像人一样衰老了，变得粗糙而无弹性。我看到圆珠笔的笔芯如何写光，铅笔如何越写越短，直到后来有一天我终于惊诧地发现一个小小的铅笔头竟是一年前那枝漂亮的长铅笔的残余。我看到玻璃如何失去光泽——诸如衣柜上亮得炫目的镜子在年复一年的岁月流逝中已变得模糊而不清晰。

人们由于某些原因只喜欢变化的一个方面。他们喜爱的是增长和发展，而不是萎缩和衰退。对于他们来说，成熟总是比腐烂可爱得多。他们喜欢的是越来越年轻的、液汁越来越多的、新鲜和未熟透的东西；喜欢的是尚未完全做成、多少还有些粗糙、靠潜在的强大的弹力从内里驱动的东西；喜欢的是那种还能有新的发展，总是向前、永不后退的瞬间。他们喜欢的是年轻的女人、带有新刷的白色涂料的新房子、散发着印刷油墨芳香的新书、以形状别致而令人惊羡的新轿车——其实，对于内行人来说那只不过是一种既有的车型的变种而已。他们喜欢的是最新的机器，喜欢的是新磨的金属的闪光，喜欢的是刚买回家的包装好的物品，喜欢的是光滑的玻璃纸发出的瑟瑟声响和未使用过的干净细绳的平和拉力。他们喜欢的是崭新的钞票——甚至不管是否能将其装进他们自己的钱包，喜欢的是纯净的、天长日久表面也不会发黄的塑料制品和琢磨得平滑发亮、没有丝毫污斑痕迹的桌面，喜欢的是有待经营、耕作的空地，没有胡须的光洁脸颊和“一切都可能发生”的表达方式（谁还会去使用“徒劳”这个武断的词？）。人们喜欢的是从豆荚里剥出的青豌豆，是阿斯特拉罕的羊羔皮、蓓蕾中的花朵、天真的狗崽、幼小的山羊羔、尚未忘却树的形状的新切割出来的木板、不知穗子为何物的鲜嫩青草。人们只喜欢那种新的、尚未有过的东西。只喜欢新的东西！新的东西！

新鲁达

新鲁达是座充满了理发匠、旧衣店、眼睑涂满煤灰的男人的城市，它是一座建造在谷地、斜坡和山头上的城市。这座城市有许多漫不经心地搭在一条小河上的小桥。这条小河时而出现，时而消失，总有各种不同的越来越时髦的色彩，这是一座充满了守护神圣约翰的雕像、掺假的香水、牛奶、咖啡酒吧、煞费苦心排列在货架上的劣质商品的城市；这座城市的房屋墙壁上留有潮湿的痕迹，从窗口只能看到行人的脚和迷宫似的庭院；这座城市既是旅行的目的地，也是转乘火车的地方；这座城市到处是流浪的狗、神秘的过道、死胡同、大门上面满是神秘的象征符号的房屋。在这里看到的是红砖的建筑物、椭圆形的环路、歪歪斜斜的十字路口、通向市中心和郊区的露天市场的迂回的岔道、起点和终点均处于同一个水平面的台阶、把道路顺直的拐角、左边的岔道向右而右边的岔道向左的道路分岔口。这座城市夏天最短，积雪永远不会完全融化。这座城市的黄昏会突然从山后降临，像张其大无比的捕蝶网一样降落到房屋上。这座城市的冰淇淋水分总是太大，到处是出售牛骨头的小店铺，女职员大多浓妆艳抹俗不可耐，推着婴儿车的母亲经常喝得醉醺醺。这是一座多梦的城市，它梦见自己位于比利牛斯山中，梦见太阳永远不会在它上方西下，梦见所有离开的人总有一天都会回来，梦见那些德国人留下的秘密隧道可通向布拉格、弗罗茨瓦夫和德累斯顿。这是一座满目疮痍的城市，一座西里西亚的城市、普鲁士的城市、捷克的城市、奥匈帝国的城市和波兰的城市，一座分不清市区和郊区的城市，一座人们相互想起的时候总是指名道姓而见面时总是以“先生”“女士”彼此相称的城市，一座礼拜六和礼拜天总是见不到一个人影的城市，一座放任时间自流、消息总是迟到、名称总是被弄错的城市。在这座城市里没有任何新的东西，而新鲜的事物只要一出现立即便会失去光泽、变得暗淡失色、被蒙上一层污垢，立即便会枯萎了，并一动不动地滞留在生存的边缘上。

缔造者

新鲁达的缔造者是从事刀具制作的顿奇尔，故而大家都把他称为刀具匠。他制作用于宰杀、剪发、制革、切大白菜、将皮革切成皮条、给准备砍伐的树木刻下记号，甚至用于在木头上雕刻人像或装饰花纹的刀具。这是个良好的职业，大家都尊重刀具匠顿奇尔。但是在他居住的新开垦地共有两个人从事同样的职业。另一个刀具匠会做的刀具跟顿奇尔会做的一样。由于顿奇尔比那人年轻，顿奇尔便买了一匹马，把自己的全部家当全都装上了一辆大车，其中包括他的工具、磨刀石、衣箱、不多的几口锅、一些皮革和几床睡觉用的毛毯，还有他那位已经怀孕的、肚子挺到了下巴的妻子。

在群山的另一边展现出一片肥沃的谷地，那儿有长满云杉的茂密的森林，云杉是如此高大，以致戳破了一片平静的天空。在这些森林中间，塞进了许多村庄。而在某些村庄里肯定缺少工具匠，于是顿奇尔便赶着自己的大车径直向南方走去。他们沿着林间小道流浪了好几天，直到在一条溪流边上做了短暂的停留，他的妻子在那儿生了一个孩子。顿奇尔用自己最锋利的一把刀子割断了孩子的脐带，但是在天亮之前他的妻子便一言不发地死了，过后不久孩子也死了。顿奇尔在绝望之中猛踢树干，由于发狂和悲伤而大叫大嚷："我这个蠢货，干吗要离开我的新开垦地？干吗要往什么陌生的世界里挤？如今我能在哪里埋葬老婆？难道能像野兽一样将她埋在森林里？"卸了套的马耷拉着脑袋望着他。顿奇尔的叫嚷招来了在附近砍树的伐木工人，他们帮助他埋葬了死者。

顿奇尔坚持留在坟墓旁边。他用木头给自己搭了个窝棚，等待着某一位天使的到来，告诉他今后该怎么办。在此期间每隔几天能到他这里来的只是一些伐木工人，他们对他的刀具赞叹不已。有时他们给他带点吃的东西来。他用刀跟他们交换了一把斧子，亲自动手在自己小屋的周围伐木，用马将树根从地里拖出来。他将开垦出的小块土地用木栅栏圈了起来。夜晚野狼成群结队走过山岗，他听见过狼嗥，但他并不害怕。冬天到来之前他回到自己过去的开垦地探望家人。他一五一十地对他们诉说了自己的经历，还对他们说："我需要一条狗，还想重新娶个老婆。"但是第一个冬天他仍然独自生活了下来，虽然付出了巨大的代价。为了不被冻饿而死，他把所有的时间都用来砍伐树木，而后布下陷阱捕捉一些瘦得皮包骨头的兔子和鹿。到了春天，他的亲属给他送来了他所想要的一切：女人名叫朵罗塔，小个子，瘦骨嶙峋，沉默寡言。顿奇尔初见她时不禁吓了一跳，心想他恐怕永远也不会喜欢上她。但随着时间的推移，他俩竟成了彼此亲近的人。在此期间那条狗日益长大，成了他绝妙的伙伴。它动作敏捷，跑得快，体格健壮，善于独自狩猎；顿奇尔每逢身边带着这条狗走进森林，总感到非常安全。

瞧吧，这一切是怎样从一个男人身上开始的。顿奇尔夫妇每年生一个孩子，于是他们在伐木工人的帮助下建造了一幢新房子。夫妻俩把整个斜坡变成了肥沃的良田。他们在溪流沿岸播种了荞麦和燕麦。伐木工人也纷纷在附近盖起了自己的小屋，娶妻生子。顿奇尔年老的时候，溪边的谷地已变成了一个小小的新开垦地，他们将其称为“新采伐地”。

在那些垦殖的年代里，有一天，顿奇尔有过一次奇怪的经历。在新采伐地中央，在溪流的另一边，他见到一棵孤零零的树木，那定是伐木者忘记将其砍伐留下来的。受到好奇心的驱使，他走得更近一些，仔细打量了那棵树。那是棵云杉树，粗壮、高大、挺拔，是那种适用于建造房屋的大树。他围绕这棵树走了一圈，注意到有件东西嵌入了它的树皮：那玩意儿看起来像是铁的，有如磨光的刀刃闪闪发亮。他先用手指去摸了它一下，然后又试着用指甲去抠，继而又用树枝去撬，最终用自己的一把刀去挖。但无论怎样折腾都毫无结果。云杉树坚实的树干牢牢地紧夹着那件东西。看起来像是金属跟树木长到一起了，用任何办法都不能把它们分开。顿奇尔心想，这必是一种标记，虽然没有哪一位天使来到这儿并用其闪光的手指指明教堂应建在何处，但已经很清楚教堂应该建在什么地方了。于是他便去找自己的邻居，大家同心协力砍倒了那棵高大的云杉树。夜晚顿奇尔得以将那个神秘的物体从树身上成功地取了出来。是一把刀，但不是顿奇尔制作的那种刀，是另一种。它的刀刃无比光滑，几乎像镜子一样——它上面能够反射出夜晚的天空。刀身上刻有一些线条细微的符号，但是顿奇尔无法弄清其中所含的意义。顿奇尔除了野狼、兔子的足踪和雪花迷人的形状，看不懂其他的图形。然而重要的不是树，甚至也不是这把刀，而是以这种方式自行显示的地点。于是他们在地上做了个长方形的记号，大家一致同意在这里建一座教堂。

过了好多年好多年之后，顿奇尔已经老到了这般地步，所有的事情在他脑子里全都混成了一团。他使劲思考着这棵树是否真的长在那里，会不会是他小的时候在别的某个地方见过这样一棵身上扎进了一把刀子的树。或者会不会是他梦中所见的，因为他做的梦总是很清晰的，像刀刃一样明光瓦亮。他吩咐日后将他和他发现的那把刀一起埋葬——与顿奇尔不同的是，刀身上的钢一点也没有老化。在顿奇尔去世之前，有个热心的识文断字的人给他读出了这行细小的标记，那儿写的是“SOLINGEN”①。这个名称已经没有什么人会提起它了。

又过了好几百年，新鲁达中学的一位教师给市政会议递交了一份报告，建议给城市的缔造者立座纪念碑，但是由于这整个故事，如同城市的绝大部分历史一样，是用德文而不是用波兰文记载的，建议书被搁置一旁，一切的努力也就到此为止了。

① 德语，汉译索林根，德国古城，向来以制造刀具闻名于世。

拯救机

刀具匠们只有一个宇宙学的图像。这就是拯救机的图像。他们将这幅图像画在自己房屋的墙壁上，雕刻在刀柄上，他们为数不多的孩子把从成年人讲述的故事里听到的有关的图像用小棍子画到了沙地上。他们以如泣如诉的赞美诗歌唱这拯救机，那些赞美诗是如此古怪和悲伤，以至于只有他们自己在听到它时能承受得住。

宇宙的拯救机是一种旋转运动；这种超乎寻常的强烈的旋转运动既能推动遥远的星辰、黄道带以及整个宇宙沿着它们的轨道运行，又能激发起各种细小的运动，这些运动存在于人造的物品中，存在于磨轮、曲轴、钟表和大车的轮子里，存在于磨碎罂粟籽和塑泥罐的过程中，还存在于类似构成世界的各种细微的粒子的颤动中。这种颤动乃是一种最小的旋转运动。

我大概可以对此作如下的描述：在时间的开头，处于旋转运动中的太阳就像个庞大的真空吸尘器——从物质吸收光，再把它传递到行星的轨道和黄道带的巨大水圈上。它们的运动把光传到更高、更远的地方，传到整个世界的边缘——光就是从那儿发源的。

光生活在人和动物的灵魂里，隐藏在那儿过冬，宛如封闭在一个盒子里；而月亮则是一艘运输船——运载死者的灵魂，将其从地上运送到太阳上。每个月的上半月它都在收集死者的灵魂，就变得越来越明亮，直到变成满月。在下半月它就将所收集的灵魂交付给太阳，于是朔月便成了一艘卸下了装载物的船，又成了一艘空船。卸空了装载物的月亮就飘浮在地球和太阳之间，有如一艘泛着银光的空油轮，正准备着执行自己的下一个任务。

太阳将长久地坚持自己的工作，就像刀具匠的赞美诗所歌唱的，直到太阳吸尽了所有的光粒子并将其交给了主人。然后太阳就将沉没、熄灭、消逝，而月亮则紧跟着它，也将消失，不复存在；然后黄道带的和谐就会被彻底破坏，整个巨大、复杂的宇宙机就将发出尖锐刺耳的一声尖叫并停止运转，最后就是轰隆一声崩溃。到那时星系的存在也将不再是必要的了。宇宙的边缘也就可视为宇宙的中心。

我们走，我说，明天是万圣节

玛尔塔坐在桌旁，揉着她那双发红的眼睛。在她的厨房里呈现出一派令人难以置信的整洁：所有的锅碗瓢盆、瓶瓶罐罐都收起来，漆布擦洗得干干净净，打过蜡的木地板闪闪发亮。甚至窗户也清洗过，夏天挡住阳光的蜘蛛网也已全部扫除。水磨石窗台上没有留下一只死飞蛾，那个模样会使人想到墓石。我给她带去一点剩余的糕点，她狼吞虎咽地一扫而光。后来她站起身来，拖着脚步趿拉趿拉地走进了房间。通过敞开的房门，我看到尽善尽美地铺好的为过冬做好了准备的床。

她从那里拿出一顶假发，深颜色、几乎是黑色的、把头发精心地编成许多小辫子的假发，那正是我想要的那种发型。我戴上了假发，玛尔塔咧着嘴笑了，嘴唇上还留有罂粟籽饼的碎末。

“好极了！”她说，同时让我照一照镜子。

我从镜子里显现了出来，若是若非而又陌生；我的脸庞发暗。我认不出我自己了。

我打算戴着这顶假发代替帽子，我会在一觉醒来之后就把它戴上，这样便可安然地穿过那些凉丝丝的房间走到盥洗室去。我甚至还可能会戴着它睡觉。我将戴着它工作和规划夏天的装修。我将戴着它走向世界。

我走到玛尔塔面前，紧紧地拥抱了她。她的身量齐我的下巴；她体质虚弱，小巧，宛如那种细茎的蘑菇。她那头短短的灰白头发有股发潮的气味。

下午我去跟她告别，提醒她在万圣节为我们在弗罗斯特孩子的墓前点上长明灯。

我走进她的房子，但里面是空的。桌子上放着一根穿了线的针，以及那只硕大的锡盘子，那是玛尔塔家里最显眼的东西。我坐在桌旁，等着她，也许等了她一个钟头，也许是两个钟头。刷白的墙壁反射着我的呼吸。我的手指沿着盘子上复杂的金属图案移动。没有嗡嗡叫着飞来飞去的苍蝇，炉灶盖板下没有烧得噼噼啪啪的炉火。是那么静寂，以至于我能听到我自己的呼吸。

我知道通向地下室的门，它就在我的背后。门是虚掩着的，但开着的挂锁吊在锁环上，预备着会有人去动它。我可以站起身来，去打开这道门，往下走。我可以挽着她躺在黑暗和潮气里，躺在成堆的越冬的马铃薯中间。我这样想着，但是严格地说，在玛尔塔的房子里想任何事情都是困难的：这房子就像海绵，往往在思想形成之前就被它吸收了。它不提供任何东西作为交换，不许诺，不诓骗，它里面没有未来，而过去则转变成各种客体。玛尔塔的房子就像玛尔塔本人，像她一样什么也不了解——既不了解上帝，也不了解上帝创造的东西，甚至也不了解自己本身。关于世界，她什么也不想了解。房子里只有一个时刻，只有现在，但它却是无边无际的，延伸到四面八方的，它覆盖一切，就是不适合人居住。

后来黄昏突然降临，我甚至没有注意到天是在什么时候落黑的。如果不是这只锡盘子，我也许就这么一直坐下去，用自己的呼吸使自己进入催眠状态，也许永远醒不过来。这只锡盘闪着强烈的寒光，它充满了整个厨房，照亮了我的双手，给各种物品投下阴影。这道光反射出所有的过去和未来的满月，所有明亮的繁星闪耀的天空，所有的烛光和白炽灯泡的光，以及所有种类的荧光灯冷色的光。

从天空预测

R曾对我说过，他小的时候就会辨析各种云彩，至少他现在还记得这件事。

对他而言，天上的云彩组成了各种明确的图案——动物的外形、轮船、帆船、白色的羊群——在下方还总有一条颜色较深、跑得更快的牧羊犬在把它们往一处赶；还有小汽车、救火车或是长相奇特的怪物——蛇、龙、长了翅膀而短腿上顶着个深不可测的大嘴的自由自在的骷髅。他上小学的时候便开始从云中看到文字和符号。有时还在他眼前进行算术演算——一个被冲蚀过的2跟一个大肚皮的3相加，最后风吹来了一个蛇形的图样，那便是5。随着时间的推移，逐渐出现一些更复杂的演算。上小学二年级的时候，他通过这种方式学会了乘法表。从自己房间那个朝向铁路的窗口，他能看到一片天空。天上一侧的云彩总是淡红色的，或者是橙色的，因为炼焦厂腾起的火焰照映着它们。在这巨大的面板上他看到满天的代数学。乘法表中他记得最清楚的是7乘8，因为这是最难学会的最复杂的运算。7使他想起弯弯的半月形面包，8是两朵小的圆形云彩连在一起。它们之后是乘积，一个弯钩有点模糊的5字和一个特别清晰的6字，那也许是某架喷射机排出的废气盘绕而成的。他常常在窗口一坐就是几个钟头，抬眼仰望着天空。上七年级的时候，他恋爱了，在云彩中他看到一颗心和四叶酢浆草。后来他常看到别的一些符号——从西到东缓慢移到城市上方的布满了半边天的一个巨大的和平象征和一个巨大的“道”的符号——这个“道”的符号是他在某次大学生郊游时在博尔库夫城堡上方看到的。如是一直到他忙于别的更重要的事情而不再仰望天空的时期。

不久之前 R 承认，直到如今，在三十岁和四十岁之间，他才能看得最清楚。所以他前不久在市场上从乌克兰商人那里买了个三脚架，在春天来临的时候，他将立即就把照相机架在东边的阳台上。镜头将瞄准天空，对准两棵孪生的云杉树冠上方，它将这样一直站立到秋天。他将每天照一张照片，纵然天空笼罩着毫无差异的灰色云朵的时候也会照拍不误。R 确信我们迟早总能拍到点什么，到了秋天我们就能在感光底片上看到一组按顺序拍摄的天空的连续镜头，那将是一套确实能说明点什么的画面。到那时就可以把所有的照片放在一起，像做拼图游戏一样随意拼接，也可把那些照片一张接着一张装进电脑里，或可借助某个电脑软件程序从所有的照片中拼凑出一个天空。到那时我们就会知道天空究竟是个什么样了。

图书在版编目（CIP）数据

白天的房子，夜晚的房子 /（波）奥尔加·托卡尔丘克著；易丽君，袁汉镕译 . -- 成都：四川人民出版社，2017.9（2019.10 重印）

ISBN 978-7-220-10372-8

Ⅰ . ①白… Ⅱ . ①奥… ②易… ③袁… Ⅲ . ①长篇小说—波兰—现代 Ⅳ . ① I513.45

中国版本图书馆 CIP 数据核字 (2017) 第 226355 号

四川省版权局
著作权合同登记号
图字：21-2017-598

BAITIAN DE FANGZI,YEWAN DE FANGZI

白天的房子，夜晚的房子

著　　者　[波兰] 奥尔加·托卡尔丘克
译　　者　易丽君　袁汉镕
选题策划　后浪出版公司
出版统筹　吴兴元
编辑统筹　梅天明
特约编辑　石儒婧
责任编辑　唐　婧
装帧制造　墨白空间·张静涵
营销推广　ONEBOOK

出版发行　四川人民出版社（成都槐树街 2 号）
网　　址　http://www.scpph.com
E - mail　scrmcbs@sina.com
印　　刷　北京盛通印刷股份有限公司
成品尺寸　143mm × 210mm
印　　张　13.5
字　　数　203 千
版　　次　2017 年 12 月第 1 版
印　　次　2019 年 10 月第 5 次
书　　号　978-7-220-10372-8
定　　价　60. 00 元

后浪出版咨询(北京)有限责任公司常年法律顾问：北京大成律师事务所　周天晖 copyright@hinabook.com

本书若有质量问题，请与本公司图书销售中心联系调换。电话：010-64010019